消費者裁判手続特例法

［第3版］

伊藤 眞
Ito Makoto

商事法務

第3版はしがき

　本書〔第2版〕を公刊した令和2年（2020年）師走より、玉響（たまゆら）のごとく3年を超える歳月が流れ、その間、令和4年改正によって基本となる法制が、「消費者の財産的被害<u>等</u>の集団的な回復のための民事の裁判手続の特例に関する法律」（令和4年法律59号。下線は筆者による）に改まり、それを受けて「消費者の財産的被害<u>等</u>の集団的な回復のための民事の裁判手続の特例に関する規則」（令和5年最高裁判所規則1号。下線は筆者による）、施行規則（令和5年内閣府令4号）、消費者庁によるガイドラインなども定められ、令和5年10月1日から施行された。

　今般の改正は、訴えの対象となる損害の範囲や被告適格の拡大、和解の早期柔軟化、訴えを提起する立場にある特定適格消費者団体の負担軽減など、制度創設以後の運用実績を考慮した大規模なものである（本書14頁）。

　体系書の生命は、不断の改訂によって支えられるとは筆者の信念であり、今般の大改正の内容を座視することは、それを偽るものであると感じたため、傘寿（80歳）を目前にした老骨であることを自覚しつつ、作業に着手したのが令和5年初頭であった。しかし、立案準備作業に関与していない者が、いわば白紙の状態で改正法規を前にし、規律の意義を理解し、その評価と位置づけを行うことは、予想を超える難事であったことを告白せざるをえない。

　ともすれば、筆を擱（お）けばとの囁（ささや）きが胸を過（よ）ぎる宵も少なからず、現実は、法文、裁判例、実務運用、学説と向い合う日々であったが、フト思えば、その対峙から遁走したいと希（ねが）う自らの心との格闘であったかもしれない。しかし、その囁きに耳を貸すことなく歩みを続けられたのは、生涯の伴侶・順子、愛育の母・千谷子をはじめとする家族の絆であるとの想いを改めて噛みしめている。また、超高齢化社会にあって、知友・樋口範雄教授が指弾する、年齢差別主義や年齢束縛主義[1]に屈しないためにも、法理の解明と適正な運用に向かって、

1）樋口恵子＝秋山弘子＝樋口範雄編著『しあわせの高齢者学──「古稀式」という試み』226頁（2023年、弘文堂）。

残された力を注がねばと自戒している。

　なお、令和４年改正の結果、各法条の内容が改められているだけではなく、条文番号にもズレが生じている。本書の記述においては、改正後の条数を表記しているが、凡例に掲げた文献の多くは改正前の条数にもとづくものであり、記述の内容は改正法の解説としても通用することが多い。そこで、必要に応じて、特例法＊＊条（旧＊＊条）または改正前＊＊条などと表記し、読者の便宜を図っている。

　改訂作業を行った机上のパソコンは、令和４年秋の叙勲に対する祝意として、長島・大野・常松法律事務所の方々から頂戴したものである。平素より様々な形での支援を受けていることに加え、周囲の御厚意によって、小なりといえども体系書執筆者としての務めを果たしえたこと、感謝の気持ち尽きるところがない。

　また、㈱商事法務コンテンツ制作部の浅沼亨氏、吉野祥子氏の尽力に謝意を評したい。第１次原稿から整理、数次の校正を経て、公刊に至るまでには、多言を要しない編集者の御苦労がある。刊行に至れば、その跡は読者から不可視のものとなるが、それをもって編集者の誇りというべきであろう。

　４冊の体系書である、本書、『民事訴訟法〔第８版〕』（2023年、有斐閣）、『破産法・民事再生法〔第５版〕』（2022年、有斐閣）、『会社更生法・特別清算法』（2020年、有斐閣）の改訂作業に終着駅はなく、「綴っては改め、改めては綴る」の繰返しはペネロペの織物[2]に似て、フト心に疲れを覚える刻がある。しかし、研究者に課された使命と恵まれた環境にあることを想えば、行川雄一郎判事（東京地裁・早稲田大学大学院法務研究科修了生）をはじめとする方々より尽きぬ御教示を受け、生ある限り歩みを続けねばと心に誓っている。それは、『民事司法の地平に向かって──伊藤眞古稀後著作集』（2021年、商事法務）に

---

[2]　ブルフィンチ作・野上弥生子訳『ギリシャ・ローマ神話』244頁（1988年、岩波文庫）に、「たえずしてはいるが、決して出来上がらないものに対する諺」と誌されている。

ついて、韓国の同学の士より寄せられた言葉

"I assume that both in Japan and in other countries including in Korea it is very rare a scholar who is over 70 years old to publish a his own new book on certain topics.

I also think that your new book can encourage next generations in academic to research their own legal issues further and provides good stimulus to them too.

Your new book also shows good guide for scholars and legal professions regarding how to live rightly as a scholars and former generations."

「日本でも、韓国を含む外国でも、古稀を超えた研究者がその分野における新たな論文を執筆し、著作集として公刊することは、未聞と云うべきでしょう。あなたの新著は、次世代の方々が自らの研究を進めるについて又とない刺激を与えるものと確信します。

さらに申せば、研究者や実務法曹がいかにその生をすごすべきかについて、良き道標となることを疑いません。」（拙訳）

に応えることでもあろう。

新緑間もない武蔵野の野面を望み、一人絶海に航り出すパピヨン（スティーブ・マックィーン、ダスティン・ホフマン主演）主題曲を奏でつつ

令和6年2月

伊藤　眞

第 2 版はしがき

本書初版を公刊した平成28年（2016年）より玉響のごとく四年を超える春秋を経て、元号も令和に革った。その間、特例法や特例規則が施行され（平成28年10月１日）、法改正としては、「独立行政法人国民センター法等の一部を改正する法律」（平成29年法律第43号）や「民法の一部を改正する法律」（平成29年法律第44号）の制定にともなって、「民法の一部を改正する法律の施行に伴う関係法律の整備等に関する法律」（平成29年法律第45号）、「民事執行法の一部を改正する法律」（令和元年５月17日法律第２号）が成立したことなどが、本書の記述内容に直接に影響を与えるものである（本書13頁参照）。

また、凡例に追加した、日本弁護士連合会消費者問題対策委員会編『コンメンタール消費者裁判手続特例法』（2016年、民事法研究会）、山本和彦『解説消費者裁判手続特例法【第２版】』（2016年、弘文堂）、町村泰貴『詳解消費者裁判手続特例法』（2019年、民事法研究会）が刊行され、研究者と実務家の筆になる雑誌論文も相当数に上っている。

もっとも、特例法にもとづく事件についてみると、共通義務確認の提訴例こそ仄聞するものの[1]、裁判例としては、東京地判令和２年３月６日（消費者法ニュース124号308頁）のみである。消費者被害の事例は跡を絶たないことを考えると、些か寂寥の想いがある。

しかし、特例法附則５条１項において見直しの時期とされた令和元年９月末日も過ぎており、解釈と運用のあり方について愚見を示すことも無意味ではないと判断し、改訂版を世に問うこととした。

本書の改訂作業に着手したのは、拙著『会社更生法』（2012年、有斐閣）を原著とした『会社更生法・特別清算法』（2020年、有斐閣）の改訂原稿の目途が

---

1 ）佐々木幸孝ほか「消費者裁判手続特例法の運用の実情と望まれる改善策」現代消費者法44号85頁（2019年）によれば、係属する共通義務確認訴訟は２件のみである。なお、同論文においては、活性化のための方策として、請求適格（本書39頁）の拡大や被告適格の拡大などの立法論が説かれている。

立った令和元年（2019年）葉月であり、摂氏35度を超える猛暑もあって、加齢による心身の疲労を覚え、身に過ぎたる挑みではなかったかとの想いが心を過（よぎ）る日々であった。

　もっとも、後期高齢者とはいえ、未だ学界に籍を置いている以上、論文の執筆と雁行する体系書の改訂は、自らの責務と信じている。しかし、翌令和2年（2020年）早春から COVID-19（新型コロナウイルス感染症）の流行期に突入し、酷暑と連日300人を超える新規感染者（東京）が現れる中、校正作業を全うできるかどうか、不安を拭えないままに床についた夜も少なくない。だが、75年前の夏、焦土と化した国土に立ち、いったんは破滅の危機に陥った社会経済を立て直した先達の労苦を想えば、喜寿に近づきつつある年紀（とし）であっても、

Georg Wilhelm Friedrich Hegel（ヘーゲル）がいう
「Die Eule der Minerva beginnt erst mit der einbrechenden Dämmerung ihren Flug.」（ミネルヴァ[2]の梟（ふくろう）は迫り来る夕闇に飛び立つ（拙訳））

との一節を瞼に浮かべ、生ある限り歩みを続けなくてはと自らを戒めたところである。

　なお、初版と同様に、今般も、行川雄一郎判事（大分地裁・早稲田大学大学院法務研究科修了生）から多くの御教示を頂いた。10数年前の教場を想いおこすとき、人と々とのかかわりに恵まれていることを痛感している。もちろん、本書の記述になお不正確なところがあるとすれば、すべて筆者の責めに帰されるべきことはいうまでもない。

　最後になるが、今般の改訂については、㈱商事法務の浅沼亨、吉野祥子両氏の尽力を頂いた。記して感謝申し上げる。また、ここに至ることができたのも、妻・順子、母・千谷子をはじめとする家族の絆あってこそとの想いが深い。

2）ミネルヴァは、ギリシャ神話ではアテナと呼ばれる智慧の女神であり（ブルフィンチ作＝野上弥生子訳『ギリシャ・ローマ神話』152頁〔1978年、岩波文庫〕）、その左手に梟を抱く立像（ルーブル美術館）が知られている。

　遠き戦後の信州、科野大宮社の樹蔭を想い、James Dean 主演「East of Eden」主題曲を奏でつつ

　令和 2 年神無月

伊藤　眞

初版はしがき

　本書の執筆に着手したのは、「消費者の財産的被害の集団的な回復のための民事の裁判手続の特例に関する法律」（平成25年法律96号。以下、単に特例法といい、この法律にもとづいて行われる手続を消費者裁判特例手続と呼ぶ）が成立してから、約１年後、平成26年（2014年）10月末のことである。法案の準備段階での検討（本書13頁）に関与した者として、また、この法律が民事訴訟法などの特例を定めるものであるところから、民事手続法の研究者たる以上、そこに含まれる各種の規律の意義を明らかにし、体系の中に位置づけ、解釈や実務運用の指針を明らかにすることが自らに課された責務であると、かねてより感じていたが、幸い、同年９月には、数年来の懸案であった、拙著『破産法・民事再生法【第３版】』(2014年、有斐閣)を世に問うことができるに至ったため、筆を起すことを決意した。

　特例法成立後、最高裁判所規則（消費者の財産的被害の集団的な回復のための民事の裁判手続の特例に関する規則。特例規則と呼ぶ）、政令（消費者の財産的被害の集団的な回復のための民事の裁判手続の特例に関する法律施行令）、内閣府令（消費者の財産的被害の集団的な回復のための民事の裁判手続の特例に関する法律施行規則）、消費者庁によるガイドライン（特定適格消費者団体の認定、監督等に関するガイドライン）などの制定作業が進み、特例法公布の日から起算して３年を超えない範囲内において政令で定める日から施行するものとされた（特例法附則１本文）平成28年10月１日も迫りつつある。新しい制度が適切に運用され、消費者被害の実効的な回復に寄与し、ひいては適正な事業活動展開の基盤となり、経済社会の活性化を側面から支える擁壁となることは、関係者が等しく願うところであろう。

　わが国における消費者法研究の嚆矢ともいうべき竹内昭夫先生の「消費者保護」（竹内昭夫ほか『現代法学全集52・現代の経済構造と法』１頁以下（1975年、筑摩書房））に、「法律学的生産力」と題する栞が添えられており、そこに「最近、消費者の間にも、紛争解決のために法的手段を活用しようとする人々が増えて

来ており、そのための法制の整備を望む声も強い」との御指摘がある。

　民事実体法の領域についてみれば、製造物責任法や消費者契約法の制定にみられるように、着実な進展があり、消費者行政の分野における消費者庁の創設と活動も、これに沿ったものと思われる。これに対して、民事手続法に目を転じると、消費者被害の特質に応じた手続を設けようとする議論の歴史は古く、また、立法提案も繰り返されたが、具体的な立法に結びつくまでには至らなかった。消費者契約法の改正によって、適格消費者団体による差止請求の制度が導入されたが（本書11頁）、これも、団体に差止請求権を付与したものであるから、手続法の改革ということはできない。

　そのような経緯を振り返ると、今般、特例法が成立し、消費者被害の特質を考慮した手続が設けられたことの意義は大きい。しかし、特例法にもとづく手続は、共通義務確認訴訟（本書第2部）と簡易確定手続および異議後の訴訟（本書第3部）という二段階構造をとり、さらに強制執行や保全手続の面でも、一般手続とは異なった規律を設けている（本書第4部）。手続の細目については、特例規則がこれを定め、また運用に関しては、消費者庁がガイドラインを発表しているが、実際に手続が動き出すこととなれば、様々な問題の発生も予想される。

　そのような際には、特例法および特例規則の内容である規律の趣旨、意義そして相互の関係を明らかにし、それを踏まえて解決のあるべき姿を提示する体系書の役割[1]が求められることになろう。本書がそれを果たしうるかどうかは、読者諸賢の御判断に待つ以外にないが、古稀を過ぎた老骨が敢えてその難事に挑んだ理由である[2]。しかし、右すべきか、左すべきか、思い悩む問題に逢着することも少なからず、「嵐の中にも時は過ぎる」[3]（拙訳）、と自らに言い聞かせながら眠りについた夜も稀ではない。

1）拙著『千曲川の岸辺』88、94頁（2014年、有斐閣）。
2）拙稿「体系書執筆30年」自由と正義66巻4号5頁（2015年）参照。
3）Time and the hour runs through the roughest day.（ウイリアム・シェイクスピア「マクベス」第1幕第3場）。

　なお、本書は、消費者裁判特例手続の体系的記述を内容とするものであるため、特例法第1章総則、第2章被害回復裁判手続、特例規則、内閣府令（施行規則）およびガイドラインの関連部分を主たる分析の対象とし、特定適格消費者団体についての行政および刑事の規律を内容とする特例法第3章・第4章および施行規則とガイドラインの関連部分は、必要に応じて触れるにとどめている。

　私の消費者法への関心は、1979年秋学期ミシガン大学ロー・スクールにおいて、FrankR.Kennedy 教授の消費者法を受講したときに始まる[4]。もっとも、それ以前にも、少額であることが珍しくない消費者被害が、ともすれば司法による救済の網からこぼれ落ちてしまうことへの問題意識から、紛争管理権の概念を提唱し[5]、権利帰属主体である消費者などに代わって、紛争解決の任を担うに足る団体などが訴訟を追行することを認めるべきであるとの提言を試みたが、やはり新たな立法の課題にとどまるとの評価を受けた[6]。40年近く前のそのような経緯を想い起すと、今般の特例法の成立は、誠に感慨深く、これも本書執筆の動機の1つとなっている。

　いずれにしても、前期高齢者となって久しく、後期高齢者への歩みを刻む時期に、小なりといえど体系書執筆の機会を与えられたのは、周囲の方々の御厚意によるものであり、顧問をお引き受けしている長島・大野・常松法律事務所の弁護士各位との意見交換や秘書の方々の支援に対する感謝の気持ちに尽きるところはない。また、妻　順子、母　千谷子とともにする日々があってこそ、上梓の刻を迎ええたことを改めて心に刻んでいる。

　もっとも、法、施行規則、最高裁規則などの趣旨や内容については、立案に関係された方々より様々な機会に御教示を頂いたが、誤りなきかと自問自答するとき、不安を禁じえない。しかし、Johann Wolfgangvon Goethe（ゲーテ）に

4）拙著『千曲川の岸辺』25頁。Kennedy 教授の事績については、拙稿「私の倒産法学と6人の方々」田邊光政編集代表『今中利昭先生傘寿祝賀記念・会社法・倒産法の現代的展開』778頁（2015年、民事法研究会）参照。
5）拙著『民事訴訟の当事者』118頁（1978年、弘文堂）。
6）最判昭和60年12月20日判時1181号77頁。

よる「Wilhelm Meisters Lehrjahre」（ヴィルヘルム・マイスターの修業時代）の一節

「Es ist nicht genug zu wissen, man muss auch anwenden；es ist nicht genug zu wollen, man muss auch tun.」（智は、用いてこそ尊し、意は、行いてはじめて現る。）（拙訳）

に想いを致せば、与えられた知見にもとづく愚考を体系として纏め、公表し、批判を乞わなければ、何事も始まらないと信じ、本書の公刊を決断した次第である。にもかかわらず、拙著・会社更生法（2012年、有斐閣）のときにもまして、執筆から校正までの全過程を通じて、先学の踏み跡のない領域で体系書を執筆する困難さと自らの非力を痛感させられ、筆を擱くべきかとの迷いを拭いきれないまま、新約聖書の一節「狭き門より入れ」（マタイ傳第7章第13節）を思い起し、歩みを続けた日々であった。

　そうした中、拙著・民事訴訟法、破産法・民事再生法、会社更生法を通じて、貴重な助言を頂いている行川雄一郎判事補（新潟地家裁新発田支部）には、今般も数多の適確な御指摘を賜り、本書が、多少なりとも法理の解明と実務の運用に資するとすれば、行川氏の教示によるところが大きいことを自覚している。もちろん、本書の記述になお不正確な点がみられるのであれば、それは、あげて私の責仕に帰せられるべきものである。
　なお、行川氏との邂逅は、早稲田大学大学院法務研究科（法科大学院）の教場から始まる。法科大学院制度については、あれこれの批判を耳にすることもあるが、多様な背景を持つ方々が法曹の世界に加わり、活躍する素地を作ったことの意義は揺らぐものではないと信じている。
　最後になるが、企画、編集を経て、校正に至る全段階にわたり尽力頂いた株式会社商事法務書籍出版部の岩佐智樹氏と久保寺弥紗子氏に対し、深甚なる謝意を表したい。

　拙著・会社更生法のはしがきには、その第2次原稿執筆中の2011年3月11

日に起きた東日本大震災の被災者の方々に対する気持ちを誌しているが、奇しくも、本書最終校正時の4月14日から熊本地震が発生し、貴重な人命が失われ、多くの方々が避難所などでの不自由な生活を強いられている。そうした状況の中、救護や救命などの活動に挺身される人々の姿に接するとき、安逸な日常に浸ることなく、自らに課された使命を果たすため弛まぬ努力を続けなければとの想いを新たにした。

　平成28年（2016年）卯月

伊藤　眞

凡　例

［法令名］

法、または特例法	消費者の財産的被害等の集団的な回復のための民事の裁判手続の特例に関する法律（平成25年法律第96号〔改正：令和5年法律第59号〕）
施行規則	消費者の財産的被害等の集団的な回復のための民事の裁判手続の特例に関する法律施行規則（平成27年内閣府令第62号〔改正：令和5年内閣府令第84号〕）
特例規則	消費者の財産的被害等の集団的な回復のための民事の裁判手続の特例に関する規則（平成27年最高裁判所規則第5号〔改正：令和5年最高裁判所規則第1号〕）

その他特段の記述がない場合、原則として有斐閣六法の法令名略語を用いている。

（例）　民419 I　　　民法第419条第1項

　　　　民訴5⑤　　　民事訴訟法第5条第5号

［判　　例］

大　判（決）	大審院判決（決定）
最　判（決）	最高裁判所判決（決定）
高　判（決）	高等裁判所判決（決定）
地　判（決）	地方裁判所判決（決定）

［判例集・雑誌］

民　集	大審院、最高裁判所民事判例集
裁　時	裁判所時報
判　タ	判例タイムズ
新　聞	法律新聞
金　法	金融法務事情
ジュリ	ジュリスト
論究ジュリ	論究ジュリスト
民　商	民商法雑誌
曹　時	法曹時報

[文献引用]

・単行本等

秋山ほかⅠ	秋山幹男ほか・菊井維大＝村松俊夫原著『コンメンタール民事訴訟法Ⅰ〔第3版〕』（2021年、日本評論社）
秋山ほかⅡ	秋山幹男ほか・菊井維大＝村松俊夫原著『コンメンタール民事訴訟法Ⅱ〔第3版〕』（2022年、日本評論社）
秋山ほかⅢ	秋山幹男ほか・菊井維大＝村松俊夫原著『コンメンタール民事訴訟法Ⅲ〔第2版〕』（2018年、日本評論社）
秋山ほかⅥ	秋山幹男ほか・菊井維大＝村松俊夫原著『コンメンタール民事訴訟法Ⅵ〔第2版〕』（2019年、日本評論社）
一問一答	消費者庁消費者制度課編『一問一答　消費者裁判手続特例法』（2014年、商事法務）
伊藤古稀	高橋宏志ほか編『民事手続の現代的使命―伊藤眞先生古稀祝賀論文集』（2015年、有斐閣）
伊藤・破産法・民事再生法	伊藤眞『破産法・民事再生法〔第5版〕』（2022年、有斐閣）
伊藤・民訴法	伊藤眞『民事訴訟法〔第8版〕』（2023年、有斐閣）
上原・団体訴訟	上原敏夫『団体訴訟・クラスアクションの研究』（2001年、商事法務研究会）
後藤ほか	後藤健ほか「共通義務確認訴訟と異議後の訴訟について」判タ1429号5頁（2016年）
近藤ほか	近藤昌昭ほか「保全・執行手続」判タ1431号5頁（2017年）
潮見・新債権総論Ⅰ	潮見佳男『新債権総論Ⅰ』（2017年、信山社）
潮見・新債権総論Ⅱ	潮見佳男『新債権総論Ⅱ』（2017年、信山社）
条解民執法	伊藤眞・園尾隆司編集代表『条解民事執行法〔第2版〕』（2022年、弘文堂）
条解民訴法	松浦馨ほか・兼子一原著『条解民事訴訟法〔第2版〕』（2011年、弘文堂）
条解特例規則	最高裁判所事務総局民事局監修『条解　消費者の財産的被害の集団的な回復のための民事の裁判手続の特例に関する規則』（民事裁判資料第254号）（2016年、法曹会）
書式	中山孝雄ほか「簡易確定手続」判タ1430号51頁（2017年）
瀬木・民事保全法	瀬木比呂志『民事保全法〔新訂第2版〕』（2020年、日本評論社）
千葉ほか・集団的消費者利益	千葉恵美子ほか編『集団的消費者利益の実現と法の役割』（2014年、商事法務）
中田・債権総論	中田裕康『債権総論〔第4版〕』（2020年、岩波書店）

中野・民執法	中野貞一郎『民事執行法〔増補新訂 6 版〕』（2010年、青林書院）
中山ほか	中山孝雄ほか「簡易確定手続」判タ1430号 6 頁（2017年）
日弁連コンメ	日本弁護士連合会消費者問題対策委員会編『コンメンタール消費者裁判手続特例法』（2016年、民事法研究会）
法の支配座談会	伊藤眞ほか「消費者裁判特例手続の施行に向けて」法の支配182号 6 頁（2016年）
町村	町村泰貴『詳解消費者裁判手続特例法』（2019年、民事法研究会）
松本・民事執行保全法	松本博之『民事執行保全法』（2011年、弘文堂）
民事保全の実務（上）（下）	八木一洋・関述之編著『民事保全の実務〔第 4 版〕（上）（下）』（2021年、金融財政事情研究会）
三木ほか	三木浩一ほか『LEGAL QUEST 民事訴訟法〔第 4 版〕』（2023年、有斐閣）
山本	山本和彦『解説消費者裁判手続特例法〔第 3 版〕』（2023年、弘文堂）
山本ほか・座談会（上）（下）	山本和彦ほか「消費者裁判手続特例法の実務対応（上）（下）」NBL 1064号 4 頁（2015年）、1066号14頁（2016年）

・その他資料

Q & A	「消費者裁判手続特例法 Q & A―消費者の財産的被害の集団的な回復のための民事の裁判手続の特例に関する法律（平成25年12月11日公布・法律第96号）」（平成26年 4 月消費者庁消費者制度課公表）
ガイドライン	「特定適格消費者団体の認定、監督等に関するガイドライン」（2015年消費者庁公表〔2023年 8 月31日改訂〕）
留意事項	「消費者裁判手続特例法第27条の規定に基づく相手方による公表に関する留意事項について」（2015年消費者庁公表）

目　次

第1部　消費者裁判手続特例法への招待

第2部　共通義務確認訴訟の手続

第1章　管轄および移送 …………………………………………*25*

第2章　共通義務確認訴訟の当事者 ………………………*32*

第4部　強制執行および仮差押え

第1章　強制執行 ··*175*

第 1 部

消費者裁判手続特例法への招待

第1章　問題の所在と法制度

　消費者の概念を一義的に定義することは困難であるといわれるが[1]、本書の記述の前提としては、消費、すなわち生活のために用いる物資や役務を他人から購入し、または購入しようとする個人という程度で足りよう[2]。むしろ、消費者をめぐる様々な紛争の発生とその合理的解決のあり方を検討するについては、契約の当事者となり、また不法行為の被害者となる消費者の特性を明らかにすることの方が有意義と思われる[3]。そして、消費者の特性としては、①情報の不足および情報評価能力の不十分さ、②交渉力の不十分さ、③外部の圧力に影響されやすいこと、④回復困難な損害を受けやすいことがあげられる[4]。④にいう回復困難な損害の中には、それが多額なものに限られず、少額なものであっても、権利実現のための費用との関係で回復のための行動をとることが期待しがたいものも含めることができる。

　このような消費者の特性は、いったん、その権利をめぐって事業者との間で紛争が発生したときに顕著に現れる。もっとも、法曹、特に弁護士の人口が増加し、各地の消費生活センターや日本司法支援センター（法テラス）などによる助言や代理援助が充実している現在では、以前に比較すれば、消費者の権利保護についての障壁は低くなっているといえるが、少額の被害者が多数存在するような事案では、裁判上の手続によってまで権利を実現しようとする動機づけは低くならざるをえず、一部の悪質事業者を放置する結果となるおそれがあ

1）消費者契約法2条1項には、消費者の定義として、「個人（事業として又は事業のために契約の当事者となる場合におけるものを除く。）をいう」とされているが、「行政」の概念に関する控除説（塩野宏『行政法Ｉ〔第6版〕』2頁（2015年、有斐閣）参照）と同様に、消費者契約の一方当事者の属性を過不足なく表すためのものと思われる。

2）山田卓生「消費者保護法の意義」加藤一郎＝竹内昭夫編『消費者法講座(1)総論』18頁（1984年、日本評論社）などを参照している。

3）日本弁護士連合会編『消費者法講義〔第5版〕』13頁（2018年、日本評論社）参照。

4）大村敦志『消費者法〔第4版〕』21頁（2011年、有斐閣）、大澤彩『消費者法』15頁（2023年、商事法務）による。

る。

　他方、視点を変えて事業者の立場からみると、消費者からの苦情や賠償請求に理由がないと判断することもあろう。そのようなときには、適切に対応すれば足りるということもできるが、多数の消費者から同種の訴えを提起されたときの応訴負担や風評被害が事業経営に及ぼす負担は、決して軽いものではなく、それをおそれるあまり、十分に納得できないままに和解による解決を迫られる事態も想定できないわけではない。

第1節　消費者をめぐる紛争の一事例[5]

　Xは、株式会社Yの企画するパック旅行に申込みをしたが、その際にYから交付されたパンフレットには、宿泊先のホテルについて、海側の10階以上の部屋を用意する旨の記載があり、さらに、グレードアップ料金3万円が付記されていた。Xは、新婚旅行の際でもあり、グレードアップ料金を支払えば、通常料金による海側10階以上という条件を満たし、さらにこれを超える客室の提供が受けられると信じて、通常料金に3万円を加えた6万円を送金した。ところが、実際にホテルに赴いたところ、用意されていたのは、部屋の面積こそ広かったが、市街側の7階の部屋であった。

　Xは、現地でも、また旅行を終えてからもYに苦情を申し出て、少なくともグレードアップ料金を返還するように要求したところ、Yは、グレードアップした部屋について階数指定はできない、またパンフレットにもグレードアップした部屋が海側であるとの記載はないなどと回答し、料金の返還を拒絶している。Yは、その後も、このパック旅行の販売を1年間続けており、その間にXと同様の取扱いを受けた者が100名程度存在することが判明した。

　以上のような事実関係を前提とすると、XがYに対してグレードアップ料金の返還を求める根拠としては、以下のようなことが考えられる。

　第1に、債務不履行にもとづく損害賠償がありうる（民415Ⅰ本文）。すなわち、グレードアップ料金の場合にも、通常料金にもとづく海側10階以上の部

5）本事例は、名古屋消費者問題研究会編『Q&A消費者契約法の実務マニュアル〔新版〕』100頁（2008年、新日本法規出版）に掲げられた設例を基礎としている。

屋の保証は、当然の前提となっているとして、Yがそれを履行しなかったことをもって債務の不履行とするものである。ただし、この場合には、Yに帰責性がないことが主張立証されれば、Yの責任は否定される（同但書）[6]。

第2に、消費者契約法4条2項本文にもとづいて旅行契約を取り消すことが考えられる。同項にいう勧誘、重要事項について消費者の不利益となる事実の不告知、事業者の故意、消費者の誤認という要件を満たすときには、取消しが認められ、その結果として、旅行代金と実際に受けた役務の客観的価値の差額、すなわちグレードアップ料金に相当する金銭の返還を不当利得として求めることになる。

第3に、Yが正確な事実を告げないままにXにグレードアップ料金を支払わせたことが不法行為（民709）に該当するとして、同料金の支払いを損害として、その返還を求めることが考えられる。

このように、XがYに対してグレードアップ料金の返還を求める根拠としては、複数の請求権が考えられ、そのことは、Yの企画したパック旅行に参加した他の者にも共通すると想定する。

1　民事訴訟法の下での権利実現手段

第1に、Xが3万円の返還請求権の主体であることから、自らの権利を実現するための手段として民事訴訟を提起することが考えられる。そして、その額が少額であるため、管轄裁判所は簡易裁判所となり（民訴8Ⅰ、裁判所法33Ⅰ①）、加えて、簡易な少額訴訟手続による審理を求めることができる（民訴368Ⅰ本文）[7]。もっとも、被告Yの側が通常手続への移行を求めれば、少額訴訟手続による簡易な審理は打ち切られるので（民訴373Ⅰ但書・Ⅱ）、原告Xが享受できる手続上の利益には限界があるといわざるをえない。また、簡易裁判所の実務においては、Xが弁護士や司法書士を訴訟代理人に選任せず、自ら訴訟を追行する、いわゆる本人訴訟をなすことについての配慮がされているが[8]、費

6）潮見・新債権総論Ⅰ379頁、中田・債権総論154頁。標準旅行業約款にもとづく無過失責任については、名古屋消費者問題研究会編・前掲書（注5）101頁参照。
7）簡易な審理の特質については、伊藤・民訴法16頁参照。
8）下田文男「東京簡易裁判所における少額訴訟および市民訴訟の運用状況」民訴雑誌53号72頁（2007年）など参照。

用や労力との関係での制約があろう。

　また、Ｘと立場を同じくする者をＸ2ないしＸ100とすれば、それらの者が別々に訴えを提起し、各地の裁判所に訴訟が係属することは、たとえばグレードアップ料金にかかる部屋の条件が重要事項に当たることを争うとする事業者Ｙにとって、大きな応訴負担を生じるおそれがあり、さらに、争点に関する各裁判所の判断が分かれ、Ｘらの請求が認められたり、認められなかったりすることは、Ｘらにとっても、またＹにとっても、不公平感を生じさせる原因となろう。

　第２に、Ｘと立場を同じくする者で、かつ、Ｙの同一パンフレットによってパック旅行に参加した者、たとえば50名が集まり、共同訴訟（民訴38前段）を提起することが考えられる。この場合には、管轄裁判所は、特定の地方裁判所となり（民訴９Ⅰ本文、裁判所法24①参照）、Ｘらの請求が１つの訴訟手続において審理されるから、第１の場合のような問題の発生を避けることができる。もっとも、この共同訴訟は、通常共同訴訟と呼ばれる類型に属し、共同訴訟人独立の原則（民訴39）が働くから、必ずしも審判内容の統一が保障されるわけではないが[9]、Ｘらが共通の訴訟代理人として弁護士Ａを選任すれば、実際上、矛盾のない判断が実現されよう。ただし、Ｘらの利害が基本的には共通しているとはいっても、訴訟の進行や和解による訴訟の終了などをめぐって意見の対立が生じる可能性もあり、利益相反を避けるという弁護士倫理との関係から問題が生じるおそれもあろう[10]。

　第３に、Ｘらの中から１名または数名を選定し、その者が自らの請求および他の者の請求について訴えを提起する、選定当事者（民訴30Ⅰ）の制度を利用することが考えられる。設例の事案では、Ｘらが「共同の利益を有する多数の者」に該当することに疑いがないと思われるので、たとえば、Ｘが、Ｘ2ないしＸ50のための選定当事者となって訴訟を追行することとすれば、第１に述べた個別訴訟にかかる問題の発生を回避できよう。ただし、Ｘらは、自らの請求が

---

9 ）その他にも、弁論の分離（民訴152Ⅰ）によって、訴訟手続の統一的進行が失われる可能性もある。伊藤・民訴法695頁参照。
10）日本弁護士連合会弁護士倫理委員会編著『解説　弁護士職務基本規程〔第3版〕』93頁（2017年）参照。

認められるかどうかについて、あらかじめ判断した上でＸを選定当事者とし
て選定しなければならないという負担を負わなければならないことは、第 1 お
よび第 2 の方法と変らない[11]。また、選定当事者とされたＸが必ず X2 らのため
に訴訟を提起し、適切に追行するかどうかの保障はないことも、選定当事者制
度の限界といえるかも知れない。

　その他に考えられる手段としては、たとえば、「Ｙ旅行社の被害者の会」な
る任意団体をＸらが結成し、Ｘらの返還請求訴訟を同会に託することも考えら
れる。しかし、そもそも同会に当事者能力が認められるかどうかという問題が
あるし（民訴29参照）、それを肯定するとしても、Ｘらに帰属する返還請求権に
ついて同会がいかなる根拠にもとづいて訴訟追行権を行使できるかどうかとい
う問題がある[12]。

2　消費者の権利をめぐる紛争解決の特質

　上記のことを踏まえると、多数の消費者に共通し、しかも比較的少額の利益
にかかる紛争解決に求められることは、以下のように要約できよう。

ア　権利集約の不可欠性

　第 1 は、多数の消費者の権利を集約して訴訟追行する者の存在の不可欠性で
ある。これを権利集約の不可欠性と呼ぶこととする。消費者の視点からみたと
きに、紛争にかかる利益が少額であればあるほど、訴訟追行の動機付けは弱ま
らざるをえず、それらの回復を求める権利は忘れ去られやすいことが背景と
なっている。

　このように、権利集約の不可欠性は、第 1 次的には、権利を主張する側の利
益に着目したものであるが、同時に、主張される側にとっても、多数の、しか
も共通の事実および法律関係を基礎とした権利を内容とする訴訟に対して個別
的に応訴を強いられることは、大きな負担を生じさせる。しかも、その権利内
容が少額の金銭債権であるときには、応訴の負担を果たして請求棄却の判決を

11）もっとも、この負担は、民事訴訟法30条 3 項に規定する追加的選定によって相当程度軽減
　　される。追加的選定の意義については、伊藤・民訴法207頁参照。
12）訴訟追行権（当事者適格）の根拠としては、任意的訴訟担当または法定訴訟担当の 2 つの
　　構成が考えられるが、いずれについても問題がある。伊藤・民訴法202頁参照。

えても、えられる利益は少ない。大規模事業者であれば、こうした負担に耐えることもできようが、中小規模の事業者の場合には、その負担を過大なものと感じ、また、訴え提起による風評被害などをおそれるあまり、理由がないと思われる権利主張に対しても妥協を強いられることがあろう。したがって、少額多数の権利を集約する形で訴えが提起されることは、事業者側の利益に資する一面もある。

イ　有理性判断の必要性

　ある権利主張が裁判所によって認められる蓋然性がどの程度存在するかをあらかじめ見極めることは、権利を主張する側にとっても、また、主張される側にとっても重要な意味を持っている。権利を主張する側、すなわち消費者にとっては、訴えを提起しても、それが裁判所によって認められなければ、徒労に終わることを意味するし、権利を主張される側にとっても、理由のない訴えに応訴しなければならない負担は、決して軽いものではない。特に、係争利益が少額であり、かつ、権利を主張する立場の消費者が多数に上るときには、このような負担が飛躍的に増加する。

　問題の発生を防ぐためには、訴えを提起する段階において、原告たるべき者が、自らの請求が裁判所によって認められる蓋然性がどの程度存在するかを判断することが望ましい。しかし、個々の消費者にその判断を求めることは難しく、また、代理人弁護士にとっても、必ずしも容易とはいえない。そこに、消費者の利益擁護を任務とし、かつ、有理性の判断ができる程度の専門的知見を備えた第三者が消費者に代わって訴訟を追行する合理性が認められる。これを有理性判断の必要性と呼ぶこととする。父権訴訟（パレンス・パトリエ）は、公的機関がこのような第三者の役割を引き受けるものである。

　もっとも、有理性の判断は必ずしも容易ではない。特に、事業者側が消費者の権利を争って訴訟に至るような事案では、訴訟がある程度進行した段階にならなければ、有理性の判断が成り立たないことが通常であろう。専門的知見を備えた第三者が判断するといっても、消費者としては、自らの権利の追行をその第三者に委託するかどうか、判断に迷うことも考えられる。その点を解決するための方策の1つとして、手続を2段階に分け、第1の段階で、消費者の権利の基礎となる法律関係が成立するかどうかを確定し、その上で、消費者から

の授権を受けて、それぞれの権利の有無や内容を確定する手続に進むことが考えられる。外国の立法例にも存在し、特例法がとる手続の2段階構造は、このような考慮にもとづくものといってよい。

ウ　早期保全の重要性

　紛争の相手方当事者である事業者には、様々な種類や属性のものが想定できる。相当以上の規模で、永続的に事業を展開している企業の場合には、消費者の金銭支払請求権が認められるときには、任意にその支払いをすることが多いと思われるし、また、強制執行の場面に至ったとしても、差し押さえるべき資産が存在しないという事態の発生は考えにくい。しかし、いわゆる詐欺的商法はいうまでもなく、資産隠しが行われるような事案では、判決で認められた消費者の権利が名目だけのものとなる危険がある。このような危険が認められるときには、実現されるべき権利の早期保全を図ることが重要であり、これを早期保全の重要性と呼ぶこととする。民事保全法にもとづく仮差押えは、これに応えるものであるが、イで述べたような2段階型手続をとる場合には、具体的な権利内容の確定を目的としない第1段階の手続を前提としても、仮差押えを認める法律構成が可能かどうかを検討しなければならない。

第2節　集団的消費者財産被害回復のための各国の手続と特例法および特例規則の制定

　以下では、まず、権利集約の不可欠性、有理性判断の必要性および早期保全の重要性という特質を踏まえて、各国がどのような手続を設けているかを説明し、引き続いて、わが国における集団的消費者財産被害回復手続の法源に関し、特例法制定の前後の経緯を述べる。

第1項　各国の手続

　多くの国は、一般民事訴訟手続の特則として、集団的消費者財産被害の適正かつ迅速な回復のために様々な制度を設けている[13]。いずれも背景となってい

---

13) 以下は、宗田貴行「消費者団体訴訟と損害賠償請求」伊藤眞ほか編『小島武司先生古稀祝賀・民事司法の法理と政策（上）』507頁（2008年、商事法務）、財団法人　比較法研究セン

るのは、多数の消費者（以下、群と呼ぶ）に共通する金銭支払請求権の主張であるが、主要な視点としては、①ア請求権の主体である群の1人または数人に群全体の請求権についての訴訟追行権を認めるか、イ公的機関や消費者の利益擁護を目的として活動する団体など、第三者に訴訟追行権を認めるか、②ア権利帰属主体たる消費者からの授権を前提に訴訟追行権を認めるか、イ裁判所の認証などを根拠として訴訟追行権を認め、反対の意思表示をした消費者に限ってそれが失われるとするか、③ア1つの訴訟手続の中で群に属する個々の消費者の権利を確定し、給付命令を発するか、イ手続を2段階に分け、第1段階で群に共通する概括的権利または法律関係の存在を確認した上で、第2段階で個々の消費者の権利の有無および内容について審判するか、④ア事業者から支払われるべき金銭について特別の権利実行および分配手続を設けるか、イ特別の分配手続を設けず、訴訟を追行した者が通常の方法にしたがって個々の消費者のために権利を実行し、随時その引渡しを行うか、という4つの視点から区別することができる。

　たとえば、アメリカのクラス・アクションについてみれば、①アとして、群に属する1人または数人に訴訟追行権を認め、②イとして、個々の消費者からの個別的授権を前提とせずに訴訟追行権を認め、③アとして、1つの訴訟手続によって給付命令の段階まで進み、④アとして、管財人が選任され、分配を行うことになっている。これに対して、ブラジルのクラス・アクションでは、①イとして、検察庁などの公的機関に訴訟追行権を認め、②イとして、第1段階の概括的給付判決を求める手続においては、授権を不要とし、第2段階では、消費者自身が個別的給付命令を求める仕組みとし、③イとして2段階型手続とし、④イとして、消費者自身がその権利の強制的実現を行うという形になっている。

ター・アメリカ、カナダ、ドイツ、フランス、ブラジルにおける集団的消費者被害の回復制度に関する調査報告書（2010年）、消費者委員会　集団的消費者被害救済制度専門調査会・集団的消費者被害救済制度専門調査会報告書9頁および（参考10）海外制度比較表（2011年）、三木浩一「消費者集合訴訟制度の理論と課題」NBL1016号41頁（2014年）、長谷部由起子「集団的消費者利益の実現における司法と行政」千葉ほか・集団的消費者利益424頁、一問一答7頁、山本51頁以下、町村181頁、日本弁護士連合会消費者問題対策委員会・京都弁護士会消費者保護委員会・ベルギーの代表訴訟制度とEUの代表訴訟指令に関する調査報告書（2021年）、都筑満雄「カナダ・ケベック州のクラス・アクション法」NBL1256号4頁（2023年）などによっている。

第 2 項　消費者裁判特例手続の法源と概要

　債務不履行や不法行為などの結果として消費者に損害が発生したときに、先に述べた特質を考慮し、その回復を求める権利の実効性を確保する手続を整備すべきであるとの考え方は以前より存在し、また、アメリカのクラス・アクションやドイツの団体訴訟などの手続から示唆をえた立法論も発表されていた[14]。しかし、一方では、アメリカの実情にもとづいた警戒感があり、他方では、わが国の法制の基本と調和した制度設計が可能かなどの懸念も示され、長らく制度化が待たれていた。

　そのような中で、消費者契約法の平成18年改正によって導入された適格消費者団体による差止請求制度は、消費者被害回復のための民事裁判手続の特例を検討することに大きな影響を与えたものと思われる。もちろん、差止請求制度は、事業者が消費者契約法違反行為を行い、または行うおそれがあるときに、当該行為の差止めを求める権利を付与するものであり（消費契約12）、適格消費者団体（消費契約 2 Ⅳ）が自らの権利として差止請求権を行使する点で、事業者の行為によって発生する財産的被害の回復の手続とは、法律上の構成を異にする[15]。しかし、消費者団体（消費基 8 ）の中で、消費者被害の予防、差止め、または回復について、実質的な利益の帰属主体である消費者に代わって、その利益の保全や実現のために活動することを認められる適格消費者団体（消費契約 2 Ⅳ）に対し、訴訟の当事者としての地位を与える点で、思想的な共通性がみられる。それを背景として、差止請求の制度に加え、損害の回復についても、適格消費者団体が積極的な役割を果たすべきことを求める立法論が盛り上がったといってよい。

14）第一東京弁護士会司法研究委員会編『集団代表訴訟（クラス・アクション）の研究』（1996年、第一東京弁護士会）、上原・団体訴訟、日本弁護士連合会・実効性ある消費者団体訴訟制度の早期実現を求める意見書（2004年）、服部高明「消費者団体訴訟制度の導入に向けて」NBL800号128頁（2005年）など、近時にいたるまで多数の論攷や提案が公にされている。
15）詳細については、山本和彦「集団的利益の訴訟における保護」民商148巻 6 号621頁（2013年）、伊藤眞「消費者被害回復裁判手続の法構造——共通義務確認訴訟を中心として」曹時66巻 8 号 4 頁（2014年）、山本22頁参照。

1　特例法および特例規則などの成立

　そして、平成21年（2009年）に「消費者庁及び消費者委員会設置法」（平成21年法律第48号）が制定され、その附則6項において、法施行後3年を目途として、被害者を救済するための制度について検討を加え必要な措置を講ずるものとされた。これを受けて、同年11月、消費者庁に「集団的消費者被害救済制度研究会」が設けられ[16]、その審議事項の1つとして「被害救済制度のあり方の検討について」が掲げられ、平成22年（2010年）9月に「集団的消費者被害救済制度研究会報告書」が公表された。そこでは、対象消費者の中の1人もしくは数人、または対象消費者からなる団体を手続追行主体として想定し、2段階型をとるA案とB案、1段階型をとるC案とD案、さらにそれぞれの中で、対象消費者からの授権を基礎として訴訟追行権を認めるか、裁判所の許可にもとづいて訴訟追行権を認め、対象消費者には除外の申出の機会を保障するかを基準として、考え方が整理されている。

　このような経緯を経て、平成22年（2010年）10月に内閣府（消費者委員会）に設置された「集団的消費者被害救済制度専門調査会」の審議が開始され、翌23年（2011年）8月に「集団的消費者被害救済制度専門調査会報告書」が公表された。そして、その内容を基礎として、立案作業が進められ、平成25年12月に法律第96号として、「消費者の財産的被害の集団的な回復のための民事の裁判手続の特例に関する法律」が成立した。その後、裁判手続の細目に関する規律を定める「消費者の財産的被害の集団的な回復のための民事の裁判手続の特例に関する規則」（平成27年最高裁判所規則第5号）が公布された。さらに、手続追行資格を認められる特定適格消費者団体の組織や行動指針などに関する政令（「消費者の財産的被害の集団的な回復のための民事の裁判手続の特例に関する法律施行令」。平成27年政令第373号）、内閣府令（「消費者の財産的被害の集団的な回復のための民事の裁判手続の特例に関する法律施行規則」。平成27年内閣府令第62号）、「特定適格消費者団体の認定、監督等に関するガイドライン」（平成27年

16）これに先だって、内閣府国民生活局に設けられた「集団的消費者被害回復制度等に関する研究会」が、平成21年8月に報告書を公表し、その中で、外国の諸制度を含め、消費者被害回復のための基礎的研究が行われている。詳細については、山本27頁、町村8頁参照。

11月11日消費者庁公表）、および「消費者裁判手続特例法第27条の規定に基づく相手方による公表に関する留意事項について」（平成27年11月11日消費者庁公表）も公表された。

　その後、独立行政法人国民生活センター法等の一部を改正する法律（平成29年法律第43号）によって、センター法3条の改正、10条7号および43条の2の追加、特例法75条4項の追加などがなされ、特定適格消費者団体が行う仮差押えについて、センターが代わって担保を立てることが可能となった（本書192頁参照）。これは、十分な資金を調達できないために、特定適格消費者団体が仮差押えによって相手方事業者の財産を保全する機会を逸し、届出債権者の権利の実現が困難になる事態の発生を防ごうとするものである。

　さらに、「民法の一部を改正する法律」（平成29年法律第44号）の制定にともなって、「民法の一部を改正する法律の施行に伴う関係法律の整備等に関する法律」（平成29年法律第45号）によって、特例法3条および6条（瑕疵概念や瑕疵担保責任概念の削除に関連する部分）ならびに38条（時効の中断に代わる完成猶予および更新概念に関連する部分）の改正が行われた。ただし、改正法の施行日前に締結された消費者契約にかかる請求については、経過措置の定めがある（整備法103参照）。

2　改正の検討課題

　特例法附則5条1項は、「政府は、この法律の施行後3年を経過した場合において、消費者の財産的被害の発生又は拡大の状況、特定適格消費者団体による被害回復関係業務の遂行の状況その他この法律の施行の状況等を勘案し、その被害回復関係業務の適正な遂行を確保するための措置並びに共通義務確認の訴えを提起することができる金銭の支払義務に係る請求及び損害の範囲を含め、この法律の規定について検討を加え、必要があると認めるときは、その結果に基づいて所要の措置を講ずるものとする」旨を規定しており、令和元年9月末日をもって施行日である平成28年10月1日より3年が経過した。

　この間の運用状況をみると、提訴例は少数であり、判決例は、少数で推移し

ている[17]。消費者の財産的被害の絶対数が少ないのであれば、このような状況も異とするに足らないが、必ずしもそのようにはいえないことを考えると、特例法および特例規則の規定内容についての再検討が求められる。課題として考えられるのは、第 1 に、共通義務確認訴訟（本書第 2 部）について、対象債権を拡大すること（特例法改正前 3 Ⅱ⑥関係。本書44頁参照）、対象消費者の権利にかかわる訴訟上の和解の可能性（特例法改正前10関係。本書71頁参照）[18]、債務履行地や不法行為地にかかる国際裁判管轄の明確化（特例法 6 Ⅰ、民訴 3 の 3 ①⑧関係。本書25頁参照）、第 2 に、簡易確定手続（本書第 3 部）について、簡易確定手続申立期間の見直し（特例法改正前14・15関係。本書101頁参照）、相手方事業者に対する情報開示命令の強化（特例法改正前29関係。本書117頁参照）[19]、第 3 に、その他として、特定適格消費者団体の相手方事業者に対する破産手続開始申立権の付与[20]などがある。

17) 共通義務確認訴訟の判決例は、東京地判令和 2 年 3 月 6 日消費者法ニュース124号308頁（本書45頁注26・47頁注30）、東京地判令和 3 年 5 月14日判時2526号20頁（本書47頁）、東京高判令和 3 年12月22日同号14頁（本書47頁）があり、それらの解説や他の提訴例について、松田知丈「判例解説」NBL1167号50頁（2020年）、鈴木敦士「東京医科大学に対する入試差別に関する損害賠償請求事件」現代　消費者法50号 4 頁（2021年）、鈴木さとみ「順天堂大学に対する入試差別に関する損害賠償請求事件」同 8 頁、瀬戸和宏「株式会社 ONE MESSAGE ほか 1 名に対する損害賠償請求事件」同12頁（2021年）、長田淳「給料ファクタリング事業者に対する集団的消費者被害回復請求事例報告」同16頁、山本和彦「判例研究」現代　消費者法53号82頁（2021年）がある。
18) 日本弁護士連合会「消費者の財産的被害の集団的な回復のための民事の裁判手続の特例に関する法律の見直しに関する意見書」日本弁護士連合会ウェブサイト（2020年 7 月16日）参照。
19) 長谷部由起子「日本版集合訴訟制度の課題」柏木昇ほか編『二宮正人先生古稀記念・日本とブラジルからみた比較法』568頁（2019年、信山社）参照。
20) 黒木和彰「特定適格消費者団体による破産手続開始申立の可能性―消費者裁判手続特例法の法改正を検討する」伊藤眞ほか編『多比羅誠弁護士喜寿記念論文集・倒産手続の課題と期待』195頁（2019年、商事法務）、日本弁護士連合会・前掲意見書（注18）2 頁参照。利害関係人以外の破産手続開始申立権については、伊藤・破産法・民事再生法141頁参照。八田卓也「消費者団体訴訟制度と消費者裁判手続特例法」ジュリ1558号35頁（2021年）は、制度の保護法益について、対象消費者の個別的ないし集団的利益ではなく、健全な市場形成に対する消費者一般ないし社会全体の利益とする立場から、対象債権の限定などに対する疑問を提起する。

第2章　令和4年改正の基本姿勢と概要

　このような議論を受けて令和3年10月に「消費者裁判手続特例法等に関する検討会」が公表した報告書[21] は、制度が十分に機能しない理由として、次の点を指摘している。

1　検討会報告書の提案

　第1に、いわゆる拡大損害、逸失利益、人身損害および慰謝料について請求適格が否定され（特例法改正前3Ⅱ）、対象となる事案の範囲が限定されすぎていることを指摘し、少なくとも財産的損害とあわせて請求される慰謝料については、請求適格を認めるべきことを提言する。

　第2に、共通義務確認訴訟の被告適格が事業者に限定され（特例法改正前3Ⅲ）、実質的に事業を運営している個人の責任を明らかにするために訴えを提起することができないことを指摘し、事業者と故意または重過失による共同不法行為責任を負う個人にも被告適格を認めるべきこと、また、事業者であっても、当該消費者契約の当事者たる事業者のみならず、契約締結を勧誘した事業者にも被告適格を認めるべきことを提言する。

　第3に、共通義務確認訴訟における和解の対象が共通義務の存否に限定されているために（特例法改正前10）、対象消費者の権利そのものを対象とする和解が不可能であり、それが紛争の早期かつ抜本的な解決を妨げていることを指摘し、和解の対象を拡大すべきことを提言する。

　第4に、簡易確定手続において授権を受ける前提となる対象消費者への情報提供手段である通知や公告の方法、費用負担などについて再検討の必要があることを指摘し、事業者側に一定の役割を担わせ、費用を負担させるべきことなどを提言する。

　第5に、被害回復裁判手続の機能、特定適格消費者団体の活動、対象消費者の権利実現に関する様々な、問題を指摘し、それらを活性化する方策を検討し、

21）消費者庁ウェブサイト。

情報取得手段の充実、時効の完成猶予・更新に関する規律の見直し、簡易確定
手続の申立義務や申立期間などの修正、簡易確定手続における事件記録の閲覧
等の制限などを提言する。

2　改正特例法および改正特例規則の成立

　従来の議論および検討会報告書にもとづいて令和 4 年法律59号「消費者契
約法及び消費者の財産的被害の集団的な回復のための民事の裁判手続の特例に
関する法律の一部を改正する法律」が成立し（令和 4 年 5 月25日）、公布された
（同年 6 月 1 日）。施行は、公布日から 1 年半を超えない範囲で政令で定める日
であり（改正法附則 1 ①）、具体的には、令和 5 年10月 1 日と定められた。改正
の内容は、ほぼ上記の報告書の提案の方向性に沿って、共通義務確認訴訟と簡
易確定手続の基本構造を維持しつつ、集団的消費者被害救済の実効性を高めよ
うとするものである[22]。手続の細則を定める最高裁判所規則も、令和 5 年最高
裁判所規則 1 号「消費者の財産的被害等の集団的な回復のための民事の裁判手
続の特例に関する規則」として公布され、施行された。あわせて、施行規則
（消費者の財産的被害等の集団的な回復のための民事の裁判手続の特例に関する法律
施行規則・令和 5 年 1 月18日内閣府令第 4 号）も同日から施行され、ガイドライ
ン（令和 5 年 8 月31日改訂）も公表されている。

ア　共通義務確認訴訟の請求適格の拡大──慰謝料の追加（本書37頁）

　慰謝料は、精神的被害の回復を目的とする損害賠償の方法であるが、多数性
と共通性が認められることを前提とし（特例法 3 Ⅱ⑥）、第 1 類型は、財産的請
求とあわせて請求されるものであって、財産的請求と共通する事実上の原因に
もとづくものである（同イ）。被告事業者に過度の負担をかけないことが根拠
と理解できる。第 2 類型は、事業者の故意によって生じたものである（同ロ）。
事業者に負担をかけることが不合理とはいえないことが根拠と理解できる。

22）立案担当者による解説として、伊吹健人ほか「消費者裁判手続特例法改正の概要」
　　NBL1224号75頁（2022年）がある。

イ　共通義務確認訴訟の請求適格および被告適格の拡大──事業監督者および被用者の追加（本書37頁）

　いわゆる悪質商法事案では、法人の形をとっている事業者だけではなく、その背後にいる実質的事業者や実際に加害行為をなした被用者の責任を追及する必要がある。改正法が一定の要件の下にこれらの者に対する請求適格とこれらの者の被告適格を認めるのは（特例法3Ⅰ⑤・Ⅲ）、この必要性を満たすためである。

ウ　共通義務確認訴訟段階での保全開示命令（本書87頁）

　集団的消費者被害回復手続の基本構造は、第1段階で共通義務の存在を確定し、第2段階の簡易確定手続で対象被害者個々の権利を確定するものであり、簡易確定手続において相手方事業者の情報開示義務（相手方事業者に対する情報開示命令）が定められているのは（特例法31（旧28））は、その前提措置である。しかし、それ以前に開示の対象となるべき文書が廃棄されてしまえば、開示義務は実効性を失う。改正法9条が共通義務確認訴訟の段階で一定の要件の下に保全開示命令を定めるのは、共通義務確認訴訟の有理性を前提として、簡易確定手続の実効性を確保するためである。

エ　共通義務確認訴訟段階での和解の柔軟化（本書73頁）

　特例法改正前10条は、共通義務確認訴訟の段階における和解の対象を共通義務に限定していた。これは手続の2段階構造を重視し、原告たる特定適格消費者団体が対象消費者の権利について管理処分権を有しないことを根拠としたものである。しかし、検討会報告書で指摘された通り（本書14頁）、対象消費者の権利そのものに関する和解を一律に排除することは、紛争の早期解決を妨げ、対象消費者の権利救済を遅らせるとの認識にもとづいて、改正法11条は、対象消費者の対象債権を含む多様な和解の可能性を認めている。

オ　簡易確定手続開始の申立ての柔軟化（本書100頁）

　特例法改正前14条は、共通義務確認訴訟において勝訴（請求の認諾または共通義務の存在を認める和解を含む）した特定適格消費者団体に簡易確定手続開始申立ての義務を課していた。これは、2段階構造手続を重視したものであるが、改正法は、申立義務そのものは維持したものの（特例法15（旧14）Ⅰ）、和解内容（上記エ）に応じて、申立てをすべき場合を区分している（同ⅡⅢ）。また、

申立期間についても、その期間を延長し、伸長するなどの可能性を認めている（特例法16（旧15））。

　カ　対象消費者に対する情報提供方法の充実（本書103頁）など

　簡易確定手続が対象消費者の権利実現の手段として機能を発揮するためには、その開始決定がなされた事実を対象消費者に周知し、加入（簡易確定手続申立団体への授権）を促す制度の整備が必要である。通知方法の合理化（特例法27（旧26））、相手方による通知（特例法28）、簡易確定手続申立団体の照会に対する相手方の回答義務（特例法30）などの規定は、これに応えるものである。

　また、簡易確定手続の記録の閲覧請求主体を当事者および利害関係を疎明した第三者に限定するのも（特例法54）、情報が悪用されることをおそれが手続への加入についての萎縮効果を除去することを目的としている。

　キ　その他の手続の合理化

　改正前は民事訴訟法の一般的規律に委ねられていた異議後の訴訟における訴えの取下げを制限する特則が置かれたこと（特例法60）は、すでに簡易確定手続を経ていることを前提とする当事者間の公平を重視するものである（本書170頁）。

　時効の完成猶予に関する特例が追加されたこと（特例法68）は、共通義務確認訴訟や簡易確定手続申立てが却下などによって、その目的を達しないままに終了したときにも、時効の完成猶予についての特則を設けることによって、対象消費者の個別的権利行使の機会を保全しようとする（本書20頁）。

　ク　特定適格消費者団体等に関する改正事項

本書では詳細に立ち入らないが、令和4年改正では、2段階手続の中核となる特定適格消費者団体の業務遂行を支援する、消費者団体訴訟支援法人（支援法人）の制度が新設された（特例法98～113）。これは、特定非営利活動法人、一般社団法人および一般財団法人が内閣総理大臣の認定を受け（特例法98Ⅰ）、集団的消費者被害回復のために特定適格消費者団体の業務に関連する様々な支援業務（同Ⅱ）を行う。

3　改正特例法および改正特例規則の概要

　令和4年改正後の特例法および特例規則の内容を俯瞰すると、以下のように

分けられる。

　第 1 は、総則であり、消費者の財産的被害等（財産的被害および精神上の苦痛を受けたことによる損害）を集団的に回復するために特定適格消費者団体[23]に訴訟追行権を認め、消費者の利益の擁護を図り、もって国民生活の安定向上と国民経済の健全な発展に寄与するという法の目的（特例法 1）、および共通義務確認の訴え、対象債権、対象債権等、和解金債権、簡易確定手続、被害回復裁判手続、特定適格消費者団体など、特例手続に含まれる基本的概念の定義（特例法2）規定が含まれている。また、特例規則の総則は、被害回復裁判手続の追行に関する当事者の義務（特例規則 1 I）や対象債権等の範囲などで重なり合う被害回復裁判手続を 2 以上の特定適格消費者団体が追行するときの相互の連携協力努力義務を規定する（同 II）。

　このうち、「被害回復裁判手続の円滑かつ迅速な進行に努め」る義務（特例規則 1 I）は、被害回復裁判手続、すなわち共通義務確認訴訟、簡易確定手続および強制執行や仮差押えの手続に共通する当事者の手続行為に妥当するものであり、その主たる当事者である特定適格消費者団体や相手方事業者が、2 段階型の手続構造を踏まえて、相当多数の消費者の権利に関する紛争をよどみなく、迅速に解決するように努力する義務を課したものである。

　これに対して、「信義に従い誠実に被害回復裁判手続を追行」する義務（特例規則 1 I）は、民事訴訟手続一般の規律であり（民訴 2 後半部分）、かつ、被害回復裁判手続全体に適用または準用されるものである[24]。その意味では、特例規則 1 条 1 項の規定は、確認的性質のものであるが、これを置くこととしているのは、信義誠実の原則を通じ、主たる当事者である特定適格消費者団体と相手方事業者とが、それぞれの主張と立証を適切に対峙させることによって、相当多数の消費者の財産的被害に関する紛争が適切に解決されるよう、協働を

---

23) 特定適格消費者団体は、手続の段階に応じて、簡易確定手続申立団体（特例法22（旧21）第 1 かっこ書）、債権届出団体（特例法34（旧31）VII）と呼ばれる。特定適格消費者団体とは、内閣総理大臣の認定（特定認定）にもとづいて被害回復関係業務を行うことができる組織の呼称であり、簡易確定手続申立団体または債権届出団体とは、それぞれの手続段階に応じた特定適格消費者団体の役割に着目した呼称である。具体例については、町村24頁参照。
24) 裁判所の「民事訴訟が公正かつ迅速に行われるように努め」る義務（民訴 2 前半部分）も、民事訴訟である共通義務確認訴訟に適用され、また簡易確定手続にも準用される（特例法50（旧47））。条解特例規則 4 頁。

促すことを目的としていると解される[25]。簡易確定手続における届出債権認否についての理由記載義務（特例規則27Ⅱ）や認否などのために必要な証拠書類の送付の求め（特例規則26・29）は、円滑かつ迅速な進行に努める義務や信義誠実手続追行義務の具体化と理解できる[26]。

　これに対して、特定適格消費者団体相互の連携協力努力義務（特例規則1Ⅱ）は、被害回復裁判手続に特有の規律である。特定適格消費者団体や適格消費者団体など相互間には、被害回復関係業務（特例法71（旧65）Ⅱ）に関する連携協力努力義務が課されているが（特例法81（旧75）ⅢⅣ）、被害回復裁判手続についてこれを具体化したのが、特例規則1条2項の規定であり、2以上の特定適格消費者団体が、対象債権等および対象消費者等の範囲の全部または一部ならびに共通義務確認訴訟の被告とされる事業者等が同一[27]である被害回復裁判手続を追行するときは、その手続の円滑かつ迅速な進行のために、相互に連携を図りながら協力するように努めなければならない（特例法7Ⅰ参照）[28]。これは、手続の客体および主体の面で、実質的に同一の紛争とみられる場合に、手続追行主体である特定適格消費者団体が連携協力を図ることを通じて、手続を円滑かつ迅速に進行させることを目的としている。

　第2は、被害回復裁判手続の第1段階としての共通義務確認訴訟の手続である（特例法第2章第1節3〜12。特例規則第2章）。共通義務確認訴訟は、民事訴訟の確認訴訟の手続規律を基礎としながらも、訴訟物、当事者適格、管轄、審理手続、保全開示命令、判決効、和解などについて特別の規律を設けている。本書第2部は、これを扱う。

　第3は、被害回復裁判手続の第2段階としての対象債権等の確定手続であり（特例法第2章第2節。特例規則第3章）、非訟手続としての簡易確定手続（特例法第2章第2節第1款13〜55。特例規則第3章第1節）および異議後の訴訟手続

25）条解特例規則2頁参照。ただし、円滑かつ迅速な手続進行努力義務や信義誠実手続追行義務の適用については、法の趣旨を踏まえることとされているので、情報偏在などの事情を考慮すべきことは当然である。条解特例規則2頁参照。
26）条解特例規則4頁参照。
27）共通義務確認訴訟提起前の仮差押命令の申立ての相手方たる事業者が同一である場合を含む。条解特例規則5頁。
28）2以上の特定適格消費者団体が簡易確定手続開始の申立てをした場合の連携協力や手続の進行状況等に関する情報共有も考えられる。条解特例規則3頁・5頁参照。

（特例法第2章第2節第2款56〜60。特例規則第3章第2節）からなる。簡易確定手続は、当事者適格、簡易確定手続の開始申立て、簡易確定決定などの規定から、異議後の訴訟手続は、簡易確定決定に対する異議の申立てにもとづく訴え提起、異議後の訴訟についての届出消費者の授権、異議後の判決などの規定からなる。本書第3部は、これを扱う。

　なお、簡易確定手続についての規律として、民事訴訟規則の準用に関する補則（特例規則35）がある。特例規則に特別の定めがある場合は準用の除外となり、また「その性質に反しない限り」ことが、準用の条件とされている。特別の定めとしては、簡易確定手続における申立て等の書面性（特例規則6）、公告事項の変更の通知の書面性（特例規則16）、簡易確定決定の決定書の正本による送達（特例規則31）がある。「その性質に反しない限り」という条件に合致して準用される規定には、様々なものがあるが[29]、民事手続一般の規律とみなされるものと、特例法の民事訴訟法の準用規定を受けたものとに分けられる。

　第4は、対象消費者の権利の保全および強制的実現のための手続（特例法2⑨参照）であり（特例法第2章第3節。特例規則第4章）、民事保全法・民事保全規則および民事執行法・民事執行規則の手続規律を基礎としながらも、2段階型手続の構造および個々の権利の確定を授権する対象消費者全体のために権利実現の義務を負う特定適格消費者団体の義務を考慮した特則を設けている。本書第4部は、これを扱う。

　第5は、被害回復裁判手続に関する補則であり（特例法第2章第4節。特例規則第5章）、特定適格消費者団体についての特定認定の失効や取消しにもとづく訴訟代理権の不消滅（特例法65（旧60））、手続の中断および受継（特例法66（旧61）、特例規則43）、共通義務確認訴訟係属を理由とする関連請求にかかる訴訟手続の中止（特例法67（旧62））、対象消費者による訴えの提起等があったときの時効の完成猶予（特例法68）、共通義務確認訴訟の判決が再審によって取り消された場合の簡易確定手続における債権届出の取扱い（特例法69（旧63））、手続の細則に関する最高裁判所規則への委任（特例法70（旧64））からなる。

29）詳細については、条解特例規則82頁参照。

　第6は、特定適格消費者団体（特例法第3章）にかかるものであり、その認定等（同第1節）、被害回復関係業務等（同第2節）、監督（同第3節）、補則（同第4節）からなる。本書は、被害回復裁判手続に関するものであるので、この部分は、必要に応じて触れるに止める。令和4年改正が導入した消費者団体訴訟等支援法人（特例法第4章）および官公庁等への協力依頼など（特例法第5章）についても、同様とする。

　第7は、罰則であり（特例法第6章）、被害回復裁判手続に関して違法な行為をしたり、違法な利益をえた特定適格消費者団体や消費者団体訴訟等支援法人の役員などに対する罰則を内容とする。

第 **2** 部

共通義務確認訴訟の手続

　共通義務確認訴訟は、被害回復裁判手続の第1段階を構成するものであり（特例法2⑨イ）、消費者契約に関して相当多数の消費者に生じた財産的被害等について、事業者、事業監督者または事業者の被用者（事業者等）が、これらの消費者に対し、これらの消費者に共通する事実上及び法律上の原因に基づき、個々の消費者の事情によりその金銭の支払請求に理由がない場合を除いて、金銭を支払う義務を負うべきことの確認を求める訴え（特例法2④）にかかる訴訟を意味する。

　そして、共通義務確認訴訟の手続は、民事訴訟法の判決手続に関する規律にしたがうが、特例法は、訴額（事物管轄・訴訟費用）について（特例法4）、管轄および移送について（特例法6）、請求（訴訟物）について（特例法3ⅠⅡ・5）、当事者適格について（特例法3ⅠⅢ）、訴えの提起を含む訴訟要件について（同3Ⅳ・81Ⅱ）、訴訟代理について（特例法65・83）、弁論の併合について（特例法7）、訴訟手続の中断および受継について（特例法66（旧61）・93（旧87）Ⅰ）、関連請求にかかる訴訟手続の中止（特例法67）について、訴訟上の和解について（特例法11）、既判力の主観的範囲について（特例法10（旧9））、補助参加について（特例法8）、再審の訴えについて（特例法12（旧11））、それぞれ特則を設けている。

　また、訴訟手続に関する特則とはいえないが、数人の特定適格消費者団体（以下、単に団体ということがある）が提起する共同訴訟や、ある団体が提起した共通義務確認訴訟への他の団体による参加に関係する規定（特例法81（旧75）Ⅲ・84（旧78）Ⅰ①〜⑦Ⅱ、施行規則15〜20）や判決等に関する情報の公表についての規定（特例法95（旧90）、施行規則22）がある。以下では、民事訴訟手続の体系に即して、これらの特則の内容、趣旨および解釈に関する説明を行う。

第 1 章　管轄および移送

　管轄とは、ある事件についていずれの裁判所が裁判権を行使するかに関する規律である。管轄の種別としては、職分管轄、事物管轄、土地管轄、合意管轄、応訴管轄、専属管轄などがあるが[1]、共通義務確認訴訟の管轄に関しては、これらのうちで、事物管轄および土地管轄に関して、特別の定めがある。他の管轄については、民事訴訟法の規定に従う。したがって、合意管轄（民訴11）や応訴管轄（民訴12）も認められる。国際裁判管轄についても、同様である[2]。

第 1 節　事物管轄および提訴手数料

　事物管轄は、主として、第 1 審の裁判所としての簡易裁判所と地方裁判所の裁判権の行使の分担に関する規律である。裁判所法33条 1 項 1 号は、訴額が140万円を超えない請求について、簡易裁判所の管轄を定め、同法24条 1 号は、それ以外の請求について地方裁判所の管轄を規定する。そして、民事訴訟法 8 条 2 項は、非財産権上の請求については、訴額が140万円を超過するものとみなすので、地方裁判所の管轄に属することになる。特例法 4 条は、「共通義務確認の訴えは、訴訟の目的の価額の算定については、財産権上の請求でない請求に係る訴えとみなす」と規定するが、これは、共通義務確認訴訟が財産権上

---

1 ）伊藤・民訴法72頁。
2 ）海外に所在する事業者も特例法にいう事業者（特例法 2 ②）にあたるから、その事業者が日本国内で事業を行っているときには、日本の裁判所の管轄が認められうる（民訴 3 の 3 ⑤）。伊藤・民訴法51頁参照。ただし、消費者契約に関する訴えについての国際裁判管轄の規定（民訴 3 の 4 Ⅰ）は、消費者の訴権を保護するためのものであるから（伊藤・民訴法59頁）、文理上も、また実質からみても、特定適格消費者団体の提起する共通義務確認訴訟については適用がないと解される。一問一答46頁、山本175頁参照。国際裁判管轄については、日弁連コンメ117頁が詳しい。訴訟物が共通義務という概括的法律関係であるところから（本書33頁）、契約上の債務に関する請求を目的とする訴え（民訴 3 の 3 ①）や不法行為に関する訴え（同⑧）に該当するかどうかという問題があり、これを肯定すべきであるが、立法として明らかにする必要もあろう（本書13頁）。

の請求としての側面があることを前提としつつも、原告である団体に経済的利益が生じるものではないことや届出消費者がえられる利益を訴え提起の段階で算定するのは極めて困難であると考えられるところから（民訴8Ⅱ後半部分参照）共通義務確認訴訟を地方裁判所の管轄とする趣旨である[3]。

　なお、提訴手数料についても、同じく訴額が基準とされ、非財産権上の請求とみなされる共通義務確認訴訟の訴額が160万円となり（民訴費4Ⅱ本文）、それを前提として提訴手数料額が定まる（1万3,000円。同別表第1参照）。

　次に、同じく提訴手数料にかかわるものであるが、併合請求の場合の価額の算定について検討する。たとえば、ある団体が、ある事業者を被告として、当該事業者の数個の行為について共通義務確認訴訟を提起するとか（請求の客観的併合）、数人の事業者を共同被告として、それぞれの行為について共通義務確認訴訟を提起するとか（被告側の主観的併合）、数人の団体が、ある事業者を被告として、その事業者の特定の行為について共通義務確認訴訟を提起する（原告側の主観的併合）などが考えられる。これについては、特例法が特段の規律を設けていないので、民事訴訟法9条1項本文にもとづいて、各請求の訴額を合算したものを訴訟の訴額とし、提訴手数料を算定する。

　もっとも、訴訟物からみれば請求が併合されているときでも、数個の請求が目的とする経済的利益が共通のものであれば、訴額は合算せず、単一の経済的利益として訴額を算定する（民訴9Ⅰ但書）[4]。たとえば、数人の団体が、ある事業者の同一の行為に起因して、対象消費者を異にする共通義務確認訴訟を提起する場合には、共通義務に着目する限り、対象消費者の権利の基礎としての共通性が認められるのであるから、訴額の合算をすることなく、160万円を基準として提訴手数料を算定すべきである。

3）山本196頁、一問一答41頁。ただし、後者は、具体的算定が「著しく困難であると考えられる」としている。
4）具体例について、伊藤・民訴法77頁参照。共通義務確認訴訟の場合の具体例については、後藤ほか21頁参照。

第2節　土地管轄

　土地管轄とは、ある事件について職分管轄および事物管轄をもつ管轄裁判所が、所在地を異にして複数存在する場合に、いずれの地の裁判所に管轄権を認めるべきかに関する定めである。共通義務確認訴訟についていえば、地方裁判所に第1審としての職分管轄および事物管轄が認められるが、各地の地方裁判所のいずれに管轄権を認めるべきかが土地管轄の問題である。

　土地管轄は、その発生原因たる裁判籍、すなわち事件と特定地域との連結点の所在によって定まり、裁判籍は、事件の種類・内容を問わず一般的に認められる普通裁判籍と、限定された種類・内容の事件についてのみ認められる特別裁判籍が区別される。さらに特別裁判籍は、特定の事件について、他の事件とは無関係に認められる独立裁判籍と、他の事件との関係において認められる関連裁判籍とに分けられるが、このうち特例法が特別の定めをおいているのは、特別裁判籍のうちの独立裁判籍であり、被告たる事業者の住所や主たる事務所または営業所によって定める普通裁判籍（民訴4）は、共通義務確認訴訟についても適用される（特例法6Ⅰ参照）。特別裁判籍のうちの併合請求の裁判籍（民訴7）についても同様である。

　そして、民事訴訟法の一般規定および特例法の規定にもとづいて、2以上の地方裁判所が管轄を有するときは、先に訴えの提起があった地方裁判所が管轄する（特例法6Ⅴ本文）。ただし、移送の可能性があることは、後に述べるとおりである。

1　事務所または営業所の所在地の裁判籍（特例法6Ⅰ第2かっこ書、民訴5⑤）

　民事訴訟法が定める特別裁判籍のうち、事務所または営業所の所在地の裁判籍のみは、共通義務確認訴訟について適用される（特例法6Ⅰ第2かっこ書、民訴5⑤）。事業者であれば、個人、法人その他の団体であるかを問わず、事務所または営業所を開設して活動を展開している者については、普通裁判籍のほかに、当該事務所等を基準とする裁判籍を認めるのが公平に合致する。したがって、この裁判籍は、当該事務所等における業務に関する訴えについてのみ

適用する。なお、事務所等については、一定の独立性と継続性が要求される[5]。

2　義務履行地の裁判籍（特例法 6 Ⅱ①）

　契約上の債務の履行の請求（特例法 3 Ⅰ①）、不当利得にかかる請求（同②）、契約上の債務の不履行による損害賠償の請求（同③）については、義務履行地を管轄する地方裁判所にも訴えを提起することができる（特例法 6 Ⅱ①）。任意履行の場合に、債務者は、履行地において履行の提供をしなければならないのであるから、その地において応訴を強制されても不公平にはあたらないというのが、義務履行地の裁判籍の趣旨である。

　もっとも、共通義務自体は個々の消費者の権利の基礎となるべき概括的義務であって、具体的給付を内容とするものではないから（本書33頁）、その義務の履行自体を観念することは困難である。したがって、ここでいう義務は、事業者等の消費者に対する義務と解されようが[6]、概括的義務を具体的義務と同視できるのであれば、義務の存在を主張する特定適格消費者団体の主たる事務所の所在地を義務履行地の裁判籍とする考え方もありえよう。

3　不法行為地の裁判籍（特例法 6 Ⅱ②）

　不法行為にもとづく損害賠償の請求（特例法 3 Ⅰ④⑤）については、不法行為があった地を管轄する地方裁判所にも訴えを提起することができる（特例法 6 Ⅱ②）。ここでいう不法行為にもとづく損害賠償の請求とは、事業者に対する損害賠償の請求（特例法 3 Ⅰ④⑤イ）、事業監督者（特例法 2 ④第 1 かっこ書）に対する損害賠償の請求（特例法 3 Ⅰ⑤ロ）、被用者（特例法 2 ④ハ）に対する損害賠償の請求を意味するが、いずれも民法の規定によるものに限る。不法行為地とは、不法行為を構成する法律要件事実が発生した地と解されており、加害行為地と損害発生地とが含まれる[7]。

---

5 ）ここでいう独立性などについては、伊藤・民訴法83頁参照。
6 ）民法484条にいう弁済が、債務の履行を意味することについては、中田・債権総論350頁・371頁、潮見・新債権総論Ⅱ 3 頁・ 9 頁参照。共通義務ではなく、それにもとづく個々の消費者に対する事業者の義務を基準とするとすれば、多数の義務履行地が存在する場合が予想される。山本199頁、日弁連コンメ113頁参照。
7 ）大判昭和 3 年10月20日新聞2921号11頁。共通義務確認訴訟が対象とする財産的被害等の

4　大規模事件および超大規模事件についての土地管轄の特例（特例法6Ⅲ）

　対象消費者の数が500人以上であると見込まれるときは、普通裁判籍（民訴4Ⅰ）、事務所または営業所の所在地の裁判籍（特例法6Ⅰ第2かっこ書、民訴5⑤）、義務履行地の裁判籍（特例法6Ⅱ①）または不法行為地の裁判籍（同②）にもとづく管轄地方裁判所の所在地を管轄する高等裁判所の所在地を管轄する地方裁判所にも、管轄が認められる。

　たとえば、不法行為地の裁判籍が横浜市にあるときには、横浜地裁が本来の管轄裁判所となるが、それに加えて、横浜市を管轄する高等裁判所、すなわち東京高等裁判所の所在地を管轄する東京地方裁判所にも管轄が認められる。これは、対象消費者が多数の場合には、それらの者の権利の基礎となるべき共通義務確認訴訟についての審理も複雑になることが予想され、また、第2段階の簡易確定手続の管轄も共通義務確認訴訟の管轄裁判所に認められるところから（特例法13（旧12））、大規模事件に対応できる人的・物的体制の整った地方裁判所、すなわち高等裁判所所在地の地方裁判所に競合管轄を認め、特定適格消費者団体の選択の余地を拡大するための措置である。

　対象消費者の数が1,000人以上であると見込まれる、超大規模事件については、東京地方裁判所または大阪地方裁判所にも競合管轄が認められるのも（特例法6Ⅳ）、同様の理由による[8]。

第3節　移送

　民事訴訟法上の移送には、管轄違いにもとづく移送（民訴16）と訴訟の遅滞を避け、当事者間の衡平を図るための移送（民訴17）とがあるが、前者は、共通義務確認訴訟についても、そのまま妥当する。これに対して、後者については、特例法が2つの特則を設けている。なお、移送の申立ての方式は、民事訴

場合には（特例法2④参照）、具体的被害の発生場所を主張する必要があろう。東京高決平成15年3月26日判タ1136号256頁参照。

8）事件の規模に応じて大規模庁や東京地方裁判所または大阪地方裁判所に管轄を認める規定は、破産法5条8項・9項および民事再生法5条8項・9項等にも存在する。

訟規則 7 条の定めるところによる。

1　著しい損害または遅滞を避けるための移送（特例法 6 V 但書）

　共通義務確認の訴えを受理した裁判所は、著しい損害または遅滞を避けるため必要があると認めるときは、申立てによりまたは職権で、当該共通義務確認訴訟の全部または一部を他の管轄裁判所に移送することができる（特例法 6 V 但書）。申立てがあったときは、裁判所は、相手方の意見を聴いて決定するものとされ（特例規則 3 I）、職権によって移送の決定をするときは、当事者の意見を聴くことができる（同 II）[9]。

　ここでいう損害または遅滞とは、訴訟の進行に関する公益的考慮要素であり、訴訟遅延により、国民や他の制度利用者に無用な負担をかけることを意味する[10]。また、訴訟の一部を移送する場合としては、ある特定適格消費者団体が数人の事業者を共同被告として訴えを提起したときに、一部の事業者に対する訴えを移送することなどが考えられる。

　これに対して、民事訴訟法17条にいう「当事者間の衡平を図るため必要があると認める」ときの移送は、予定されていない。この移送原因は、訴訟追行能力に関する当事者間の格差などに着目したものであるが、共通義務確認訴訟の当事者である特定適格消費者団体と事業者については、妥当する場合が少ないと考えられたためであろう。

2　事実上および法律上同種の原因にもとづく請求を目的とする他の共通義務確認訴訟係属裁判所への移送（特例法 6 VI）

　裁判所は、共通義務確認訴訟がその管轄に属する場合においても、他の裁判所に事実上および法律上同種の原因にもとづく請求を目的とする共通義務確認訴訟が係属している場合において、当事者の住所または所在地、尋問を受ける

9）申立てにもとづく移送の場合の相手方の意見聴取や、職権にもとづく移送の場合の当事者の意見聴取は、民事訴訟規則 8 条と同趣旨である。民事訴訟規則 8 条については、秋山ほか I 320頁参照。

10）秋山ほか I 312頁参照。具体例としては、事業者の住所地の裁判所に訴えが提起されたときに、証拠方法が多数所在する、不法行為地の裁判所に訴訟を移送する場合などが考えられる。日弁連コンメ116頁参照。

べき証人の住所、争点または証拠の共通性その他の事情を考慮して相当と認めるときは、申立てによりまたは職権で、当該共通義務確認訴訟の全部または一部について、当該他の裁判所に移送することができる（特例法 6 Ⅵ）。申立てがあったときは、裁判所は、相手方の意見を聴いて決定するものとされ（特例規則 3 Ⅰ）、職権によって移送の決定をするときは、当事者の意見を聴くことができる（同Ⅱ）。

　ここでいう「事実上および法律上同種の原因」とは、共同訴訟の要件の 1 つとして用いられている概念であるが（民訴38後段）、訴訟物たる権利義務が「同一の事実上および法律上の原因」にもとづく場合よりも広く、異なった事実および法律上の原因にもとづくものであっても、実体法上の権利義務や法律関係の性質を同じくすることを意味すると解されている[11]。したがって、事業者や対象行為が異なっていても、移送先の裁判所が詐欺取消しに基づく不当利得返還請求権について審理を行っているのに対し、移送しようとしている裁判所で審理しているのが不法行為に基づく損害賠償請求権であるなど、訴訟物たる権利義務の基礎となるべき事実および法律上の性質が同種であるとみられれば足り、裁判所が上記の事情を考慮して、移送をすべきかどうかを判断することになろう。移送された場合には、受移送裁判所は、弁論の併合（民訴152 Ⅰ）をすることが多いと思われる。

11）秋山ほか Ⅰ 515頁、伊藤・民訴法694頁参照。

第 2 章　共通義務確認訴訟の当事者

　共通義務確認訴訟の当事者は、特定適格消費者団体（原告）と事業者等（被告）である（特例法 2 ④・3 Ⅰ 柱書）。特定適格消費者団体は、被害回復裁判手続を追行するのに必要な適格性を有する法人である適格消費者団体として内閣総理大臣の認定（特例法71 Ⅰ Ⅳ。ガイドライン 2 参照）を受けた者である（特例法 2 ⑩）から、当事者能力に問題はない（民訴28参照）。また、事業者等（特例法 2 ④第 1 かっこ書）のうち事業者は、法人、法人でない社団または財団、および事業を行う個人を意味し（同②）、事業監督者および被用者は個人であるから、いずれも当事者能力を認められる。

　訴訟能力については、法人である特定適格消費者団体、法人である事業者、法人でない社団または財団である事業者は、それらの者の代表者が訴訟行為を行う（民訴37）。これに対して、個人である事業者、事業監督者および被用者については、自ら訴訟行為を行うことができる（民訴28）。

　弁論能力に関する民事訴訟の一般原則の下では、法人の代表者は自ら訴訟追行をすることができるが、特定適格消費者団体については、共通義務確認訴訟を含む被害回復裁判手続においては、弁護士による訴訟追行が必要である（特例法83（旧77））。これは、対象消費者の権利実現の基礎となる共通義務確認訴訟を追行するという、一般の民事訴訟の当事者とは区別される特定適格消費者団体の責務の重大性を考慮したものである。

　なお、法83条自体は、特定適格消費者団体の組織運営についての弁護士の関与（特例法71（旧65）Ⅳ③ロ）と同様に、団体の被害回復関係業務に関する規律であるが、訴訟手続上でも、弁護士によらない訴訟追行は不適法なものと解される。

第 1 節 原告適格──特定適格消費者団体

　訴訟物たる権利関係について、本案判決を求め、または求められる訴訟手続上の地位を当事者適格と呼ぶ。通常の民事訴訟においては、訴訟物は、実体法上の権利義務や法律上の地位であり、それに関する当事者適格は、訴権の行使が訴訟物たる権利義務や法律上の地位を実体法上処分するのと類似の効果を有するという理由から、その帰属主体に当事者適格を認めるのが原則であり、これに加えて、訴訟物について第三者に管理権または管理処分権が認められることを根拠として、第三者に訴訟担当者としての当事者適格が認められる場合、さらに、訴訟物について独自の法律上の利益を有する第三者に当事者適格が認められる場合がある[12]。

　したがって、共通義務確認訴訟についての当事者適格を検討するについては、その訴訟物が何かを明らかにすることが前提となるが、その検討自体は第 3 章で行うこととし、結論についてのみいえば、共通義務確認訴訟における訴訟物は、対象消費者の金銭支払請求権の基礎となるべき共通の法律関係（共通義務）を意味する。たとえば、対象消費者群が相手方事業者に対して、契約を取り消した結果として有すべき不当利得返還請求権に対応する義務であり、個々の対象消費者に帰属する不当利得返還請求権としての金銭支払請求権に対応する義務の基礎となるべき概括的義務である（特例法 2 ④⑤参照）。

　この共通義務は、対象消費者の相手方事業者等に対する具体的な金額を内容とする不当利得返還請求権や不法行為にもとづく損害賠償請求権などに対応する義務そのものとは区別されるが、その基礎となるべき法律関係であり、その意味では、対象消費者群と相手方事業者等との概括的法律関係であるといえる。民事訴訟の訴訟物が具体的権利義務や法律関係であるという原則に照らせば、訴訟物としての共通義務は、やや特別なものであるが、概括的ではあっても、対象債権および対象消費者の範囲によって特定している以上（特例法 5 参照）、抽象的法律関係ということはできず、これをめぐる争いは、法律上の争訟（裁

---

12) 伊藤・民訴法200頁。

判所法3Ⅰ）に含まれる[13]。

　次に、訴訟物について特定適格消費者団体にのみ原告適格が認められる理由を説明する。共通義務の主体は、対象消費者群と相手方事業者等ということもできるが、概括的義務としての性質上、対象消費者群が義務の履行を求めるとか、相手方事業者等がそれを履行することは考えられず、したがって、対象消費者群が共通義務についての訴権を行使することも想定できない。このことは、従来の通念との関係でいえば、訴訟物たる権利義務の帰属主体に当事者適格を認めるとの考え方が妥当しないことを意味する。

　訴訟担当についていえば、本来の適格者からの授権を基礎とする任意的訴訟担当の概念が特定適格消費者団体の適格を基礎づけるものでないことは、多言を要しない[14]。また、特定適格消費者団体の適格を法定訴訟担当に求める考え

---

13) 上原敏夫「集団的消費者被害回復手続の理論的検討」伊藤古稀（以下、上原とする）30頁が、訴訟物を共通義務の存否とし、その内容たる共通義務について、「多数の消費者に共通の事実上・法律上の原因に基づいて、個々の消費者に特有の事情を考慮に入れなければ、多数の消費者に対して事業者が負うものと考えられる支払義務である」とし、増森珠美「消費者集団裁判手続特例法施行後の運用（共通義務確認訴訟及び異議後の訴訟）において想定される実務上の諸問題」民訴雑誌63号261頁（2017年）が、共通義務について「個々の消費者の請求権の基礎となるべきいわば概括的な法律関係」であるとするのも、同様の趣旨と理解する。
　　これに対して、三木浩一ほか「特別座談会・消費者裁判手続特例法の理論と課題」論究ジュリ9号151頁（2014年）における三木浩一発言は、訴訟物を金銭支払請求権の基礎となるべき要件事実のうちの一部とし、したがって、法律上の争訟に該当しないとする。三木浩一「消費者集合訴訟制度の構造と理論」伊藤古稀（以下、三木とする）599頁は、これを敷衍し、実体権の成立要件たる事実の一部を訴訟物とする点で、証書真否確認の訴え（民訴134）に類するという（ただし、三木606頁では、訴訟物は、一定範囲の消費者に共通する金銭の支払義務との記述もある）。町村44頁は、これを評価する。
　　しかし、特例法2条4号の定義規定の文言、すなわち「消費者に共通する事実上及び法律上の原因に基づき……金銭を支払う義務」との関係からもみても、問題があるし、裁判所法3条1項にいう「法律上の争訟」に該当せず、同項にいう「その他法律において特に定める権限」に属するという理解も、立法者が想定したものとは思われない。法律上の争訟および法律において特に定める権限の意義については、兼子一＝竹下守夫『裁判法〔第4版〕』66頁（1999年、有斐閣）参照。
　　また、山本和彦「集団的利益の訴訟における保護」民商148巻6号626頁（2013年）は、共通義務について特定適格消費者団体の固有権として当事者適格を認めたものとする。固有権の内容が対象消費者の利益実現を目的とする団体の地位であるとすれば、考え方として愚見との共通性がある。山本186頁は、これを敷衍し、抽象的概括的な金銭支払義務とする。菱田雄郷「消費者裁判手続特例法の定める共通義務確認訴訟の諸問題」消費者法研究7号100頁（2020年）もこのような考え方に属する。
14) もっとも、八田卓也「消費者裁判手続特例法の当事者適格の観点からの分析」千葉ほか・

方も存在するが[15]、法定訴訟担当は、本来は被担当者が訴訟追行権を有することを前提とし、法の規定にもとづいて担当者が被担当者に代わって訴訟を追行することを認めるものであり、共通義務確認訴訟における特定適格消費者団体の当事者適格の説明として妥当とは思われない。

　上記のような検討を踏まえて、本書では、対象消費者群と相手方事業者との間の概括的法律関係である共通義務という、他人間の法律関係について、「被害回復裁判手続を追行するのに必要な適格性を有する法人である適格消費者団体」として内閣総理大臣の認定を受けた特定適格消費者団体（特例法2⑩）に対して、その職責を果たすという法律上の利害関係にもとづいて当事者適格を認めたものと解する[16]。

　共通義務という他人、すなわち対象消費者群と相手方事業者との間の概括的法律関係について、消費者被害の予防や回復を実現するための業務を行い、法律上の利害関係を有する第三者として当事者適格を与えられたことは、いいか

集団的消費者利益398頁は、「（第2段階での届出の授権を停止条件とした）一種の停止条件付きの任意的訴訟担当」という構成を示唆する。しかし、第2段階の届出は、共通義務確認訴訟において特定適格消費者団体が勝訴した場合になされることを考えれば、勝敗のいかんに問わず訴訟追行の基礎となる当事者適格の根拠を任意的訴訟担当に求めることはできないと思われる。

15)　三木ほか・前掲特別座談会（注13）147頁における三木浩一発言は、「一種の特殊な法定訴訟担当」とする。三木602頁では、「他人の実体法上の権利について、その成立要件の一部についてではあるが、管理権の部分的な法定授権がある」ことをもって、一種の法定訴訟担当とするが、成立要件の一部についての管理権という概念が成立するかどうか、疑問がある。
　　長谷部由起子「共通義務確認訴訟の理論的課題——訴訟物と特定適格消費者団体の原告適格を中心として」高田裕成ほか編『高橋宏志先生古稀祝賀論文集・民事訴訟法の理論』（2018年、有斐閣）690頁も、訴訟物を対象債権の集合体として捉えることを前提として法定訴訟担当説をとるが、訴訟物の把握についての疑問は、本書51頁に述べた通りである。また、菱田・前掲論文（注13）98頁も、共通義務確認訴訟の保護法益が消費者の主観的権利の束たる集合的利益であるとの理由から、法定訴訟担当説をとるが、保護法益と当事者適格の性質とが直接的に結びつくのか疑問がある。
16)　詳細については、伊藤眞「消費者被害回復裁判手続の法構造——共通義務確認訴訟を中心として」曹時66巻8号13頁（2014年）参照。上原32頁も、他人間の法律関係について、「特定適格消費者団体が多数の消費者に共通の利益を保護する役割を果たすことを期待して」、当事者適格を認められたものと説明し、山本137頁も、他人間の権利義務の確認訴訟について特定適格消費者団体に特別に確認の利益を認めたものと説く。町村63頁が、特定適格消費者団体に固有の訴訟追行権を付与したと述べ、千葉惠美子「実体法の観点から見た消費者裁判手続特例法に基づく被害回復制度の位置づけ——集団的消費者利益とその実現の担い手との関係に着目して」法の支配182号63頁（2016年）が、共通義務についての固有の管理権を説くのも、同旨と理解する。

えれば、特定適格消費者団体である以上、当然に共通義務確認訴訟の当事者適格を認められ、特定適格消費者団体以外の個人や団体の当事者適格を認める余地はないことを意味する。

第2節　被告適格――事業者等

被告適格を有するのは、事業者等（特例法2④）であり、事業者等は、事業者、事業監督者および事業者の被用者の3種からなる。このうち事業監督者および被用者は、令和4年改正によって追加されたものである（本書16頁）。

1　事業者

事業者については、訴訟物との関係で決定される当事者適格の性質を反映して、請求の類型に応じて被告適格を認められる事業者が分けられる。なお、以下の第3および第4は、令和4年改正によって加えられた。

第1に、消費者契約（消費契約2Ⅲ）に起因する請求、具体的には、契約上の債務の履行の請求（特例法3Ⅰ①）、契約の取消しなどにもとづく不当利得にかかる請求（同②）、契約上の債務の不履行による損害賠償の請求（同③）にかかる金銭の支払義務についての共通義務確認訴訟については、当該契約の相手方である事業者が被告適格を有する（同3Ⅲ①）。

第2に、不法行為にもとづく損害賠償の請求（民法の規定によるものに限る。特例法3Ⅰ④）にかかる金銭の支払義務についての共通義務確認訴訟については、消費者契約の相手方である事業者、契約上の債務の履行をする事業者、消費者契約の締結について勧誘をし、当該勧誘をさせ、または当該勧誘を助長する事業者が被告適格を有する（同3Ⅲ②）。詐欺的な悪質商法が不法行為にあたる例を想定すれば、契約の相手方となっている事業者、当該契約が請負である場合の債務の履行をする下請事業者、勧誘行為を統括している事業者、勧誘を助長、すなわち力を添えて助ける行為をした事業者[17]が、それぞれ被告適格

17）一問一答33頁では、実質的価値の乏しい自社の未公開株式が不特定多数の消費者に高額で販売されることを知りながら、販売業者に株式を譲渡した事業者の例があげられている。その他の勧誘の例については、日弁連コンメ93頁参照。

を認められる。

　第3に、事業者の被用者が消費者契約に関する業務の執行について第三者に損害を加えたことを理由とする使用者としての責任（民715Ⅰ）にもとづく損害賠償の請求について、事業者に被告適格が認められる（特例法3Ⅲ③イ）。ただし、当該被用者の選任およびその事業の監督について故意または重大な過失により相当の注意を怠った場合に限る（同Ⅰ⑤イ）。

　第4に、精神上の苦痛を受けたことによる損害賠償の請求（慰謝料）である。ただし、①その額の算定の基礎となる主要な事実関係が相当多数の消費者について共通するものであり、かつ、②共通義務確認の訴えにおいて財産的請求と併合請求されるものであって、財産的請求と共通する事実上の原因にもとづくものか、③事業者の故意によって生じたものに限る（特例法3Ⅱ⑥柱書かっこ書・イ・ロ）。

　令和4年改正前3条2項6号は、包括的に慰謝料の請求適格を否定し、したがって事業者の被告適格も認められなかったが、上記①ないし③の要件を満たす場合に限って請求適格を認めたことを前提として、事業者の被告適格が認められた。

2　事業監督者

　事業監督者とは、事業者に代わって事業を監督する者であるが（特例法2④第1かっこ書）、事業者の被用者が消費者契約に関する業務の執行について第三者に損害を与えたことを理由とする監督者としての責任（民715Ⅱ）にもとづく損害賠償の請求について、事業監督者に被告適格が認められる（特例法3Ⅲ③ロ）。ただし、当該被用者の選任およびその事業の監督について故意または重大な過失により相当の注意を怠った場合に限る（同Ⅰ⑤ロ）。

3　被用者

　被用者（民715）とは、雇用関係にある者に限定されず、使用者である事業者の指揮監督を受けて事業の遂行に関わる者である[18]。被用者に被告適格が認

18）潮見佳男『不法行為法Ⅱ〔第2版〕』22頁（信山社、2011年）参照。

められるのは、第三者に損害を加えたことについて故意または重大な過失がある場合の不法行為にもとづく（民法の規定によるものに限る）損害賠償の請求である（特例法3Ⅰ⑤ハ・Ⅲ③ハ）。

第3章　共通義務確認の訴え

　共通義務確認訴訟とは、「①消費者契約に関して②相当多数の消費者に生じた③財産的被害等について、事業者、事業者に代わって事業を監督する者（事業監督者）又は事業者の被用者が、これらの消費者に対し、これらの消費者に④<u>共通する事実上及び法律上の原因に基づき</u>、個々の消費者の事情によりその金銭の支払請求に理由がない場合を除いて、⑤<u>金銭を支払う義務を負うべきことの確認を求める訴えをいう</u>」（特例法2④。付番および下線は、筆者による）。

　上記⑤に示されているように、共通義務確認訴訟は、訴えの類型として確認訴訟に属する。ただし、後に述べるように、確認の対象となる法律関係が、共通義務という概括的法律関係であるために、一般の確認訴訟の対象としての適格があるとはいえない[19]。また、この確認訴訟は、請求認容判決などによって終了したときには、それにもとづいて簡易確定手続による債務名義の形成が予定されているという点で、給付請求手続の基礎となるべき性質を有している。これも後に触れるように、予備的併合や選択的併合の法理が妥当するのは、このような共通義務の特質を反映したものである。

第1節　共通義務確認の訴え（訴訟）の訴訟要件

　共通義務確認訴訟も、それについての本案判決をする前提として、訴訟要件を具備しなければならない。訴訟要件の内容としては、民事訴訟一般と共通するものと、共通義務確認訴訟に固有のものとがあるが、以下では、後者を中心に説明する。

19）したがって、事業者の側が、特定適格消費者団体を相手方として共通義務不存在確認訴訟を提起することは、確認の対象としての適格を欠き、不適法である。

第1項　訴えの利益

　広義の訴えの利益の1つとして、権利保護の資格、すなわち訴えによって定立する請求が本案判決の対象となりうるかどうかを問題とする概念がある[20]。共通義務確認訴訟の訴訟物である共通義務は、対象消費者群の相手方事業者に対する金銭支払請求権の基礎となるべき概括的法律関係であるから、それ自体を具体的権利義務ということは困難であるが、具体的権利義務である金銭支払請求権成立の基礎たるべき法律関係であるところから、特定適格消費者団体が原告となる場合に限って、権利保護の資格を認められたものである。

　次に、確認の利益、いわゆる即時確定の利益については、民事訴訟一般における考え方が妥当する。即時確定の利益とは、当事者間の具体的事情を考慮して、紛争解決のために確認判決が必要であり、かつ、確認判決が紛争解決にとって適切であることを意味する。共通義務確認訴訟についていえば、対象消費者群が消費者契約に起因する損害賠償請求権などを主張し、相手方事業者がこれを争っているときには、共通義務の存在を確認する判決が必要であり、かつ、確認判決が確定すれば、引き続く簡易確定手続によって対象消費者群の権利にかかる争いが終局的に解決することを期待できるし、また、請求棄却判決が確定すれば、相手方事業者は、事実上、紛争の解決を期待できるから、即時確定の利益が存在する。

第2項　共通義務確認の訴えに固有の訴訟要件

　共通義務確認訴訟に固有の訴訟要件としては、請求適格、多数性、共通性および支配性の4つがある[21]。一般の訴訟要件が本案判決の要件であるのと同様に、多数性などの要件の具備も口頭弁論終結時を基準として判断する。

1　請求適格（権利保護の資格）

　共通義務確認の訴えの請求適格は、事業者などが消費者に対して負う金銭の

---

20) 伊藤・民訴法183頁。
21) 加納克利＝松田知丈「消費者の財産的被害の集団的な回復のための民事の裁判手続の特例に関する法律の概要」金法1987号93頁（2014年）。

支払義務であって、消費者契約に関する以下の請求（付帯する利息、損害賠償、違約金または費用の請求を含む）について認められる（特例法3Ⅰ柱書）。第1は契約上の債務の履行の請求であり（同①）、第2は、不当利得にかかる請求であり（同②）、第3は、契約上の債務の不履行による損害賠償の請求であり（同③）、第4は、民法の規定による不法行為にもとづく損害賠償の請求であり、第5を除いたものである（同④）。第5は、事業者の被用者が消費者契約に関する業務の執行について第三者に損害を加えたことを理由とする事業者、事業監督者および被用者に対する損害賠償の請求である（同⑤）。

　第1の契約上の債務の履行の請求とは、契約の内容たる条項を請求原因とする金銭支払請求であり、契約関係の存続中の請求のみならず、終了後の請求、たとえば、敷金返還請求、ゴルフ会員の預託金返還請求などを含む。

　第2の不当利得にかかる請求とは、法律上の原因なく消費者のした給付などによって事業者が利益を受け、そのために消費者に損失を及ぼしたときに、消費者が事業者に対して取得する金銭支払請求であり、民法の規定による公序良俗違反を理由とする無効（民90）、錯誤を理由とする取消し（民95Ⅰ）、詐欺または強迫を理由とする取消し（民96Ⅰ）、解除（民545Ⅰ）などに加えて、消費者契約法4条にもとづく取消し、特定商取引に関する法律9条の3にもとづく取消しなど、消費者が事業者に対してした給付の基礎たる法律行為の効力が失われた場合の金銭支払請求がこれにあたる。民法545条にもとづく解除や、特商法49条1項にもとづく解除やクーリング・オフ（割賦販売法35の3の10）などによる金銭返還請求も、それが不当利得にかかる請求としての性質を有する限り、請求適格を認められる。そもそも契約が不成立であることを理由とする金銭返還請求が含まれることも当然である。

　第3の契約上の債務の不履行による損害賠償の請求とは、事業者の債務不履行にもとづく消費者の損害賠償請求としての金銭支払請求を意味する。債務の本旨にしたがった給付がなされないときに、それに代えて損害賠償を請求する場合や、説明義務などの付随的義務が履行されなかったときに、それに起因して発生した損害賠償を請求する場合などがこれにあたる。

　なお、民法（債権関係）改正施行（令和2年4月1日）までは、特例法3条1項4号として、「瑕疵担保責任に基づく損害賠償の請求」が掲げられていたが、

41

瑕疵担保責任の概念が契約不適合責任に置き換えられたこと（民562など）に
ともなって、不適合にもとづく損害賠償請求は、債務の不履行による損害賠償
請求に包含されることとなり、特例法3条1項旧4号は削除された。ただし、
経過規定（整備法103Ⅰ）があり、施行日前に締結された消費者契約にかかる請
求については、改正前の規定が適用される。

　第4の民法の規定による不法行為にもとづく損害賠償の請求とは、消費者契
約締結に際して行われた事業者の不法行為、たとえば、情報提供義務違反、虚
偽の説明、不当勧誘などの行為が含まれ、また契約締結に至らなくとも、それ
までの過程において事業者が違法な行為を行い、消費者に損害を与えた場合も
含まれる。ただし、民法の規定によるものに限られるから、金融商品取引法
160条、金融商品販売法6条、保険業法283条などの特別法が不法行為責任の
特則を定めている場合には、それらの規定は適用されない。民法の規定による
損害賠償の請求に限った理由としては、特別法による消費者の立証負担の軽減
などを考慮したものといわれるが、再検討の余地があろう[22]。

　第5は、令和4年改正が新設した請求類型であるが、事業者、事業監督者お
よび被用者に対する損害賠償の請求の3つからなる。事業者に対する損害賠償
の請求は、民法715条1項による事業者の使用者責任にもとづく損害賠償の請
求であり、被用者の選任および事業の監督について故意または重大な過失によ
り相当の注意を怠ったものに限る（特例法3Ⅰ⑤イ）。事業監督者に対する損害
賠償の請求は、事業監督者の使用者責任（民715Ⅱ）にもとづく損害賠償の請
求であり、被用者の選任および事業の監督について故意または重大な過失によ
り相当の注意を怠ったものに限る（特例法3Ⅰ⑤ロ）。被用者に対する損害賠償
の請求は、民法の規定による不法行為にもとづくものであり、第三者に損害を
加えたことについて故意または重大な過失があるものに限る（同ハ）。

　なお、上記の5種類の請求に含まれるものであっても、その原因となる損害
の性質によっては、共通義務確認訴訟の対象としての適格を有しないものがあ
る（特例法3Ⅱ柱書）。これは、共通義務確認訴訟が、簡易確定手続の基礎とな
るものであり、対象債権の存否および内容は、簡易確定手続において適切かつ

22）日弁連コンメ75頁、町村40頁参照。

迅速にできることを予定すること、および被告事業者の攻撃防御という視点からみても、共通義務にかかる係争利益についての見通しが立てられることが望ましいという理由にもとづいて、因果関係や損害の認定について個別性の強い拡大損害や人身損害を除き、共通義務確認訴訟の対象（権利保護の資格）を定型性のある請求に限定する趣旨である[23]。ただし、第6の精神上の苦痛を受けたことによる損害については、令和4年改正によって一定の範囲のものは請求適格が認められることとなった。

　第1は、契約上の債務の不履行または不法行為により、物品、権利その他の消費者契約の目的となるもの（役務を除く）以外の財産が滅失し、または損傷したことによる損害である（特例法3Ⅱ①）。消費者契約の目的となるものについての損害は、当該契約の当事者である多数の消費者に共通するのに対して、それ以外の拡大損害の内容は多様であり、非定型的であると想定されるところから、その基礎となるべき共通義務の請求適格を否定している。

　第2は、消費者契約の目的となるもの（役務を除く）の提供があるとすれば、その処分または使用により得るはずであった利益を喪失したことによる損害である（特例法3Ⅱ②）。これは、いわゆるうべかりし利益または消極的損害と呼ばれるものであり[24]、その多様性や非定型性が請求適格を否定する理由である。

　第3は、契約上の債務の不履行、または不法行為により、消費者契約による製造、加工、修理、運搬または保管にかかる物品その他の消費者契約の目的となる役務の対象となったもの以外の財産が滅失し、または損傷したことによる損害である（特例法3Ⅱ③）。その趣旨は、第1の損害を除外するのと同様であるが、消費者契約の目的が役務の提供である場合の拡大損害にかかる共通義務を除外するものである。

　第4は、消費者契約の目的となる役務の提供があるとすれば当該役務を利用することまたは当該役務の対象となったものを処分し、もしくは使用すること

23）一問一答30頁。もちろん、これは共通義務確認訴訟と簡易確定手続という特別の手続における請求適格が認められないというだけであり、対象消費者が、この種の損害を民事訴訟において訴求することに何らの制限もない。拡大損害の具体例については、日弁連コンメ80頁参照。ただし、共通義務確認の訴えの請求適格をこのように限定することが、制度自体の利用可能性を制約しているとの批判として、町村158頁がある。
24）中田・債権総論179頁、潮見・新債権総論Ⅰ446頁参照。

により得るはずであった利益を喪失したことによる損害である（特例法 3 Ⅱ④）。その趣旨は、第 2 の損害を除外するのと同様であるが、消費者契約の目的が役務の提供である場合のうべかりし利益または消極的損害にかかる共通義務の請求適格を否定するものである。

　第 5 は、人の生命または身体を害されたことによる損害（特例法 3 Ⅱ⑤）であり、生命または身体の機序の複雑性を反映して、損害の内容が非定型的であることから共通義務の請求適格を否定するものである。

　第 6 は、精神上の苦痛を受けたことによる損害（特例法 3 Ⅱ⑥）であり、令和 4 年改正前特例法 3 条 2 項 6 号は、その苦痛を和らげるために支払われる慰謝料は、対象被害者について多様であることから、その基礎たる共通義務の請求適格を一律に否定していた。しかし、これがこの手続の機能不全を招く一因となっているとの批判を受けて（本書14頁）、現行法はそれを修正している。請求適格が認められるのは、慰謝料額の算定の基礎となる主要な事実関係が相当多数の消費者に共通するものであることを前提とし（同柱書）、次のイまたはロのいずれかの要件を満たすことが必要とされる。これは 2 に述べる多数性の要件と 3 に述べる共通性の要件を確認するものといえる。

　イは、財産的請求（特例法 3 Ⅰ①〜⑤）との併合（民訴136）であり、財産的請求と共通する事実上の原因にもとづくことである（特例法 3 Ⅱ⑥イ）。併合および請求原因事実の共通性を求めるのは、被告となる事業者等の応訴負担が過大になることを避けるためと考えられる[25]。

　ロは、事業者の故意によって生じたものである（特例法 3 Ⅱ⑥ロ）。この要件が満たされる場合には、事業者の有責性が強く、応訴負担を重視する必要がないために、イの併合要件とはかかわりなく、慰謝料の請求適格が認められる。

2　多数性

　共通義務確認訴訟は、当該消費者契約に関して「相当多数の消費者に生じた財産的被害等」（特例法 2 ④）を前提とする。これが多数性の要件と呼ばれる。多数性の判断について一義的な基準は存在しないが、共同訴訟の要件である

25）したがって、通常の訴えの客観的併合の場合と異なって、弁論の分離（民訴152Ⅰ）は認められない。

「数人」（民訴38）と比較すると、「相当多数」とは、社会的通念からみて、不特定かつ多数の消費者の利益保護を活動目的とする特定適格消費者団体の訴権の行使を正当化する程度に対象被害者の範囲が広がっていることを意味すると解すべきである。具体的には、少なくとも数十人といわれることがある[26]。多数性の要件が満たされているかどうかは、第1次的には、訴状の記載事項たる対象消費者の範囲（特例法5）によって判断することになろうが、訴訟要件であるために、最終的には、口頭弁論終結時における裁判所の判断に委ねられる[27]。

3　共通性

　共通性（特例法2④にいう「これらの消費者に共通する事実上及び法律上の原因に基づき……金銭を支払う義務を負うべきこと」）とは、対象消費者群の事業者に対する金銭支払請求権の基礎となる事実関係および法的根拠の本質的部分が重なり合っていることを意味し、たとえば、金銭支払請求権の基礎となる消費者契約の内容が共通の事実関係、取消しや無効原因が共通の法的根拠となる[28]。

26）加納＝松田・前掲論文（注21）93頁、一問一答17頁。これに対して町村68頁は、絶対的な人数基準を立てることは適切ではないとする。あくまで例示にとどまると理解すべきであろう。なお、本文に述べた判断枠組を適用し、多数性を肯定した裁判例として東京地判令和2年3月6日消費者法ニュース124号308頁がある。

27）一問一答17頁によれば、訴訟係属中の事業者の自主的対応によって被害回復が図られ、対象消費者の数が減少し、多数性の要件を満たさなくなることも考えられるという。山本180頁も同旨であるが、審理を終結している以上、柔軟に考えるべきであろう。

28）一問一答18頁では、学納金返還請求における「在学契約の解除を理由として、不当利得返還請求権が生じたこと」、虚偽の事実の告知と勧誘にもとづく損害賠償請求における「虚偽の事実を告げて勧誘し契約を締結させ、対象消費者に金銭を支払わせたこと」が共通の事実関係として、「事業者の行為が不法行為に当たり、不法行為に基づく損害賠償請求権が生じたこと」が共通の法的根拠の例としてあげられている。エステ施術にともなう債務不履行の損害賠償請求権、マンション耐震偽装にともなう瑕疵担保の損害賠償についても同様である。東京地判令和2年3月6日消費者法ニュース124号308頁は、出願者に対する事前の説明なく、出願者の属性（女性等）による得点調整がなされたことを不法行為または債務不履行とする共通義務確認の訴えについて、請求を基礎づける事実関係が主要部分においてすべての対象消費者に共通であり、法的根拠も共通していることをもって、共通性の要件を満たすとし、出願の動機が異なることは共通性に影響を与えるものではないとしている。
　なお、契約の締結に際して、ある虚偽の事実を告げられたことが義務の共通性を基礎づける主張であるときは、この事実は、本案の問題でもあるので、虚偽の事実を告げられた消費者が存在しないと裁判所が判断する場合には、請求の全部または一部を棄却する本案判決をするのが適切である。共通義務確認訴訟が対象消費者の給付請求権の基礎となるべきもので

もっとも、この意味での共通性は、訴訟物たる共通義務特定の要素として含まれているところから、訴訟要件として独立に問題になることは少ないと思われる。

4　支配性

特例法 3 条 4 項は、「裁判所は、共通義務確認の訴えに係る請求を認容する判決をしたとしても、事案の性質、当該判決を前提とする簡易確定手続において予想される主張及び立証の内容その他の事情を考慮して、<u>当該簡易確定手続において対象債権の存否及び内容を適切かつ迅速に判断することが困難であると認めるときは、共通義務確認の訴えの全部又は一部を却下することができる</u>」（下線は筆者による）旨を規定する。これは、共通義務確認訴訟の手続を設ける理由が、対象消費者の権利を個別訴訟において確定する場合と比較して、共通義務の存在を確認する判決の既判力を通じ、後続する簡易確定手続によって、対象消費者の権利を迅速に確定する点にあることを反映したものである。対象消費者の権利の確定について共通義務の存在が支配的であるという意味で、これを支配性の要件という。

　例としては、損害保険金不払いに起因する紛争において、共通義務の内容として、ある種の事象にもとづく保険金支払義務があることを共通義務確認訴訟において確認したとしても、対象消費者に保険事故が生じているかどうかについての認定が容易でなく、簡易確定手続の機能が十分に期待できない場合などが、支配性の要件に欠ける例として考えられる[29]。

あるためである。
　　このような結論は、訴訟要件を本案判決の要件とする民事訴訟法一般の原理（伊藤・民訴法180頁参照）との関係で問題があるとの指摘がなされるが（山本185頁）、共通性が訴訟物たる共通義務概念に内包される訴訟要件であるところから、紛争解決にとっての意義を重視し、請求棄却の本案判決をすべきである。法の支配座談会17、19頁、増森・前掲論文（注13）263頁参照。
　　なお、共通性の審査方法や却下説または棄却説をとった場合の判決内容等については、後藤ほか 9 頁・35頁参照。
29)　一問一答36頁参照。なお、この要件に照らして困難であると判断するときには、裁判所はその権限を行使して訴えを却下しなければならず、裁量が認められるものではない。また、山本ほか・座談会（上）7 頁における二之宮発言は、簡易確定手続における対象債権の立証に用いることができる証拠の存在などを考慮した「事務的・手続的な支配性」を指摘する

　もっとも、多数性や共通性の要件と異なって、支配性の要件は、共通義務確認訴訟手続そのものというよりは、後続の簡易確定手続の審理の状況を想定したものであるから、支配性の要件欠缺を理由として訴えの全部または一部を却下するのは、あくまで例外的な場合にとどまろう[30]。なお、訴えの一部を却下することができる場合としては、共通義務にかかる主体として特定された対象消費者のうち、一部の者について支配性の要件が認められないような場合が考えられる。また、支配性の要件欠缺を理由とする訴え却下判決が確定すれば、訴訟当事者である特定適格消費者団体と事業者間で既判力が生じ[31]、その既判力は、他の特定適格消費者団体にも拡張される（特例法10（旧 9 ））。

5　訴権の濫用

　権利濫用の一類型として訴権の濫用があり、それに該当すると認められるときは、裁判所が訴えを却下できる[32]。共通義務確認訴訟についても訴権の濫用法理が妥当することは当然であり、特例法81（旧75）条 2 項が「特定適格消費者団体は、不当な目的でみだりに共通義務確認の訴えの提起その他の被害回復

　　　が、 1 つの考慮要素ではあろう。

30)　日弁連コンメ95頁参照。東京地判令和 2 年 3 月 6 日消費者法ニュース124号308頁は、共通義務の基礎たる損害費目のうち受験費用（入学検定料等）については、その定型性を理由として支配性を肯定し、旅費および宿泊費については、その個別性を理由として支配性を否定する。簡易確定手続における証拠制限（本書140頁）を重視したものであるが、領収書などの文書がない場合であっても、支出を間接的に基礎づける文書のみならず陳述書の提出も考えられること、逸失利益や慰謝料と異なって（特例法 3 Ⅱ参照）、損害の性質自体に個別性が高いとはいいがたいことなどを考えれば、共通義務確認の訴えの適法性自体を否定すべきかどうか、制度の機能を確保するためにも検討の必要があろう。

　　東京地判令和 3 年 5 月14日判時2526号20頁、東京高判令和 3 年12月22日同14頁は、仮想通貨の販売勧誘等に関する事案において、対象被害者ごとに購入との因果関係や過失相殺の判断を異にすることなどを理由として、支配性の要件を欠くとしている。これらの個別性が「簡易確定手続において対象債権の存否及び内容を適切かつ迅速に判断すること」を困難にするかどうかは、集団的消費者被害救済の前提となる法律関係を確定するという共通義務確認訴訟の機能を損なうことのないよう、柔軟に判断すべきである。町村泰貴「集団的消費者被害回復の実効化に向けた改正と残された課題──令和 4 年法律第59号」ジュリ1580号74頁（2023年）参照。

31)　町村78頁。訴え却下の訴訟判決に既判力が認められることについては、最判平成22年 7 月16日民集64巻 5 号1450頁、伊藤・民訴法583頁参照。

32)　判例法理などについて、伊藤・民訴法376頁参照。なお、特定適格消費者団体が提訴の判断にあたって行う情報収集などについて、山本ほか・座談会（上）12頁における二之宮発言参照。

関係業務を実施してはならない」と規定することを考慮すべきである（ガイドライン4⑼参照）[33]。もっとも、内閣総理大臣の認定など、被害回復関係業務について特定適格消費者団体が厳格な監督に服していることから、訴権の濫用法理が適用されることは、実際には考えにくい。

第2節　共通義務確認の訴え

　共通義務確認の訴えも、一般の訴えと同様に、訴状を裁判所に提出して提起する（民訴134Ⅰ）。訴状の記載事項は、当事者および法定代理人（法人の代表者）（同Ⅱ①）と請求の趣旨および原因（同②）とされているが、特例法5条は、「対象債権及び対象消費者の範囲を記載して、請求の趣旨及び原因を特定しなければならない」と規定する。ここでいう対象債権とは、被告とされた事業者等に対する金銭支払請求権で、共通義務にかかるものであり（特例法2⑤）、対象消費者とは、対象債権を有する消費者を意味するが（同⑥）、訴訟物である概括的法律関係としての共通義務を特定するための要素であり、その記載がない場合には、訴状審査の対象となり（民訴137Ⅰ）、不備が補正されなければ、裁判長は、命令で訴状を却下しなければならない（同Ⅱ）。

　具体的には、請求の原因欄において、対象債権および対象消費者の範囲の記載については、「消費者契約の年月日、物品、権利、役務その他の消費者契約の目的となるものの内容、その対価その他の取引条件、勧誘の方法その他の消費者契約に係る客観的な事実関係をもってしなければならない」（特例規則2Ⅰ）。これらの客観的な事実関係の記載にもとづいて、消費者契約の内容を具体的に特定し、それについての債務不履行、取消し、無効、不法行為などに該当する事実を記載することによって対象債権が特定する[34]。

　対象消費者については、当該対象債権を有する者という程度で十分であり、これによって訴訟物たる共通義務の特定がなされるが、訴訟の適正かつ迅速な

33）日弁連コンメ100頁参照。

34）対象債権および対象債権者の範囲の特定は、権利主体である対象消費者にとっては、自らが共通義務確認訴訟にかかわる消費者であるかどうかを判断するために、また、事業者にとっては、共通義務確認訴訟の結果にかかる利害の程度を判断し、防御の指針を立てるために必要となる。条解特例規則7頁参照。

進行を図るために、請求を理由づける事実を具体的に記載し、かつ立証を要する事由ごとに、当該事実に関連する事実で重要なものおよび証拠を記載しなければならない（特例規則 2 Ⅱ柱書、民訴規53Ⅰ）。また、原告またはその代理人の郵便番号および電話番号（ファクシミリの番号を含む）を記載しなければならない（特例規則 2 Ⅱ柱書、民訴規53Ⅳ）。

　さらに、この手続に特有の記載事項として、第 1 に、対象消費者の数の見込み（特例規則 2 Ⅱ①。根拠資料の添付義務は同Ⅲ）、第 2 に、請求の内容および相手方が同一である共通義務確認訴訟または事実上および法律上同種の原因にもとづく請求を目的とする共通義務確認訴訟がすでに係属しているときは、当該共通義務確認訴訟が係属している裁判所および当該共通義務確認訴訟にかかる事件の表示を記載しなければならない（特例規則 2 Ⅱ②）。対象消費者の数の見込みの記載が求められるのは、裁判所が事件の内容と規模とを把握し、訴訟要件（特例法 2 ④。本書40頁）や管轄に関する判断（特例法 6 ⅢⅣ。本書29頁）に加えて、簡易確定手続を含めた訴訟の進行に関する判断を行うためである[35]。また、請求の内容および相手方が同一である係属中の共通義務確認訴訟の記載が求められるのは、弁論の必要的併合（特例法 7 Ⅰ）の可能性があるためであり、係属中の事実上および法律上同種の原因にもとづく請求を目的とする共通義務確認訴訟の記載が求められるのは、移送（特例法 6 Ⅵ）の判断のためである[36]。

1　共通義務確認の訴え（訴訟）の訴訟物

　すでに特定適格消費者団体の当事者適格に関して述べたように、本書では、共通義務確認訴訟の訴訟物を対象債権と対象消費者の範囲によって特定された共通義務という概括的法律関係として捉えている。

---

35) 条解特例規則 8 頁・ 9 頁参照。数の見込みは、常に具体的な数の特定を要するものではなく、事案によっては、「○人程度」または「少なくとも○人以上」という記載で足りるし、あくまで見込みであるから、実際の数がそれを上回ったり、下回ることもありうる。見込みを立てるための資料たる「全国消費生活情報ネットワーク・システム（PIO-NET）」、特例法96（旧91）条 1 項などについて、施行規則24・25条、条解特例規則10頁参照。

36) 他の特定適格消費者団体が共通義務確認訴訟を提起した事実について、特例法84（旧78）条 1 項 1 号および同条 2 項、施行規則19・20参照。

　たとえば、ある事業者が一定の期間にわたって、相当多数の消費者と一定の役務提供を内容とする契約を締結し、それらの消費者が、事業者が重要事項について事実と異なることを告げたことを理由として、対価を支払った後に契約を取り消し（消費契約 4 I ①）、不当利得として代金の返還を求める請求権を想定する。この場合に、共通する事実上の原因は、当該事業者との契約締結、代金の支払いおよび契約の取消しであり、共通する法律上の原因は、当該契約の取消しにもとづく不当利得返還請求権である。

　もちろん、具体的権利義務は、支払った代金の金額に応じた個々の消費者の不当利得返還請求権であるが、共通義務確認訴訟の訴訟物は、一定範囲の対象消費者、たとえば、平成29年 4 月 1 日から 7 月 1 日までに契約および代金の支払いを行った消費者で、一定範囲の対象債権、たとえば、上記期間の契約について取消しの意思表示をしたにもかかわらず代金の返還を受けていないことによる不当利得返還請求権などの記載によって特定する、概括的法律関係たる共通義務である[37]。

　もっとも、それはあくまで概括的法律関係であり、その存在が確定したからといって、それを基礎とする個々の消費者の金銭支払請求権が成立することが決定されるわけではない。特例法 2 条 4 号が、「個々の消費者の事情によりその金銭の支払請求に理由がない場合を除いて、金銭を支払う義務を負う<u>べきこと</u>」（下線は筆者による）と規定するのは、そのことを表すものである[38]。ここで「べき」とは、共通義務確認訴訟の訴訟物たる概括的法律関係と個々の消費者の金銭支払請求権との間に、前者が存在しなければ後者の成立はありえないという法律上の牽連性があることを示すための文言と理解すべきである[39]。

37）一問一答22頁・42頁には、学納金やモニター商法に関する記載例がある。また、笠井正俊「消費者裁判手続特例法に基づく請求・審理・裁判等に関する手続上の諸問題」千葉ほか・集団的消費者利益372頁においても、訴状における特定についての具体例が示されている。もちろん、対象消費者や対象債権の範囲が異なれば、訴訟物としての共通義務も異なることとなる。

38）法 4 条が共通義務確認訴訟を「財産権上の請求でない請求に係る訴え」とみなして、訴額の算定をするものとしているのも、こうした特質を反映していると考えられる。一問一答41頁参照。

39）「個々の消費者の事情によりその金銭の支払請求に理由がない場合」に関しては、ある消費者に対して不実告知がなされたにもかかわらず、特別の事情によって誤認が生じなかったとき（消費契約 4 I ①参照）、事業者による弁済などの抗弁が成り立つときなどが考えられ

2　請求権の競合と訴訟物

1では、対象消費者の金銭支払請求権を基礎づける事実上の原因として、消費者契約締結、代金の支払い、および消費者契約法にもとづく取消しの意思表示があり、法律上の原因として、事業者についての不当利得返還請求権の発生があることを想定している。もっとも、同一内容の金銭支払請求権を基礎づける事実上および法律上の原因としては、ほかに、詐欺取消し（民96Ⅰ）、錯誤取消し（民95本文）にもとづく不当利得返還請求権、あるいは消費者契約の債務不履行にもとづく損害賠償請求権などが考えられる[40]。ただし、複数の原因にもとづく取消しが主張されていても、それが同一給付に係る不当利得返還請求権を基礎づける攻撃方法にとどまるときは、訴訟物としては、1つと考えら

る（一問一答20頁）。このようなときは、当該消費者の金銭支払請求権は存在しないが、そのことは、前提となる概括的法律関係の存在を否定するものではない。

　概括的法律関係という概念に対する批判として、三木604頁では、本来の意味での法律関係であるかどうかが判然としないとする。個別具体的な権利義務または法律関係にあたらず、それを訴訟物とする給付訴訟が考えられないという意味では、通常の意味での法律関係と異なるが、対象債権と対象消費者とによって特定され、対象消費者の金銭支払請求権の基礎となるべきものであるという点で、具体的権利義務または法律関係に準ずるものであり、それと切り離された客観的法律関係、あるいは単なる事実とは区別される。

　また、長谷部・前掲論文（注15）684頁は、個々の対象消費者が有している対象債権の集合体を訴訟物とし、特定適格消費者団体のする仮差押えの取消しも（本書198頁）、このような考え方によって正当化されるとするが（長谷部・前掲論文688頁）、対象債権自体が特定されていない以上、その集合体を観念することは困難と思われる。

[40]　一例として、虚偽の事実や断定的判断を記載したパンフレット等を使用して、事業者が商品の購入を勧誘し、この勧誘を受けて商品を購入した消費者が、①不法行為にもとづく損害賠償請求権、②民法上の詐欺取消し、また消費者契約法4条1項1号および2号にもとづく取消しを原因とする不当利得返還請求権にもとづいて、購入代金相当額の支払いや返還を求めることが考えられる。名古屋地判平成21年4月24日消費者法ニュース80号229頁参照。

　なお、訴訟物に関する本文の記述は、実体法説（旧訴訟物理論）を前提としているが（伊藤・民訴法226頁参照）、訴訟法説（新訴訟物理論）をとるのであれば、給付の目的が同一とみなされる限り、それを基礎づけるのが不当利得返還請求権であるか、損害賠償請求権であるかは、訴訟物を区別する理由にはならない。町村47頁参照。これに対して、菱田・前掲論文（注13）102頁は、請求原因ごとに訴訟物たる共通義務を区分する。

　また、訴訟物が一個の不当利得返還請求権であり、その根拠となる攻撃防御方法として詐欺と不実告知など複数の請求原因事実が主張されているときに（後藤ほか15頁参照）、請求認容判決をするのであれば、1つの請求原因事実が認められるとの判断で十分であるが、後続の簡易確定手続との関係を考えれば、複数の請求原因事実のすべてについて、判決理由中で判断を示すこともありえよう。法の支配座談会12頁以下、増森・前掲論文（注13）262頁参照。

れる。これに対して、当該給付を基礎づけるものとして、消費者契約の債務不履行や不法行為にもとづく損害賠償請求権が主張されているときには、複数の訴訟物についての審判が求められていることとなり、請求相互間の関係が問題となる。

ア　単純併合とする場合

共通義務確認訴訟の性質が確認訴訟であり、審判の対象たる共通義務が対象消費者に共通する概括的請求権であるとすれば、たとえ同一の給付にかかるものであっても、数個の請求権が主張されているときには、いわゆる単純併合として、原告は、そのすべてについて裁判所の審判を求め、裁判所は、そのすべてについて判断をしなければならないとの結論になろう。

たとえば、数個の請求を認容する判決主文としては、不当利得返還請求権の訴訟物について、「被告が、別紙対象消費者目録記載の対象消費者に対し、個々の消費者の事情によりその金銭の支払請求に理由がない場合を除いて、被告と対象消費者との間で締結された○○契約に基づき支払われた金員につき、不当利得返還義務を負うことを確認する。」などと掲げるのとあわせて、債務不履行にもとづく損害賠償請求権の訴訟物について、「被告が、別紙対象消費者目録記載の対象消費者に対し、個々の消費者の事情によりその金銭の支払請求に理由がない場合を除いて、被告と対象消費者との間で締結された○○契約に基づき支払われた金員につき、債務不履行に基づく損害賠償義務を負うことを確認する。」などと掲げることになる。

もっとも、単純併合を前提とする判決には、後続の簡易確定手続との関係をも考慮すると、次のような問題がある。すなわち、共通義務確認訴訟において請求認容判決をえた特定適格消費者団体は、正当な理由がある場合を除いて、簡易確定手続の開始申立てを義務づけられるが（特例法15（旧14）Ⅰ）、その際には、対象消費者等とともに、対象債権等の範囲を特定することが求められ（特例法17（旧16）、特例規則11Ⅰ⑤）、簡易確定手続開始決定の決定書にも、「対象債権及び対象消費者の範囲」を記載する（特例法21（旧20）Ⅰ）。したがって、上記の場合には、不当利得返還請求権および損害賠償請求権が対象債権として記載されることになり、その後の簡易確定手続も、それを基礎として進行する。

特に、対象消費者による特定適格消費者団体（簡易確定手続においては、簡易

確定手続申立団体と呼ばれるが（特例法22（旧21）第1かっこ書）、ここでは、便宜上、特定適格消費者団体の用語を用いる）への授権、およびそれを基礎とした特定適格消費者団体による債権届出は、対象債権について行われるので（特例法33（旧30）Ⅱ②・34（旧31）Ⅰ）、共通義務確認訴訟の確定判決において数個の請求権が確定されているときには、簡易確定手続も数個の対象債権について行われることになるという考え方も成り立ちえないとまではいえない。

　そのような考え方がとられるとすれば、届出債権について、数個の債務名義ができる可能性があるが（特例法45（旧42）Ⅴ・47（旧44）Ⅳ・50（旧47）Ⅱ・59（旧55）Ⅰ本文）、それらが同一の届出対象債権を実現するためのものである限り、いったん、事業者が債務名義に掲げられた執行債権に対する履行をしたときには、重ねて他の債務名義にもとづく強制執行を受忍すべき理由はない。しかし、強制執行を阻止する手段としては、請求異議の訴え（民執35）を提起して、すでに執行債権に相当する給付がなされたことを主張する以外にないが、事業者に対してこのような負担を課すことが合理的であろうか。

　もちろん、特定適格消費者団体がこのような行為に出ることは考えにくく、適切な処理がなされることとは思われるが、手続法の規律として、特定適格消費者団体が簡易確定手続開始の申立てをなし、対象消費者が授権についての判断をする際に、混乱が生じるような事態の発生を避けることが望ましい[41]。

41）伊藤・前掲論文（注16）21頁参照。混乱を避けるための措置としては、簡易確定手続開始の申立てまたは対象債権の届出にあたって、特定適格消費者団体にいずれかの請求権を対象債権として選択するよう求めることが考えられる。被害回復関係業務についての特定適格消費者団体の責務（特例法81（旧75）ⅠⅡ）を考えれば、特定適格消費者団体としては、特段の事情が存在する場合を別として、このような選択をすべきであろう。

　特例規則19条が、債権届出にかかる簡易確定手続申立団体の義務として、「1の共通義務確認の訴えで同一の事業者等に対して請求の基礎となる消費者契約及び財産的被害等を同じくする数個の請求がされた場合において、そのうち2以上の請求に係る法第2条第4号に規定する義務について簡易確定手続開始決定がされたときは、簡易確定手続申立団体は、1の対象消費者の1の財産的被害等については、できる限り、当該2以上の請求に係る法第2条第4号に規定する義務に係る対象債権のうちから1の対象債権を限り、債権届出をしなければならない」（同Ⅰ）とし、さらに「前項に規定する場合において、簡易確定手続申立団体が1の対象消費者の1の財産的被害等について数個の対象債権の債権届出をするときは、各債権届出は、順位を付して、又は選択的なものとしてしなければならない」（同Ⅱ）とするのは、このような考え方に沿って、複数の債務名義の成立など、相手方たる事業者に不当な負担を生じさせることなく、手続の円滑かつ迅速な進行を目的とするもの（特例規則1Ⅰ参照）と理解できる。規定の趣旨については、条解特例規則50頁参照。

イ　選択的併合または予備的併合とする場合

　給付訴訟においては、一の訴えにおいて同一の給付を目的とする数個の請求権が訴訟物となるとき、すなわち請求権競合の場面において、重複する給付判決を避けるために選択的併合の法理が説かれる。これは、請求権それぞれについて、他の請求権について認容判決がなされることを解除条件とする審判申立てがなされたものとして取り扱い、したがって、いずれかの請求権について請求認容判決がなされたときには、解除条件の成就の効果として他の請求権についての審判申立てが当初からなされなかったものとする法理である。もちろん、これは、給付の実現を最終目的とする給付訴訟の特質を考慮したものであり、権利義務や法律関係の存否や内容を既判力によって確定することを目的とする確認訴訟にそのまま妥当するものではない。

　しかし、共通義務確認訴訟は、それ自体が独立の存在ではなく、後続する簡易確定手続と一体となり、届出消費者の金銭支払請求権を実現するための手続である被害回復裁判手続を構成するものであり（特例法2⑨イ）、その意味で、給付の実現を目的とした特別な確認訴訟というべきである。そうであるとすれば、選択的併合の法理を共通義務確認訴訟に適用することが背理ということはできない。予備的併合の趣旨、すなわち、主位的請求が認められるときには、他のものの審判要求についての解除条件が成就するという法理も、同様に共通義務確認訴訟について妥当する可能性があるといえよう。

　選択的併合として数個の概括的請求権を内容とする共通義務についての審判が申し立てられている場合に、裁判所が、そのいずれかについて請求認容判決をするときには、他の概括的請求権を内容とする共通義務確認についての審判をすることは不要になる。そして、簡易確定手続との関係では、特定適格消費者団体は、確定判決で認められた概括的請求権についてのみ手続開始の申立てをすれば足り、対象消費者も、それを前提として特定適格消費者団体に対する授権をなし、特定適格消費者団体が債権の届出をすることになる。

　他方、選択的併合の法理を前提としたときに生じる問題としては、2種類のものが考えられる。第1は、裁判所の審判の対象とならなかった請求権を内容

　簡易確定手続開始の申立ておよび債権届出については、本書98頁・126頁参照。

とする共通義務については、その存否について既判力が生じないという問題である。しかし、特定適格消費者団体の側についてみれば、訴権の濫用等を禁じる特例法81（旧75）条 2 項の趣旨（ガイドライン 4 (9)参照）からも、審判の対象とならなかった請求権について重ねて共通義務確認訴訟を提起することは考えられず、あえて問題というに足りない。

　第 2 は、対象消費者の側の判断である。共通義務の内容として、不当利得返還請求権の存在が確認されるのか、それとも債務不履行にもとづく損害賠償請求権が認められるのかでは、対象消費者の具体的権利について差異が生じうる（民419 I ・704など参照）。したがって、同一の給付を目的とするものであっても、確定された請求権の性質に不満を持つ対象消費者は、特定適格消費者団体に対して授権をせず、その結果、簡易確定手続による権利実現の機会を持てないこととなる。

　しかし、この点も、対象消費者としては、個別的な訴訟などによってその権利を実現する途が開かれている以上、本質的な不利益を被るというわけではない。いいかえれば、対象消費者としては、共通義務確認訴訟において勝訴した特定適格消費者団体に対し権利行使の授権をするか否かの判断に際しては、共通義務とされた概括的請求権の性質をも考慮して、確定判決の既判力（特例法10（旧9））を享受するか、独自の権利行使の途を選ぶかを検討することになろう（特例法26（旧25）I 、施行規則 7 I ①参照）[42]。

---

[42] 類似の問題は、訴訟物たる共通義務の内容である請求権自体についても生じうる。たとえば、不当利得返還請求権を基礎づける攻撃方法として、詐欺取消しと錯誤取消しの 2 つが主張されたとき、裁判所は、錯誤取消しについてのみ判断して、不当利得返還請求権の存在を確定したとする。この確定判決を基礎として簡易確定手続が開始されたときに、相手方たる事業者は、特定の届出債権者が錯誤について重過失があることを理由として（民95Ⅲ但書参照）、その債権を争う可能性がある（特例法45（旧42）I 参照）。その後の手続において、当該債権の不存在が既判力をもって確定される可能性があるが（特例法49（旧46）Ⅱ・50（旧47）I ）、届出債権者がさらに詐欺取消しなどを理由とする不当利得返還請求権を個別訴訟で主張することができるかという問題である。
　しかし、同一の不当利得返還請求権を基礎づける事由である限り、そのような主張も確定判決の同一の効力に含まれる既判力によって遮断されると考えるべきである。簡易確定手続においては、不当利得返還請求権を基礎づける事由として錯誤取消し以外のものは問題となりえないが（特例法33（旧30）Ⅱ②かっこ書）、重過失を理由として当該債権を否定した簡易確定決定に対しては、特定適格消費者団体のみならず届出消費者も異議の申立てをなし、異議後の訴訟を追行でき（特例法49（旧46）I Ⅱ・56（旧52）I ）、その中では、詐欺取消しの事実を主張できることを考えれば、事業者との間の実質的公平からしても、当該届出債

ウ　合理的な選択の必要性

　アおよびイで述べたように、共通義務の内容として数個の請求権が主張されるときには、その相互の関係について単純併合とするか、選択的または予備的併合とするか、2つの可能性がある。後続の簡易確定手続との関係を考えると、選択的併合または予備的併合とすべきであるが、特例法や特例規則が特段の規律を置かない以上、共通義務確認訴訟の原告である特定適格消費者団体が単純併合として審判を申し立てるときには、それを違法とする理由はなく、また処分権主義の原則からいっても、それを選択的併合として扱うことはできない[43]。

　もっとも、共通義務確認訴訟と簡易確定手続とを含む被害回復関係業務を対象消費者の利益のために適切に実施しなければならないという特定適格消費者団体の責務（特例法81（旧75）Ⅰ。ガイドライン4(9)参照）を考えれば、対象消費者の金銭支払請求権として複数の請求権を主張しようとするときには、それらを単純併合とすべき特別の理由がない限り、予備的併合として順位をつけ、または選択的併合である旨を明らかにすることが望まれる。

3　共通義務確認の訴え（訴訟）と処分権主義

　訴訟物に関する訴訟当事者の権限についての規律として、処分権主義がある。すなわち、訴訟物は、私人または私人間の権利義務または法律関係であるから、私的自治の原則の発現として、当事者は、訴えの提起、訴えの取下げ、請求の放棄または認諾、訴訟上の和解によって、訴訟を開始し、または終了させる権限を有し、また、裁判所は、原告が定立した訴訟物についてのみ審判をすることが許される。処分権主義にもとづく具体的規律の中で、共通義務確認訴訟に

権者の不当利得返還請求権の不存在自体について、確定判決と同一の効力、すなわち既判力が生じると考えるべきである。後藤ほか34頁参照。

　ただし、町村126頁は、共通義務確認判決で認められた法律上および事実上の原因にもとづく対象債権のみについて簡易確定決定の既判力が生じる以上、それ以外の原因にもとづく対象債権の主張を遮断するのは不合理であるとする。しかし、共通義務確認訴訟と簡易確定手続の関係を不安定にするおそれがある。

43) もちろん、裁判所が釈明権（民訴149）を行使して、申立ての趣旨を明らかにするよう求めることは考えられる。三木608頁。菱田・前掲論文（注13）104頁が、受訴裁判所の適切な訴訟指揮を踏まえた特定適格消費者団体の合理的裁量に委ねるとするもの同趣旨と思われる。

ついて特例法が規定を設けているのは、和解のみであるが（特例法11）、ここでは、訴訟物と審判の範囲に関する規律について考察する。

　訴訟物が対象債権および対象消費者の範囲にもとづいて特定される概括的法律関係としての共通義務である以上、裁判所が請求を認容するときであっても、その範囲を超えることは処分権主義違反の問題を生じる。したがって、たとえば、平成29年4月1日から同年7月1日間の消費者契約の締結者が訴状に記載されているときに、裁判所の判断のみによって、その前後の時期を含めることは、処分権主義違反の疑いを生じる可能性があり、当事者に対して適切な対応を促すことになろう。

　逆に、契約年度や地域によって対象消費者の範囲を限定することは、処分権主義の発現としての明示的一部請求にあたる[44]。

　なお、同一の金銭給付請求権の基礎となるべき数個の共通義務がありうるときに、そのいずれかのみが訴訟物となっている場合には、他の共通義務について判断することは処分権主義違反となるが、実際には、特定適格消費者団体の適切な訴訟追行と、必要な場合には、裁判所の釈明権行使によって、問題の発生は避けられよう。数個の共通義務が主張されている場合の併合関係については、2に述べた通りである。

4　二重起訴の禁止との関係

　民事訴訟法142条は、「裁判所に係属する事件については、当事者は、更に訴えを提起することができない」と定め、この規律を二重起訴または重複起訴の禁止と呼ぶ。その要件としては、当事者の同一性と事件の同一性とが説かれ、事件の同一性については、訴訟物の同一性をもって判断するというのが、一般的な理解である[45]。

　共通義務確認訴訟について検討すると、同一の特定適格消費者団体が同一の事業者を被告として、すでに係属中の共通義務確認訴訟と同一内容の訴えを提起すれば、後訴は、二重起訴として排斥される。これに対して、前訴と後訴の当事者または訴訟物が異なれば、後訴は適法である。たとえば、A特定適格消

44）伊藤・民訴法238頁。
45）伊藤・民訴法242頁参照。

費者団体と B 事業者との間に特定の共通義務を訴訟物とする訴訟が係属しているときに、C 特定適格消費者団体が B 事業者を被告として同一の共通義務を訴訟物とする訴訟を提起しても、原告が異なる以上、後訴は二重起訴にあたらず、不適法とはいえない[46]。もっとも、このように実質的に同一の 2 つの訴えが別々に係属することは、審理の重複、既判力の抵触可能性（特例法10（旧9）参照）また被告事業者の応訴負担という視点からも、望ましいとはいえない。特例法 7 条の併合強制は、このような状況を想定したものである。

5　時効の完成猶予および更新の効果

　訴えの提起に伴う実体法上の効果として、時効の完成猶予および更新の効果がある（民147）。その効果は、訴状の裁判所への提出時に生じる（民訴147）。もっとも、時効の完成猶予および更新の効果は、対象消費者の事業者に対する個別的な金銭支払請求権について問題となるものであり、概括的法律関係である共通義務を訴訟物とする訴えの提起によって、当然に時効の完成猶予および更新の効果が生じるとはいえない。

　特例法41（旧38）条が、「債権届出があったときは、当該債権届出に係る対象債権の時効の完成猶予及び更新に関しては、簡易確定手続の前提となる共通義務確認の訴えを提起し、又は民事訴訟法第143条第 2 項の書面（訴えの変更書面）を当該共通義務確認の訴えが係属していた裁判所に提出した時に、裁判上の請求があったものとみなす」（かっこ内は筆者による）と規定するのは、共通義務確認訴訟の提起自体に時効の完成猶予および更新の効果を認めることはできないものの、それに引き続いて簡易確定手続が開始され、対象消費者の個別的権利について特定適格消費者団体による債権届出がなされたときには（特例法33（旧30）Ⅰ）、共通義務確認訴訟の提起や訴えの変更を裁判上の請求と擬制するものである。共通義務確認訴訟の提起の最終的目的が対象債権の確定にある以上、共通義務の存在が確定し、簡易確定手続開始申立てを経て、債権の

---

46) 仮に、特定適格消費者団体の適格を任意的訴訟担当または法定訴訟担当として位置づけるのであれば、被担当者の適格が A 特定適格消費者団体によって行使されている以上、同一の訴訟物についての B 特定適格消費者団体の後訴は、二重起訴となろう。伊藤・民訴法243頁参照。

届出がなされれば、当初に遡って共通義務確認訴訟の提起や訴えの変更に時効完成猶予および更新の効果を認めるのが合理的と考えられたためである。

第 4 章　共通義務確認訴訟の審理手続

　共通義務確認訴訟の審理手続の基本としては、民事訴訟一般の諸原則や規律が妥当するが、以下に述べる若干の特則が置かれている。

第 1 節　当事者の訴訟行為と信義誠実の原則（特例規則 1 Ⅰ）

　民事訴訟法 2 条は、「裁判所は、民事訴訟が公正かつ迅速に行われるように努め、当事者は、信義に従い誠実に民事訴訟を追行しなければならない」と規定する。このうち、裁判所が公正迅速な訴訟運営を行う努力義務は、共通義務確認訴訟においても変わるところはないが、当事者の信義誠実な訴訟追行義務については、特例規則 1 条 1 項が当事者の責務として、「当事者（①）」は、法の「趣旨を踏まえ（②）、被害回復裁判手続の円滑かつ迅速な進行に努め（③）、信義に従い誠実に（④）被害回復裁判手続（⑤）を追行しなければならない」と規定する（かっこおよび付番は筆者による）。民事訴訟一般に規律としての当事者の信義誠実な訴訟追行義務に加えて、特例規則が、このような当事者の責務を規定するのは、以下のような理由による[47]。

1　当事者

　ここでいう当事者（①）は、原告たる特定適格消費者団体と被告たる事業者等の双方を意味する。もっとも、共通義務確認訴訟は、特定適格消費者団体がその判断にもとづいて提起し、追行するものであることを考えれば、主として原告たる特定適格消費者団体を意識したものといえよう。ただし、当事者の責務は、共通義務確認訴訟のみならず、被害回復裁判手続全体に及ぶものであるから（⑤）、特に、簡易確定手続における届出債権の認否（特例法45（旧42）

[47) ここでは、共通義務確認訴訟との関係での信義誠実訴訟追行義務を取り上げるが、特例規則 1 条 1 項は、簡易確定手続を含む被害回復裁判手続全体に適用されるものである。

I）などについては、相手方事業者等の責務が重要となる。

2　法の趣旨

法の趣旨としては、まず、特例法1条にいう法の目的を考慮すべきである。同条では、消費者契約に関して相当多数の消費者に生じた財産的被害等の特質を考慮して、その集団的回復のために特定適格消費者団体に手続追行権を付与する旨が定められている。それを考慮すれば、共通義務確認訴訟に限っても、自らの権利や法的利益の実現を目的とする通常の民事訴訟とは異なって、当事者たる特定適格消費者団体としては、多数の対象消費者の権利の基礎たるべき共通義務の確定を図るために、適時に、かつ、適切な攻撃防御方法の提出と立証活動の展開が求められる（③）。また、相手方事業者等との関係でも、不意打ちを避け、しかるべき事案においては、和解を試みることが（特例法11（旧10）参照）、信義誠実な訴訟追行（④）であると考えられる。

もっとも、特例法1条は、「消費者と事業者との間の情報の質及び量並びに交渉力の格差により消費者が自らその回復を図ることには困難を伴う場合がある」ことを前提としているので、消費者の権利実現の基礎を確定することを目的とする共通義務確認訴訟における信義誠実な訴訟追行義務の態様を検討するについても、そのことを考慮する必要がある。

第2節　口頭弁論の併合および特定適格消費者団体相互間の協力努力義務（特例規則1 II）

立法者が、共通義務という概括的法律関係を訴訟物とすることを認め、かつ、第三者たる特定適格消費者団体に原告適格を付与する趣旨を尊重すれば、相手方たる事業者の応訴負担を考えても、共通義務にかかる紛争については、できる限り統一した手続による、一回的解決が望まれる。

1　弁論の併合

事実上および法律上同種の原因にもとづく請求を目的とする共通義務確認訴訟についての裁量移送（特例法6 VI）は、その種の共通義務確認訴訟を同一裁

判所に係属せしめることによって、弁論の併合（民訴152Ⅰ）を可能にし、上記の目的を達するための規定と理解すべきである。

　更に、請求の内容および相手方が同一である共通義務確認訴訟が数個同時に係属するときは、裁判所は、弁論および裁判を併合することを義務づけられる（特例法7Ⅰ）。また、その場合には、当事者は、同時係属の旨を裁判所に申し出なければならない（同Ⅱ）。申出は、期日においてする場合を除き、書面でしなければならず、また、事件の表示を明らかにしてしなければならない（特例規則4）[48]。

　先に述べた通り（本書57頁）、この場合であっても、数個の訴訟は二重起訴にあたるとはいえないが、審理の重複や既判力の抵触を避けるために、1つの訴訟手続によって統一的審判を実現するための措置である。数個の訴訟が別々の裁判所に係属するときには、先に訴えの提起があった裁判所に管轄があり（特例法6Ⅴ）、後に訴えの提起があった裁判所から移送（民訴16Ⅰ）がなされるし、裁量移送の規定（特例法6Ⅴ）の適用可能性もある。

2　特定適格消費者団体相互間の協力努力義務

　特例規則1条2項は、「2以上の特定適格消費者団体が対象債権等及び対象消費者等の範囲の全部又は一部並びに共通義務確認の訴えの被告とされる事業者等が同一である被害回復裁判手続を追行するときは、当該2以上の特定適格消費者団体は、被害裁判回復手続の円滑かつ迅速な進行のために相互に連携を図りながら協力するように努めなければならない」と規定する。これを特定適格消費者団体相互間の協力努力義務と呼ぶことができる。この義務が適用される場面は、いくつかに分けられるが、いずれの場合にも相手方事業者の同一性は前提とされる。

　第1は、対象債権および対象消費者の範囲の全部が共通しているときである。

48）事件の表示とは、当該他の共通義務確認訴訟にかかる事件の事件番号を指す。なお、数個の共通義務確認訴訟が同一の裁判所に係属することを前提としているために、「裁判所の表示」を明らかにすることは求められない。条解特例規則14頁参照。
　　その他、特定適格消費者団体が適格消費者団体として提起する差止請求（消費者契約法12等）との併合の可否が議論される（後藤ほか26頁）。被告たる事業者が同一であればこれを禁じる必要はないが、争点の共通性や審理の進行状況を考慮して判断すべきであろう。

これは、特例法7条1項の併合強制が働くべき場合であるから、協力努力義務の内容として、まず、数個の訴えが別々の裁判所に係属するときには、移送の申立て（民訴16Ⅰ、特例法6Ⅴ但書）をした上で、弁論の併合を申し出るべきであろう（特例法7Ⅱ参照）。そして、弁論の併合の結果、数個の訴えが1つの訴訟手続で審理される状態になったときには、当事者たる各特定適格消費者団体は、訴訟の進行や攻撃防御方法の提出などについて、相互に連携を図りながら協力するように努めることになる。

　第2は、対象債権者および対象消費者によって特定する共通義務の一部が共通する場合である。この場合には、併合強制こそ働かないが、特段の事情がない限り、同一の訴訟手続での審理が望まれることが多いと思われる。したがって、各特定適格消費者団体としては、その判断にもとづいて移送の申立て（特例法6Ⅵ）をなし、弁論の併合（民訴152Ⅰ）を上申することになろう。また、別訴として追行する場合であっても、訴訟の進行や攻撃防御方法の提出などについて、相互に連携を図りながら協力するように努めることになる。

第3節　訴訟手続の停止

　裁判所は、係属する訴訟手続を進行させる義務を負うが、一定の事由が発生した場合には、手続を進行させることを禁じられる。これが訴訟手続の停止と呼ばれるものであり、一定の事由にもとづく法律効果である点で、裁判所が期日の指定をしないために事実上手続が停止する場合と区別する。

　手続を停止させる事由を大別すると、中断と中止とに分けられる。中断は、訴訟当事者または法定代理人について、訴訟行為をなす資格・能力を喪失させる事由が発生した場合に、その者またはその者に代わる者が訴訟行為をなしうる状態になるまで、手続を停止するものである（民訴124）。これに対して中止は、裁判所または当事者が訴訟行為を行うことを不可能にする事由が発生した場合に、その事由が止むまで手続を停止するものである（民訴130・131）。中断および中止に関し、特例法は、以下のような特則を設けている。

　なお、事業者の破産については、特則が存在しない。したがって、破産法44条1項の規定によって中断し、対象消費者の債権は、破産手続によって確

定されるので、訴訟は、訴えの利益が存在しないために、訴えの取下げ（民訴261Ⅰ）によって、または当然に終了することとなるとの説が有力であるが、中断中の訴えの取下げの可否の問題もあり、共通義務確認訴訟が対象消費者の有する個々の債権そのものを訴訟物とする訴訟でないことからすれば、「破産債権に関しないもの」（破44Ⅱ前段）として扱い、集団的財産被害の実効的救済の視点から、対象消費者の破産債権確定手続とは別に、破産管財人による受継（同）を考えるべきである。

　また、特定適格消費者団体の破産は想定しがたいが、そのような事態が生じたときには、「被害回復関係業務を適正に遂行するに足りる経理的基礎を有すること」（特例法71（旧65）Ⅳ⑤）の要件に適合しなくなったものとして、特定認定が取り消され（特例法92（旧86）Ⅰ②）、以下に述べる中断と受継の手続によることとなる。

1　特定認定の失効または取消しによる共通義務確認訴訟手続の中断と受継（特例法66（旧61）Ⅰ①）

　当事者である特定適格消費者団体について、その当事者適格の基礎となる特定認定（特例法71（旧65）Ⅰ）が失効し（特例法80（旧74））、または取り消された（特例法92（旧86）ⅠⅡ）ときは、共通義務確認訴訟の手続は中断する（特例法66（旧61）Ⅰ柱書前段）。その趣旨は、特定認定を受けていることが特定適格消費者団体としての当事者適格の基礎となっているのであるから、それが失効または取り消されたときは、当該団体の訴訟追行権が失われるためである（民訴124Ⅰ⑤類推）。

　そして、中断した訴訟は、内閣総理大臣が当該被害回復裁判手続を受け継ぐべきものと指定した他の特定適格消費者団体（特例法93（旧87）Ⅰ本文）が受継しなければならない。受継の手続は、民事訴訟法の規律による。ただし、共通義務確認訴訟において、他に当事者である特定適格消費者団体があるとき、すなわち数人の特定適格消費者団体による共同訴訟の場合には、内閣総理大臣による指定はなされないし（同但書）、中断および受継の規定も適用しない（特例法66（旧61）Ⅲ）。

　なお、当事者たる特定適格消費者団体に訴訟代理人がある間は、中断および

受継の規定は適用しない（特例法66（旧61）Ⅱ）。特定適格消費者団体による共通義務確認訴訟追行については、弁護士強制と類似の規律が働くから（特例法83（旧77）。本書32頁）、実際には、中断の事態が生じることは稀であり、訴訟代理人は、内閣総理大臣が新たに指定した特定適格消費者団体の代理人として訴訟を追行することが多いであろう。

2　関連する請求にかかる訴訟手続の中止（特例法67（旧62））

　共通義務確認訴訟（①）が係属する場合において、当該共通義務確認訴訟の当事者である事業者等と対象消費者との間に他の訴訟（②）が係属し、かつ、当該他の訴訟が当該共通義務確認訴訟の目的である請求または防御の方法と関連する請求にかかるものであるとき（③）は、当該他の訴訟の受訴裁判所は、当事者の意見を聴いて、決定で、その訴訟手続の中止（④）を命じることができる（特例法67（旧62）Ⅰ）。

　ここでの中止決定の対象となるのは、共通義務確認訴訟（①）の訴訟物である共通義務にかかる対象消費者と事業者等との間に係属する他の訴訟（②）である。他の訴訟の例としては、対象消費者の1人または数人による当該事業者に対する金銭支払請求訴訟、あるいは当該事業者等の対象消費者の1人または数人に対する金銭支払債務不存在確認の訴えなどが考えられる。他の訴訟の訴訟物は、共通義務確認訴訟の訴訟物とは異なり、当事者についても、共通義務確認訴訟の当事者たる特定適格消費者団体と対象消費者の1人または数人は異なるから、両訴訟の間に二重起訴の禁止の法理は適用されない。また、既判力の衝突が直接に問題になることも考えられない（特例法10（旧9）、本書77頁参照）。

　しかし、共通義務が他の訴訟の訴訟物の基礎となっており、かつ、相互の攻撃防御方法の間に関連性が認められるときは、特定適格消費者団体による充実した訴訟追行が期待できる共通義務確認訴訟を先行させ、その結果を他の訴訟に反映させることが、紛争の適切な解決という見地からも、また事業者の応訴負担の軽減という視点からも望ましい場合があることは否定できない。

　当事者の意見を聴いて、他の訴訟の受訴裁判所が中止の決定をすることがで

きるとされたのは、このような考慮にもとづくものである[49]。中止された他の訴訟の当事者たる対象消費者の選択肢としては、訴えを取り下げて（民訴261 I）、共通義務の確定を待ち、債権届出の授権をし（特例法34（旧31））、簡易確定手続の届出債権とするか（特例法33（旧30）I Ⅳ）、共通義務確認訴訟の結果を待って、中止決定の取消し（特例法67（旧62）Ⅱ）と訴訟の続行を求めるなどが考えられ、事業者等としても、実質的な二重訴訟追行の負担を避けるために、訴えの取下げに同意する（民訴261Ⅱ）、消極的確認訴訟を提起しているときには、自ら訴えを取り下げる等の可能性がある。

---

49) 一問一答133頁参照。このような裁量中止の制度は、国際的訴訟競合の場面では議論されたことがあったが（伊藤・民訴法69頁注52）、実定法上の制度として導入されたのは、初めてである。

第5章　共通義務確認訴訟の終了

　特定適格消費者団体と事業者との間の共通義務確認訴訟の訴訟係属は、いくつかの原因によって消滅する。第1は、当事者の訴訟行為による場合であり、訴えの取下げ、請求の放棄と認諾、および訴訟上の和解がこれに属する。第2は、裁判所の訴訟行為による場合であり、終局判決の確定がこれに属する。

第1節　当事者の訴訟行為による訴訟の終了

　民事訴訟においては、私的自治の原則にもとづく処分権主義が適用される。すでに訴訟物たる共通義務に関する処分権主義（民訴246。本書56頁）については説明を加えたが、訴訟の終了に関しても処分権主義が妥当する。すなわち、原告は、訴えの取下げによって訴訟物についての審判要求を撤回することができるし、請求の放棄によってその請求に理由のないことを自認し、本案についての裁判所の判断を排除することもできる。これに対して被告は、請求の認諾によって請求に理由があることを自認し、同じく裁判所の判断を排除することができる。また、原被告両者は、訴訟物に関連して訴訟上の和解の合意をなすことによって、やはり裁判所の判断を排除することができる。いずれの場合においても、当事者の訴訟行為の結果として、訴訟物についての裁判所の判断義務が消滅するので、訴訟は終了する。

　ただし、訴訟物たる共通義務は、本質的には私人間の権利義務というべきであるが、対象消費者の金銭支払請求権の基礎となる概括的法律関係であり、訴訟当事者たる特定適格消費者団体自身の自由な管理処分に服する権利義務とはいいがたいところから、訴えの取下げ、請求の放棄、和解については、一定の制約がある。

1　訴えの取下げ

　訴えの取下げの要件、手続および効果に関する一般的規律は、民事訴訟法の定めるところ（民訴261〜263）によるが、共通義務確認訴訟の特質と原告たる特定適格消費者団体の地位を反映して、以下のような特徴がある。

　訴えの取下げ（民訴261）とは、請求についての審判要求を撤回する原告の訴訟行為であり、相手方は裁判所である。数人の特定適格消費者団体が1つの訴訟手続として共通義務確認訴訟を追行する可能性としては、共同訴訟としての訴え提起（本書82頁）や裁判所による弁論の併合（本書61頁）が考えられ、訴訟物たる共通義務が同一であるときは、既判力の拡張（特例法10（旧9）、本書77頁）を前提とすれば、類似必要的共同訴訟となる。しかし、いずれの場合であっても、共通義務についての当事者適格は、それぞれの特定適格消費者団体に帰属しているのであるから、訴えの取下げは、単独でもすることが可能であり、その結果、当該特定適格消費者団体は、共通義務確認訴訟から離脱する。

ア　訴え取下げの要件

　原告たる特定適格消費者団体は、判決の確定に至るまでその訴えを取り下げることができる（民訴261Ⅰ）[50]。判決が確定すれば、それによって訴訟が終了するので、もはや訴えを取り下げる余地はない。しかし、判決確定前であっても、すでに被告たる事業者が本案について弁論等の訴訟行為を行っている場合には、原告は、取下げについて被告の同意を得なければならない（同Ⅱ本文）。なお、民事訴訟法では、被告による反訴の取下げについて特則が置かれているが（同但書）、共通義務確認訴訟においては、訴訟物の性質上、被告の反訴が想定できない（本書81頁）。

　訴えの取下げについて、特例法は特別の要件を設けていない。したがって、原告たる特定適格消費者団体は、訴訟物たる共通義務についての主張が採用さ

50）特定適格消費者団体と事業者との間における訴えの取下げの合意（伊藤・民訴法512頁）も考えられる。また、民事訴訟手続一般に共通するものであるが、共通義務確認訴訟の中断または中止（本書63頁）中に訴えの取下げができるかという問題がある。一方的訴訟行為としての訴えの取下げは、裁判所がその意思表示を受領できる状態にあれば可能であるが、被告の同意をえなければならない場合であって（民訴261Ⅱ本文）、被告適格が別の者に移転しているときには、受継後に同意をうべきである。

れる見込みが乏しいとか、他の特定適格消費者団体に訴訟追行を委ねるべきであるとかなどの判断にもとづいて、訴えを取り下げることができる。もっとも、「特定適格消費者団体は、対象消費者の利益のために、被害回復関係業務を適切に実施しなければならない」（特例法81（旧75）Ⅰ）、「特定適格消費者団体は、不当な目的でみだりに共通義務確認の訴えの提起その他の被害回復関係業務を実施してはならない」（同Ⅱ）などの責務に照らせば、訴えの取下げによって訴訟を終了させるべき場合は、ごく例外的な場合に限られよう。合理性の認められない訴えの取下げがなされたことは、内閣総理大臣が特定認定または適格消費者団体の認定を取り消す理由となることもあろう（特例法92（旧86）Ⅱ柱書・同①）。

　訴えの取下げは、数個の請求のうちの一部のみについてすることも許される。客観的併合（本書81頁）における 1 個の請求についての取下げ、または共同被告たる数人の事業者のうち一部の者に対する請求についての取下げなどがこれに属する。

イ　訴え取下げの手続

　訴え取下げの手続は、通常の民事訴訟と変わるところはない。ただ、訴えを取り下げたときは、遅滞なく、その旨を他の特定適格消費者団体に通知するとともに、その旨およびその内容を内閣総理大臣に報告しなければならない（特例法84（旧78）Ⅰ柱書・同⑥。施行規則15参照）。報告を受けた内閣総理大臣は、すべての特定適格消費者団体に報告の日時や概要などを伝達するものとされている（特例法84（旧78）Ⅱ。施行規則19・20参照）。訴えの取下げが適切になされることを確保し、また、他の特定適格消費者団体が取下げの事実を把握して、必要な措置をとることを確保する目的と考えられる。

ウ　訴え取下げの効果

　訴え取下げの効果としては、訴訟係属の遡及的消滅およびこれに付随する効果と、再訴の禁止とが分けられるが、前者については、通常の民事訴訟と変わるところはない。

　再訴の禁止、すなわち本案について終局判決がなされた後に訴えを取り下げた者は、同一の訴えを提起することができないとの規律（民訴262Ⅱ）も、共通義務確認訴訟に妥当する。

　再訴禁止の要件としては、第1に、本案、すなわち訴訟物たる共通義務に関する終局判決言渡し後の訴え取下げであることが挙げられる。第2に、再訴が同一の訴えであることが挙げられる。同一の訴えかどうかは、当事者の同一性を前提として、訴訟物たる権利関係について判決による紛争解決の機会を原告が放棄したとみなされるかどうかによって決せられる。前訴と後訴の訴訟物たる共通義務が同一であれば、原則として同一の訴えとみなされるが、訴えの取下げ時と比較して、後訴の提起時に訴えの提起を必要とする合理的事情が存在すれば、同一の訴えとはみなされない。訴え取下げ時には、被告事業者が対象消費者に対する金銭支払いに応じるとの意向を示していたが、後にそれを翻した場合などが考えられる。

　次に再訴禁止効の主観的範囲について説明する。原告たる特定適格消費者団体が合併したときの一般承継人は、原告の法律上の地位を包括的に承継する者として、再訴禁止効の拡張を受け、本案判決による解決を求める資格を否定される。これに対して、他の特定適格消費者団体が再訴禁止効の拡張を受けることはないし、対象消費者については、そもそも共通義務についての再訴禁止効を観念しえない。

2　請求の放棄および認諾

　請求の放棄とは、原告たる特定適格消費者団体の訴訟行為の一種であり、訴訟物たる共通義務の存在の主張を維持する意思のないことを口頭弁論期日、弁論準備手続期日、または和解の期日（以下、口頭弁論等の期日という。民訴266Ⅰ・261Ⅲ）において裁判所に対して陳述する行為である。請求の認諾とは、被告たる事業者の訴訟行為の一種であり、訴訟物たる共通義務に関する原告の主張を認める旨を口頭弁論等の期日において裁判所に対して陳述する行為である。請求の放棄または認諾は、意思表示ではあるが、直ちに訴訟法上の法律効果を発生させるものではなく、裁判所が裁判所書記官に対して認諾または放棄の陳述を調書に記載させることによって、訴訟終了効および確定判決と同一の効力（民訴267）が生じる。

　1つの訴えによって数個の共通義務にかかる請求が定立されているときに、一部の請求について放棄または認諾が成立しうることは当然である。

ア　請求の放棄および認諾の要件

　請求の放棄および認諾は、訴えの取下げと同様に、処分権主義を理念的基礎とするものであるが、それが調書に記載されることによって確定判決と同一の効力が生じるので、訴訟物たる権利関係についての当事者の処分権はより厳格に解される。

①　訴訟物についての処分権限

　訴訟物たる共通義務は、対象消費者の金銭支払請求権の基礎となるべき概括的法律関係であり、原告たる特定適格消費者団体、被告たる事業者のいずれも、その帰属主体とはいえず、したがって、通常の私人の権利義務と同様の意味において原告または被告が処分権限を有するとはいえないが、特例法は、請求の放棄および認諾のいずれについても、その効力を認めている（放棄について特例法84（旧78）Ⅰ⑦、認諾について特例法13（旧12）参照）。

　請求の放棄についていえば、それによって訴訟物たる共通義務の不存在について確定判決と同一の効力、すなわち既判力が生じ（民訴267）、それが他の特定適格消費者団体に対して拡張されるとすれば（特例法10（旧9）参照）、慎重な判断を要するが、原告たる特定適格消費者団体が自らの請求に理由がないと自認するときにまで、あえて訴訟を継続させる意味がなく、また、被告事業者等にとっては、訴えの取下げ以上の利益がえられるから、これを排除する必要はないとの考え方によるものであろう。その意味では、原告たる特定適格消費者団体には、その限度での処分権が認められているといってよい。

　また、請求の認諾についてみると、共通義務は、対象消費者の事業者等に対する金銭支払請求権の基礎となるべきものであり、金銭支払義務の主体たる事業者等が、共通義務の存在を認めることは、金銭支払請求権の本質的構成部分を認めることにほかならないから、被告事業者等の処分権の発現とみることができる。立法者が、共通義務確認訴訟の請求認容確定判決とともに、請求の認諾を簡易確定手続開始の事由としているのも（特例法13（旧12））、このような考え方にもとづくものと理解できる。

②　訴訟要件の具備

　訴訟要件は、本案判決の要件であるから、請求の放棄・認諾の直接の要件ではない。しかし、放棄・認諾に確定判決と同一の効力が認められる以上、共通

義務確認訴訟の訴訟要件（本書39頁）は、放棄および認諾についても具備しなければならない。

　　イ　請求の放棄および認諾の手続

　放棄および認諾の手続は、民事訴訟法の一般的規律による[51]。ただし、特例法84条（旧78）1項柱書前段・7号は、特定適格消費者団体が放棄をしようとするときは、その旨を他の特定適格消費者団体に通知するとともに、その旨およびその内容を内閣総理大臣に報告しなければならないと規定する（施行規則15ⅢⅣ・16参照）。共通義務確認訴訟について当事者適格を認められ、訴えを提起したにもかかわらず、請求の放棄をなし、共通義務の不存在について確定判決と同一の効力を生じさせるについて、慎重な手続を履践させる趣旨である。通知や報告義務を怠った場合には、内閣総理大臣は、特定認定または適格消費者団体の認定を取り消すことができる（特例法92（旧86）Ⅱ①Ⅲ）。報告を受けた内閣総理大臣は、すべての特定適格消費者団体に報告の日時や概要などを伝達するものとされている（特例法84（旧78）Ⅱ。施行規則19・20参照）。

　もっとも、通知や報告を怠ったままになされた請求の放棄が無効となるかどうかという問題がある。通知や報告は、特定適格消費者団体に課された公法上の義務ではあるが、それに違反した放棄は、重大な瑕疵を含むから、原則として無効とすべきものと思われる。

　　ウ　請求の放棄・認諾の効果

　放棄・認諾調書の成立によって、調書上の記載は確定判決と同一の効力を有する（民訴267）。この効力は、訴訟終了効と記載内容にもとづく既判力などの判決効とに分けられる。このうち、訴訟終了効については、共通義務確認訴訟特有の規律は存在せず、民事訴訟法一般の規律による。

　判決効については、放棄・認諾調書の記載については、確定判決と同一の効力が認められる（民訴267）。したがって、請求の内容にしたがって、認諾調書には、共通義務の存在についての既判力が、放棄調書には、その不存在についての既判力が認められる[52]。更に、請求の認諾については、確定された共通義

51）伊藤・民訴法523頁。
52）ただし、そもそも放棄・認諾調書に既判力が認められるかどうかに関する民事訴訟法上の議論がある。伊藤・民訴法526頁。

務にもとづいて、特定適格消費者団体に簡易確定手続の開始申立適格を付与する効果が生じる（特例法13（旧12））。

3　訴訟上の和解

　訴訟上の和解とは、訴訟の係属中に両当事者が訴訟物に関するそれぞれの主張を譲歩した上で、期日において訴訟物に関する一定内容の実体法上の合意と、訴訟終了についての訴訟法上の合意をなすことを指す。ただし、その効力が生じるためには、裁判所がこれを調書に記載せしめなければならない。

　令和4年改正前特例法旧10条は、「特定適格消費者団体は、共通義務確認訴訟において、当該共通義務確認訴訟の目的である第2条第4号に規定する義務（共通義務。筆者注）の存否について、和解をすることができる」旨を規定し、和解の対象を共通義務に限っていた。これは、共通義務に限って特定適格消費者団体に和解の前提となる管理処分権を認めるとの考え方にもとづくものであったが、それが被害回復裁判手続の紛争解決機能を制約しているとの批判に応えるものとして、令和4年改正は特例法11条の規定を新設した。その特徴は、以下のように整理できる。和解の内容には様々なものがありうるが、以下は、実務上典型的な場合を想定した規定である。なお、和解が成立したときは、他の特定適格消費者団体への通知や内閣総理大臣への報告などが義務づけられる（特例法84（旧78）Ⅰ⑤、施行規則15ⅠⅡ・16・17②）。

ア　和解の対象となる事項の明確化

　共通義務確認訴訟の当事者、すなわち特定適格消費者団体と事業者等は、訴訟上の和解において共通義務たる事業者等の消費者に対する金銭支払義務（特例法2④）が存することを認める旨の和解をするときは、その義務に関し次の事項を明らかにしなければならない（特例法11Ⅰ柱書）。その事項とは、対象債権および対象消費者の範囲（同①）と、当該義務にかかる事実上および法律上の原因（同②）である。これは、共通義務確認訴訟の訴訟物との関係で、和解の基礎となる対象債権と対象消費者を特定するための規律である。

イ　和解金債権概念の創設

　共通義務確認訴訟においては、対象債権の支払義務の有無やその額が争いの中心となり、したがって和解の内容もそれにかかる金銭の支払いなどを定める

ことが通例である。特例法11条2項柱書は、この金銭支払請求権を対象債権とは区別して「和解金債権」と呼び、それに関して以下の事項を定めなければならないとする。

第1は、「当該和解の目的となる権利又は法律関係の範囲」（特例法11Ⅱ①）であり、「対象債権および対象消費者の範囲」（同Ⅰ①）が基準となろう。第2は、「和解金債権の額又は算定方法」（同Ⅱ②）であり、和解条項において、当該紛争にかかる消費者ごとに具体的な和解金債権の額を定めるか、または対象債権額などを基礎とする算定方法を定めるか、いずれかの方法を認めている。第3は、「和解金債権を有する消費者（和解対象消費者）の範囲」（同③）であり、対象消費者の全部または一部と重なり合うことが通例であるが、概念としては区別される（特例法26（旧25）Ⅰ⑩参照）。

　ウ　不起訴の合意の効力の主観的範囲

共通義務確認訴訟は、訴訟上の和解の効力にもとづいて終了するが[53]、和解条項の1つとして、当事者である特定適格消費者団体が当該共通義務について当該事業者等に対して重ねて訴えを提起しない旨を定める不起訴の合意を定めることが考えられる。当該特定適格消費者団体がこの合意に反して共通義務確認の訴えを提起すれば、裁判所は、それを不適法として却下するが、他の特定適格消費者団体が当該共通義務確認の訴えを提起する可能性がある。特例法11条3項が不起訴の合意の効力を他の特定適格消費者団体に対しても拡張するのは、このような可能性を遮断し、相手方である事業者等の地位の安定を図り、ひいては、和解の成立を容易にするための規律である。

　エ　和解の法的性質

訴訟上の和解は、訴訟物に関する当事者の管理処分権の発現であるから、その前提として訴訟当事者である特定適格消費者団体が対象事項について管理処分権を持つ必要がある。共通義務自体については、令和4年改正前特例法10条が特定適格消費者団体に管理処分権を与えていたが、現行11条は、対象事項を和解対象消費者の金銭支払請求権にまで拡張している。この請求権の帰属主体は、訴訟当事者である特定適格消費者団体ではなく、和解対象事業者であ

53）伊藤・民訴法539頁。

るので、いかなる資格において特定適格消費者団体が和解をすることができるかが問題となるが、第三者（和解対象消費者）のためにする契約（民537）として、法が特定適格消費者団体に和解権限を与えたとの説明が一般的である[54]。

　すなわち、契約当事者は訴訟当事者たる特定適格消費者団体と事業者等であり、第三者は和解対象消費者である。和解内容として和解対象消費者に和解金債権を認めるとの合意がなされ、和解対象消費者が受益の意思表示（民537Ⅲ）をした時に、事業者等に対する和解金債権が発生する。なお、和解において受益者たる和解対象消費者が特定していない場合であっても、和解の効力に影響はない（同Ⅱ）。

オ　和解金債権の実現

　受益の意思表示をした和解対象消費者が和解にもとづく和解金債権を実現するための方法としては、以下のものが考えられる。いずれが適するかは、和解の内容と和解成立後の事情による。

　第1は、簡易確定手続の利用である（特例法15（旧14）Ⅱ本文。本書100頁参照）。この場合には、和解対象消費者の授権（特例法34（旧31）ⅠⅡ）が受益の意思表示を兼ねることとなる。

　第2は、事業者等が直接に受益の意思表示をした和解対象消費者に和解金を支払う方法である。和解内容として、和解金債権の額や算定方法（特例法11Ⅱ②）や和解対象消費者の範囲（同③）が定められている場合には、この方法によることができる。

　第3は、特定適格消費者団体が事業者等から和解金を受領し、特定適格消費者団体がそれを受益の意思表示をした和解対象消費者に配分する方法である（特例法89（旧83）Ⅰ①参照）。これも、和解金債権の額等が定められている場合に適する方法である。

　第4に、特定適格消費者団体の委託を受けて消費者団体等支援法人（特例法98Ⅰ）が和解金を受領する方法である（同Ⅱ①）。特定適格消費者団体の負担を軽減するためには、この方法が適する場合もあろう。

　第5は、特定適格消費者団体が和解内容として定められた和解金債権を執行債権として事業者等に対する強制執行を行う方法である。訴訟上の和解には執

54）山本221頁など。

行力が認められるから（民訴267、民執22⑦）、執行債権としての和解金債権が特定していれば、この方法も可能である。また、和解対象消費者が特定していれば、その者が承継執行文をえて強制執行を行う可能性もある（民執23Ⅰ②）[55]。

4　訴訟外の和解の可能性

令和4年改正前は、訴訟上の和解の対象事項が限定されていたために、特定適格消費者団体と事業者との間における訴訟外の和解、たとえば、事業者が共通義務の全部または一部の存在を認め、特定適格消費者団体は訴えを取り下げるなどの合意を訴訟外で行うことができるかが議論されたが（本書第2版75頁）、現行法下では、上記のように、その限定が解除されたために、訴訟外の和解を検討する意義は少なくなったと思われる。

第2節　終局判決による終了

共通義務確認訴訟についての第1審訴訟手続は、訴えの取下げ、請求の放棄・認諾または訴訟上の和解によって終了する場合を除けば、終局判決によって終了する[56]。終局判決としては、訴訟要件（本書39頁）の欠缺を理由とする訴訟判決と、共通義務の存在を確認する請求認容判決と、それを否定する請求棄却判決とに分けられる。また、両者の中間として、対象消費者や対象債権の範囲を限定して共通義務の存在を認める一部認容判決もありうる[57]。終局判決が確定すれば、それぞれの内容にしたがって既判力が生じる。本案判決の既判力の客観的範囲は、訴訟物たる共通義務に関する判断の内容に従う。ただし、2段階目の異議後の訴訟手続（本書153頁）との関係では、訴訟物たる不当利得返還請求権などの存在を基礎づける事実上および法律上の原因についても不可争力が生じるとの見解が有力であり、2段階構造の手続の適正な運用を確保するという視点からすれば、このような見解を支持すべきである。

55）山本228頁。
56）実際上は少ないと思われるが、中間の争い、たとえば、共通義務確認訴訟の訴訟要件が争いになっているときに、その充足を判示する中間判決（民訴245）が考えられないわけではない。
57）三木609頁。訴え却下の訴訟判決については、本書47頁注31参照。

1　請求認容確定判決の既判力の主観的範囲

　民事訴訟法の一般原則の下では、訴訟物たる共通義務の全部または一部の存在を確認する判決が確定し、既判力を生じたときに、その効力を受けるのは、民事訴訟法115条1項に規定する者に限られる。もっとも、共通義務確認訴訟においては、同項2号にいう「他人」、4号にいう「請求の目的物を所持する者」に該当する存在を想定することは困難であると思われるので[58]、既判力を受ける者は、1号にいう「当事者」としての特定適格消費者団体および事業者等、3号にいう「口頭弁論終結後の承継人」としての当事者たる特定適格消費者団体の地位を合併などによって承継した特定適格消費者団体に限られることになろう。

　特例法10（旧9）条は、このような原則に対する特則として、「共通義務確認訴訟の確定判決は、民事訴訟法第115条第1項の規定にかかわらず、当該共通義務確認訴訟の当事者（ア）以外の特定適格消費者団体（イ）及び当該共通義務確認訴訟に係る対象消費者の範囲に属する第33条第2項第1号に規定する届出消費者（ウ）に対してもその効力を有する」旨を規定する（アからウの付番は筆者による）。イおよびウは、既判力の主観的範囲を民事訴訟法115条1項より拡張したものであるが、講学上の対世効と異なり、特定範囲の第三者に対する既判力の拡張に属する[59]。

ア　当事者たる特定適格消費者団体のための既判力

　当事者たる特定適格消費者団体は、対象消費者の金銭支払請求権を実現するために、事業者を相手方として簡易確定手続の開始申立てをすることになるが（特例法13・15（旧12・14））、簡易確定手続において相手方事業者が対象消費者の金銭支払請求権の基礎となる共通義務の存在を争うことは、前訴確定判決の既判力によって排斥される（民訴115Ⅰ①）。このことは、共通義務確認訴訟の口頭弁論終結後に当該特定適格消費者団体の特定認定が失効するなどの理由に

58）もっとも、特定適格消費者団体の当事者適格を対象消費者のための訴訟担当として捉える立場であれば、2号にもとづいて既判力が対象消費者に拡張するとの説明もありえよう。
59）一問一答50頁。対世効および特定範囲の第三者に対する既判力の拡張については、伊藤・民訴法633頁参照。後者の例としては、民事執行法157条3項、破産法131条1項、民事再生法111条1項、会社更生法161条1項などがある。

よって、手続を受け継ぐべき特定適格消費者団体が指定されたときにも（特例法93（旧87）Ⅰ本文・Ⅱ本文）同様であり、手続を受け継ぐべき特定適格消費者団体は、前訴確定判決の既判力を援用することができる（民訴115Ⅰ③）。

イ　当事者以外の特定適格消費者団体のための既判力

　ある特定適格消費者団体を当事者とする共通義務確認訴訟（前訴と呼ぶ）についての請求認容確定判決は、他の特定適格消費者団体のためにもその効力を有する。具体的にそれが問題となるのは、他の適格消費者団体が判決確定後に共通義務確認訴訟（後訴と呼ぶ）を提起した場合である。前訴と後訴の訴訟物は、当該事業者と対象消費者間の共通義務たる概括的請求権という意味で同一であり、前訴確定判決の既判力が後訴の当事者である他の特定適格消費者団体のために拡張され、訴訟物が同一の場合の既判力として、他の特定適格消費者団体は、請求認容確定判決を自らの有利に援用し、共通義務の存在を主張することができる。事業者は、前訴判決で確定された共通義務確認訴訟にもとづく対象消費者の金銭支払請求権がすべて消滅したなどの口頭弁論終結後の事由をもってする以外には、共通義務の存在を争うことは許されない。

　もっとも、すでに前訴当事者たる特定適格消費者団体が簡易確定手続の申立てをすることを義務づけられている以上[60]、対象消費者は、その手続において権利実現のための授権をすることができるため（特例法34（旧31）ⅠⅡ）、他の特定適格消費者団体による新たな共通義務確認訴訟は、特段の事情がない限り、訴えの利益が否定されよう。

　ただし、同一事業者の行為に起因するときであっても、前訴の訴訟物を特定する要素である対象消費者の地理的または時間的範囲と、後訴の訴訟物を特定する要素である対象消費者の地理的または時間的範囲が異なっていることも考えられる。このようなときには、後訴の対象消費者は、前訴確定判決を前提とする簡易確定手続において権利実現のための授権をすることができないために（特例法21（旧20）・33（旧30）Ⅰ・34（旧31）Ⅰなど参照）、他の特定適格消費者団体が新たに共通義務確認訴訟を提起する利益が認められる。

　しかし、訴訟物である共通義務たる概括的請求権が対象消費者の範囲によっ

60）他の特定適格消費者団体は、既判力の拡張を受けるが、簡易確定手続の開始申立てをすることはできない。　問一答50頁。

て特定されるとすれば、前訴と後訴の訴訟物が異なるために、前訴確定判決の
既判力が後訴の当事者である特定適格消費者団体のために拡張されることを前
提としても、前訴確定判決の存在および内容は、後訴に対して事実上の影響を
与えるにとどまろう。もっとも、このような事態が生じることは、相手方たる
事業者の応訴負担を考えれば、望ましいものではなく、法ができる限り特定適
格消費者団体による共同訴訟を実現しようとしているのは（本書82頁）、それ
を避けるための措置である。

　　ウ　届出消費者のための既判力

　共通義務の存在を確定する判決の既判力は、届出消費者、すなわち簡易確定
手続において特定適格消費者団体（簡易確定手続申立団体と呼ばれる）によって
対象債権等として届け出られた債権の債権者である消費者（特例法33（旧30）
Ⅱ①かっこ書）のためにも及ぶ。特定適格消費者団体（簡易確定手続申立団体）
による届出は、対象債権者等からの授権が前提となっているから（特例法34
（旧31）Ⅰ）、届出債権者としては、授権をした上で、既判力の拡張を受けるか、
届出をせずに、共通義務の存在を認める確定判決を事実上援用するかの選択を
することができる。そのための措置として、共通義務確認の訴えの提起や確定
判決の内容などに関する特定適格消費者団体の対象消費者に対する情報提供努
力義務がある（特例法88（旧82）。ガイドライン 2 (2)イ①）[61]。

　もっとも、届出消費者として既判力の拡張を受ける場合であっても、簡易確
定手続を追行するのは、特定適格消費者団体（簡易確定手続申立団体）である
から、届出消費者が自らのための既判力を援用する場面は想定しがたい。ただ
し、届出債権の確定手続が簡易確定決定に対する異議の訴えに移行する段階で
は、届出債権者自らが訴訟追行の主体となることがありうるため（特例法49
（旧46）Ⅱ・56（旧52）Ⅰ参照）、届出消費者が確定判決の既判力を援用するこ
とも考えられる。

2　請求棄却確定判決の既判力の主観的範囲

　特例法10（旧 9 ）条にもとづく既判力の拡張は、確定判決の内容が請求認容

であるか、棄却であるかを区別していない。したがって、請求棄却（一部棄却
を含む）の確定判決の既判力も、他の特定適格消費者団体や届出消費者に対し
て拡張される。

ア　当事者以外の特定適格消費者団体に対する既判力

　前訴確定判決の内容が請求棄却判決であるときには、他の特定適格消費者団
体が同一の共通義務について後訴を提起しても、前訴確定判決の遮断効を受忍
しなければならない。また、前訴と後訴の対象消費者の範囲が異なるときには、
訴訟物の同一性が存在しないために、前訴確定判決の既判力が後訴に及ばない
ことは、請求認容判決のときと同様であるが、この場合には、当該事業者の応
訴負担からみても、前訴を共同訴訟として追行すべき要請がさらに強く働き、
事情によっては、訴権の濫用として後訴を却下することも考えられる。

イ　届出消費者に対する既判力

　特例法10（旧9）条の文言上は、共通義務の存在を否定する確定判決の既判
力が届出消費者に及ぶこととなる。しかし、対象債権の届出の基礎となる簡易
確定手続の開始申立ては、共通義務確認訴訟における請求を認容する判決が確
定した時など（特例法13（旧12））にのみ許されるので、請求棄却判決の場合に
は、届出消費者の存在はありえず、既判力が働く場面も考えられない。

　もっとも、共通義務確認訴訟にかかる判決が一部認容判決の場合、たとえば、
対象消費者と対象債権について単純併合として数個の請求の審判が求められ
（本書52頁）、そのうちの一部を認め、それ以外の部分を棄却する判決が確定し、
簡易確定手続に移行したときには、届出消費者が考えられる。この届出消費者
については、請求認容部分に対応する既判力が働くと同時に、請求棄却部分に
対応する既判力が働くことになる。したがって、届出消費者としては、請求棄
却部分に対応する共通義務にもとづく金銭支払請求の別訴を提起したとしても、
共通義務の存在の主張は、既判力によって遮断される[62]。

---

62) 町村80頁。三木612頁は、このようなことを考えれば、特例法にもとづく既判力の拡張が
　片面的、すなわち被告事業者の不利にのみ拡張されるという考え方は合理性を欠くとする。
　また、上原34頁も、特例法にもとづく既判力の拡張は、極めて限定的な場面のみで問題と
　なるとする。

第6章　複数請求訴訟——請求の客観的併合

　1つの共通義務確認訴訟における原告・特定適格消費者団体と被告・事業者との間に数個の請求が定立され、それらが裁判所の審判の対象となっている状態を請求の客観的併合と呼ぶ。請求の客観的併合を生じさせる訴訟行為としては、訴えの客観的併合（民訴136）、訴えの変更（民訴143）、中間確認の訴え（民訴145）、反訴（民訴146）のほかに、裁判所による弁論の併合（民訴152 I）があげられる。

　もっとも、共通義務確認訴訟は、もっぱら概括的法律関係である共通義務の存否と内容を審判することを目的とする手続であるので、中間確認の訴えと反訴は認められない。中間確認の訴えは、係属中の訴えの訴訟物の前提となる権利関係の確認を求める申立てであるが、共通義務について前提となる権利関係が観念できないためである。反訴についても同様であり、共通義務との関連性がある請求を被告・事業者が原告・特定適格消費者団体に対して反訴請求として定立する余地はない。

　これに対して、訴えの客観的併合や訴えの変更によって、原告たる特定適格消費者団体が相手方事業者に対する数個の請求を定立することは、十分に考えられる。1つは、対象消費者や対象債権を異にする同一事業者の数個の行為に起因する数個の共通義務の確認を求める場合であり、それ以外にも、事業者の同一の行為について複数の請求権が成立するとして、数個の共通義務の確認を単純併合として、または予備的もしくは選択的併合として申し立てることが考えられる。更に、当初は、一の共通義務の確認を求めながら、その後に訴えの変更として、他の共通義務の確認請求を追加することも許される。

　また、同一特定適格消費者団体と同一事業者間で、訴訟物たる共通義務を異にする数個の訴訟が同一の裁判所に係属するときに、裁判所が弁論の併合権限を行使して、一の訴訟手続によってそれらの請求の審判をすることも可能である。

第 7 章　多数当事者訴訟

　共通義務確認訴訟に関する多数当事者訴訟としては、数人の特定適格消費者団体が 1 人または数人の事業者等を相手方として提起する共同訴訟、ある特定適格消費者団体が提起した共通義務確認訴訟に他の特定適格消費者団体がする共同訴訟参加および独立当事者参加、ある特定適格消費者団体が提起した共通義務確認訴訟に他の特定適格消費者団体がする補助参加、対象消費者の 1 人または数人がする補助参加、被告事業者等の側に他の事業者等がする補助参加などが考えられる。

1　数人の特定適格消費者団体による共同訴訟

　共同訴訟に関する基本的規律は、民事訴訟法38条による。数人の特定適格消費者団体が、ある事業者等を被告として、対象消費者および対象債権によって特定される、同一の共通義務の確認を求める共同訴訟は、「訴訟の目的である権利又は義務が数人について共通であるとき」（民訴38前段前半部分）にあたり（ア）、対象消費者や対象債権の範囲が異なり、同一の共通義務とはいえないときでも、ある事業者等の同一の行為に起因する共同訴訟は、「同一の事実上及び法律上の原因に基づくとき」（同前段後半部分）にあたり（イ）、さらに、事業者等の行為としては、別個であっても、たとえば同種の消費者契約に関する債務不履行にもとづく損害賠償請求権の基礎たるべき共通義務を訴訟物とするのであれば、「訴訟の目的である権利又は義務が同種であって事実上及び法律上同種の原因に基づくとき」（同後段）に該当する（ウ）。

　これらの共同訴訟における原告の特定適格消費者団体は、訴訟物たる共通義務について独立の当事者適格を認められるものであるから（本書36頁）、固有必要的共同訴訟の規律[63]が適用されることはない。したがって、上記のイおよ

63）固有必要的共同訴訟の規律とは、共同訴訟人たるべき者が全員で共同して訴訟を追行することが要求され、かつ、共同訴訟人独立の原則（民訴39）が排除されることを意味する

びウの共同訴訟は、通常共同訴訟であり、共同訴訟人独立の原則（民訴39）が適用される。ただし、「特定適格消費者団体は、被害回復関係業務について他の特定適格消費者団体と相互に連携を図りながら協力するように努めなければならない」との責務（特例法81（旧75）ⅢⅣ）を考えれば、共同訴訟人たる特定適格消費者団体の訴訟行為についても、連携と協力が求められよう（特例規則1Ⅱ参照）。

これに対して、アの場合には、訴訟物たる共通義務が同一であり、ある特定適格消費者団体を当事者とする判決の効力が他の特定適格消費者団体に対しても拡張されるので（特例法10（旧9））、共同訴訟となっているときにも、合一確定が求められ、講学上の類似必要的共同訴訟として、共同訴訟人独立の原則（民訴39）が排除される（民訴40）。

2　数人の事業者等に対する共同訴訟

ある特定適格消費者団体が数人の事業者等を共同被告として共通義務確認訴訟を提起する場合についても、訴訟物の内容にしたがって、共同訴訟の類型を分けることができる。たとえば、消費者契約の相手方である事業者と当該消費者契約の締結について勧誘をした事業者について、共同不法行為を理由として共同被告とするときは、訴訟物たる共通義務の共通性にもとづく共同訴訟が成立する。ただし、共同訴訟人たる事業者相互間における既判力の拡張はないから（特例法10（旧9）参照）、類型としては、通常共同訴訟にとどまる。

それ以外にも、同一の法律上および事実上の原因たる消費者契約に関係する数人の事業者等に対する共同訴訟、あるいは同種の法律上および事実上の原因たる消費者契約に関する数人の事業者等に対する共同訴訟も考えられるが、いずれも通常共同訴訟である。

3　共通義務確認訴訟への共同訴訟参加および独立当事者参加

共同訴訟参加（民訴52）は、既判力の拡張を受ける第三者が共同訴訟人として参加するものであるが[64]、上記1アの共同訴訟となるべき場合において、あ

（民訴40）。伊藤・民訴法709頁参照。

64）参加の方式等については、伊藤・民訴法748頁参照。

る特定適格消費者団体が提起した訴えに他の特定適格消費者団体が参加しよう
とするときには、共同訴訟参加の方式をとる。

　独立当事者参加（民訴47）については、訴訟物たる共通義務の性質上、権利
主張参加（民訴47Ⅰ後半部分）を想定することは困難であるが、詐害防止参加
（同前半部分）は、検討の余地がある。もっとも、原告の特定適格消費者団体側
についてみると、被害回復関係業務についての責務（特例法81（旧75））や訴訟
代理人としての弁護士による訴訟追行（特例法83（旧77））、あるいは内閣総理
大臣による監督（特例法91（旧85）以下）を前提とすると、詐害的訴訟追行を
することは想定できず、他の特定適格消費者団体の詐害防止参加を必要とする
状況もほとんどありえないといってよい。しかし、共通義務確認の訴えにおい
て原告と被告とが共謀して詐害判決を確定させた場合の再審（特例法12（旧
11））が規定されていることは、原告特定適格消費者団体による詐害的訴訟追
行の可能性を前提としている。したがって、他の特定適格消費者団体が、原告
の特定適格消費者団体の詐害的訴訟追行を理由として、共通義務の確認請求を
定立し、独立当事者参加を申し立てる可能性は残されるべきである。

　被告事業者等についてみても、詐害的訴訟追行は想定しにくいが、可能性と
しては、否定しえない。しかし、独立当事者参加に際しては、参加申立人が自
らの請求を定立しなければならないとすれば、共通義務不存在確認の請求を立
てる以外に考えられず、すでに述べたように（本書36頁）、共通義務について
は、不存在確認の利益を否定するとすれば、独立当事者参加の可能性は考えら
れない。もっとも、詐害防止参加には請求の定立を求めないとの考え方も存在
するので、それを前提とすれば、なお検討の余地はあろう[65]。

65）請求の定立を要するとするのは、最判昭和45年1月22日民集24巻1号1頁、最決平成26年
　7月10日裁時1607号2頁、伊藤・民訴法740頁。これに対して、最決平成26年7月10日に付
　された金築誠志裁判官の意見では、疑問の余地があるとされ、山浦善樹裁判官の反対意見
　は、更に進んで、学説を引用の上、「詐害防止参加は、原告と被告によるなれ合い訴訟によ
　り参加申出をしようとする者の権利を害する判決が出ることを阻止することに目的がある。
　そのため、参加申出をしようとする者は、原告の被告に対する請求を棄却する判決を得れば
　十分であって、それ以上に自己の請求についての判決を求めているわけではない。このよう
　な場合に、原告又は被告に対して請求を定立することを要求するのは、参加申出をしようと
　する者に不可能を強いることになりかねない。」と述べている。

4　共通義務確認訴訟への補助参加

　民事訴訟の一般原則によれば、訴訟の結果について利害関係を有する第三者は、当事者の一方を補助するため、その訴訟に参加することができる（民訴42）。これを共通義務確認訴訟に適用すれば、他の特定適格消費者団体が原告の特定適格消費者団体側に補助参加する（ア）、対象消費者が原告の特定適格消費者団体側に補助参加する（イ）、他の事業者等が被告事業者等の側に補助参加する（ウ）ことが検討の対象となる。

　ア　他の特定適格消費者団体の原告の特定適格消費者団体側への補助参加

　補助参加の利益は、法律上のものでなければならず、感情的利益や経済的利益では足りないとされている[66]。他の特定適格消費者団体は、係属する共通義務確認訴訟の訴訟物たる共通義務の存在を主張する利益を有しているが、これは法律上の利益と考えられる。そして、係属中の共通義務確認訴訟において請求棄却判決がなされれば、それは、他の特定適格消費者団体が提起しようとする共通義務確認訴訟に事実上の影響を与えるのみならず、既判力までが拡張されるから（特例法10（旧 9 ））、訴訟の結果について利害関係を有する第三者として、その地位は、講学上の共同訴訟的補助参加人として扱われる[67]。

　他の特定適格消費者団体が共同訴訟参加をすることできるのは、すでに述べた通りであるが（本書83頁）、そのことは、補助参加を否定する理由にはならない。

　イ　対象消費者の原告特定適格消費者団体側への補助参加

　係属中の共通義務確認訴訟の訴訟物である共通義務は、対象消費者の事業者に対する金銭支払請求権の基礎たるべき法律関係であるから、一般的基準に従えば、対象消費者には補助参加の利益が認められる。それにもかかわらず、特例法 8 条は、対象消費者の補助参加を禁止している。その理由については、争点の拡散や訴訟手続の遅滞を招くおそれがあり、対象消費者の利益を代表する特定適格消費者団体に訴訟追行を委ねることが合理的であるとの説明がなされ

66）伊藤・民訴法718頁参照。
67）通常の補助参加人と比較したときの共同訴訟的補助参加人の地位については、伊藤・民訴法729頁参照。

ている[68]。概括的法律関係を訴訟物として認める共通義務確認訴訟の特質および当事者たる特定適格消費者団体の責務（特例法81（旧75））を考慮した立法者の判断の結果と考えられる。

ウ　他の事業者の被告事業者等の側への補助参加

これについては、民事訴訟一般の規律に従う。販売商品が契約の内容に適合しないことを理由とする追完義務や損害賠償責任を共通義務として小売業者が共通義務確認訴訟を提起されたときに（民562Ⅰ・564参照）、製造業者が補助参加の申出をする場合[69]には、製造業者の小売業者に対する担保責任が法律上の利益の内容であり、共通義務確認訴訟について請求認容判決がなされたときに、当該商品に契約不適合があった旨の理由中の判断が製造業者の担保責任の成立に事実上の影響を与えることが、訴訟の結果についての利害関係を基礎づける。なお、この場合には、被告たる小売業者から製造業者に対して訴訟告知（民訴53Ⅰ）をなし、後の担保責任追及訴訟について参加的効力を及ぼす（同Ⅳ）ことも考えられる。

また、消費者契約を締結した事業者が共通義務確認訴訟の被告とされているときに、当該契約の締結について勧誘をした事業者が補助参加することも考えられる。この場合には、勧誘事業者自身の責任の基礎となるべき共通義務が法律上の利益であり、係属中の訴訟の訴訟物たる共通義務についての判断が勧誘事業者の責任に影響を与えるために、補助参加の利益が認められる。ただし、この場合にも、勧誘事業者に対して判決の既判力が拡張されるわけではないので、共同訴訟的補助参加にはあたらない。

さらに、係属中の共通義務確認訴訟の訴訟物である共通義務の発生原因として主張される事業者の行為と同一内容の行為を行った他の事業者の補助参加の可否も問題となる。被告事業者の行為の違法性などの判断が判決理由中で示されることによって、同一内容の行為を行った他の事業者の責任に事実上の影響が生じることに着目すれば、補助参加の利益を肯定できるが、事実上の影響といっても、直接的なものでないという理由で、補助参加の利益を否定する考え方も成り立とう。

68）一問一答49頁参照。
69）一問一答49頁参照。

第 8 章　保全開示命令

　共通義務確認訴訟において請求認容判決が確定したときは、対象債権につい
て簡易確定手続が実施され、対象債権の存在や内容が確定されることを想定し
ている。そのために簡易確定手続では、知れている対象消費者等に対する通知
（特例法27（旧26））や、その実効性を確保するための相手方事業者等の回答義
務（特例法30）、情報開示義務（特例法31（旧28））、情報開示命令（特例法32（旧
29））などの規定を設けているが、開示対象となる文書が簡易確定手続開始前
の段階で廃棄されるなどもおそれもある。そのために共通義務確認訴訟の段階
において受訴裁判所が情報を記載した文書の開示を命じるのが、令和 4 年改正
が新設した保全開示命令の制度である（特例法 9 ）。共通義務確認訴訟と簡易
確定手続とを架橋する手続ということができる。

1　保全開示命令の要件

　保全開示命令の要件は、以下の 2 つの事項について疎明がなされることであ
る（特例法 9 Ⅰ柱書）。 2 つの事項とは、第 1 に、共通義務（特例法 2 ④）の存
在である（特例法 9 Ⅰ①）。第 2 に、「当該文書について、あらかじめ開示がな
されなければその開示が困難となる事情があることである（同②）この 2 つは、
一般の保全処分との対比でみれば、被保全権利（情報開示請求権）と保全の必
要性に対応する（民保13Ⅱ参照）。開示が困難となる事情としては、事業者等に
よる廃棄のおそれなど代表例である[70]。

2　保全開示命令の手続

　共通義務確認訴訟の当事者である特定適格消費者団体は、書面によって（特

70）伊吹健人ほか「消費者裁判手続特例法改正の概要」NBL1224号78頁（2022年）は、文書を
　廃棄しようとする具体的な動向のみならず、事業者等の従前の交渉態度や顧客情報の保有期
　間に関する方針などから、廃棄等の蓋然性が相当程度認められれば足りるとしている。

例規則 5 I ）文書の表示を明らかにして保全開示命令の申立てをなす。その際
には、申立書を事業者等に直送しなければならない（同 II ）。事業者等は、保
全開示命令の申立てについて意見があるときは、意見を記載した書面を裁判所
に提出しなければならない（同 III ）。

　そして、 **1** に述べた疎明があったと認められる場合には、共通義務確認訴訟
が係属する裁判所が当事者である事業者等に対して保全開示命令を発すること
ができる（特例法 9 I 柱書・ II ）。保全開示命令の内容は、相手方たる事業者が
開示義務を負う情報を記載した文書（特例法31（旧28） I ）について、写しの
交付などの方法による開示（同 II ）を命じることである。

　裁判所は、保全開示命令の申立てについて決定をする場合には、事業者等を
審尋しなければならない（特例法 9 III 。審尋の調書作成の要否について特例規則 5
の 2 参照）。保全開示命令の申立てについての決定、すなわち申立却下決定ま
たは保全開示命令に対しては、即時抗告による不服申立てが認められる（特例
法 9 IV ）。

　即時抗告があった場合において、原裁判所が共通義務確認訴訟にかかる事件
の記録を送付する必要がないと認めたときは、原裁判所の裁判所書記官は、抗
告事件の記録のみを抗告裁判所の裁判所書記官に送付すれば足りる（特例規則
5 の 3 I ）。民事訴訟規則205条が準用する同174条 2 項の特則であり、手続を
簡素化するための規律である。ただし、抗告裁判所が共通義務確認訴訟にかか
る事件の記録が必要であると認めたときは，抗告裁判所の裁判所書記官は、速
やかに、その送付を原裁判所の書記官に求めなければならない。適正な判断の
ための資料をうるためである。以上のことを前提として、即時抗告にかかる事
件がなお抗告審に係属中であるときは、共通義務確認訴訟の判決または保全管
理命令の確定している一部についての確定証明書（民訴規48 I ・50 III ）は、共
通義務確認訴訟にかかる事件の記録の存する裁判所の裁判所書記官が交付する
（特例規則 5 の 4 ）。これは、民事訴訟規則50条 3 項および48条 2 項の特則であ
る。

3　保全開示命令の効力

　保全開示命令は、事業者等に特定適格消費者団体に対する文書の開示を命じ

第 8 章　保全開示命令

るものであるが、執行力を有せず（特例法9V）、特定適格消費者団体はそれを
債務名義として事業者等に対する強制執行をすることはできない。それに代え
て、正当な理由なく事業者等が保全開示命令に従わないときは、裁判所が決定
で30万円以下の過料に処する（同Ⅵ）。文書が既に滅失しているなどが正当な
理由の例になろう。過料の決定に対しては、即時抗告が認められる（同Ⅶ）。
過料の決定の執行は、民事訴訟法189条の規定による（同Ⅷ）。

第 9 章　上訴および再審

　共通義務確認訴訟における上訴および再審の手続は、民事訴訟一般の規律に従う。ただし、再審適格に関しては、特例法11条が特則を置いている。また、上訴および再審に関しても、特定適格団体に対する公法上の規律が存在する（特例法84（旧78）Ⅰ③⑦⑬、施行規則17④⑤・18③など）。

　再審の訴えの当事者適格は、確定判決の効力を受け、かつ、その取消しについて不服の利益を有する者であり、共通義務確認訴訟の当事者である特定適格消費者団体および事業者で、判決において全部または一部敗訴している者に原告適格が認められる。さらに、確定判決の既判力が第三者に対して拡張されるときには、第三者による再審の訴えが認められる旨の規定が置かれることがある（一般法人283、会社853、行訴34）[71]。特例法12（旧11）条が、「共通義務確認の訴えが提起された場合において、原告及び被告が共謀して共通義務確認の訴えに係る対象消費者の権利を害する目的をもって判決をさせたときは、他の特定適格消費者団体は、確定した終局判決に対し、再審の訴えをもって、不服を申し立てることができる」と規定するのは、それに沿ったものである。これは、対象消費者の権利に対する詐害目的や、不服の存在を前提としていることから分かるように、共通義務確認訴訟について請求の全部または一部を棄却した確定判決に対して、共謀にもとづく詐害目的が存在することを理由として、再審の訴えを認める趣旨である。

　なお、共通義務確認訴訟の既判力は、他の特定適格消費者団体に加え、届出消費者に対しても拡張されるが、請求の全部棄却判決の場合には、そもそも届出消費者が想定されず（特例法13（旧12）参照）、一部認容・一部棄却判決の場合には、届出消費者が、一部棄却部分について不服を有することが考えられる

71）もっとも、明文の規定が存在しないときであっても、既判力の拡張を受ける第三者は、独立当事者参加の申出をすることによって再審の訴えの原告適格を取得するというのが判例である。新株発行無効の訴えについて、最決平成25年11月21日民集67巻 8 号1686頁参照。

が、共通義務確認訴訟の原告適格が特定適格消費者団体に限られているために（特例法３Ⅰ）、届出消費者が再審の訴えを提起することは許されない。

第 **3** 部

簡易確定手続および異議後の訴訟

　共通義務は、対象消費者の事業者等に対する金銭支払請求権の基礎となるべきものであるから、その存在が確定したときには、共通義務にもとづく対象消費者の具体的権利の存否および内容を行う手続に進むことになる。立法政策としては、その手続の追行資格を権利の帰属主体である対象消費者自身に認め、対象消費者が、確定された共通義務にもとづいて、それぞれの権利の確定のための裁判手続を追行するとの考え方もありえよう。帰属主体が、自らの判断と責任において権利の実現のための手続をとるという原則からみれば、このような考え方が成り立ちうるところであり、また、それを否定すべき理由はない。共通義務の存在を確定する判決の効力は、対象消費者全員に対して及ぶものではないが（特例法10（旧9）参照）、対象消費者としては、確定判決の存在などを事実上援用して、自らの権利実現を図ることができる。

　もっとも、対象消費者の利益のために、被害回復関係業務を適切に実施しなければならないという特定適格消費者団体の責務（特例法81（旧75）Ⅰ）からみれば、共通義務の存在を確定したのみでは、その責務が全うされたものとはいえず、進んで、対象消費者の個別的権利の確定や実現に必要な措置をとることが求められる。法が、共通義務確認訴訟における請求認容判決の確定などによって共通義務の存在が確定したときに、特定適格消費者団体に簡易確定手続の開始申立適格を認め（特例法13（旧12））、更に、開始申立義務までを課すのは（特例法15（旧14））、このような考慮にもとづくものである。

　また、対象消費者の個別的権利の存否および内容を確定するための手続としては、実体法上の権利義務を確定するための手続である民事訴訟を本則とするが、既に権利の基礎となるべき共通義務の存在が確定していることを前提とすれば、より簡易な手続によって権利の存否および内容の第一次的判断を行い、それに対する不服がある場合に訴訟手続による判断を求める途を開けば足りると考えられる。法が、第一次的判断手続として、任意的口頭弁論[1]にもとづく簡易確定手続を設け（特例法14（旧13））、簡易確定決定に対する不服がある場

1）任意的口頭弁論にもとづく裁判は、決定の形式で行われ、口頭弁論が開かれないときは、裁判所は、当事者を審尋することができる（特例法14（旧13）Ⅱ）。審尋の意義については、伊藤・民訴法302頁参照。

合に、第二次的判断手続として、異議申立てにもとづく訴訟の途を開くのは（特例法56（旧52）Ⅰ）、このような判断によるものということができる。

第 1 章　簡易確定手続

　簡易確定手続は、特定適格消費者団体による簡易確定手続開始申立て（特例法15〜19（旧14〜18）、裁判所による簡易確定手続開始決定（特例法20〜25（旧19〜24））、簡易確定手続申立団体（簡易確定手続開始申立てをした特定適格消費者団体を意味する。特例法22（旧21）第 1 かっこ書）等による公告等（特例法26〜32（旧25〜29）、簡易確定手続申立団体による対象債権の届出および対象消費者による授権（特例法33〜39（旧30〜36）・41〜44（旧38〜41）、届出債権についての和解（特例法40（旧37）、相手方による届出債権の認否と債権届出団体による認否を争う旨の申出（特例法45・46（旧42・43））、届出債権の確定等（特例法50（旧47）等）、簡易確定決定（特例法47・48（旧44・45））、簡易確定決定に対する異議の申立て（特例法49（旧46））からなり、これに、通則的規定として、当事者および管轄（特例法13（旧12））、審理の方式としての任意的口頭弁論および審尋（特例法14（旧13）、費用の負担（特例法51・52（旧48・49））、民事訴訟法の準用など（特例法53〜55（旧50・51））が加わる。特例法53（旧50）条によって準用の対象となる民事訴訟法の規定は、裁判所の公正迅速な訴訟運営責務および当事者の信義誠実な訴訟追行義務（民訴 2 ）、管轄に関する職権証拠調べ（民訴14）、管轄違いの場合の取扱い（民訴16）、移送に関する決定に対する即時抗告（民訴21）、移送の裁判の拘束力等（民訴22）、裁判所職員の除斥および忌避（民訴第 1 編第 2 章第 3 節）、当事者（民訴第 1 編第 3 章）[2]、訴訟手続（民訴第 1 編第 5 章）[3]、電子情報処理組織による申立て等（民訴第 1 編第 7 章）、

---

2 ）選定当事者（民訴30）、必要的共同訴訟、補助参加および独立当事者参加などに関する規定（民訴40〜49）、共同訴訟参加（民訴52）、訴訟告知（民訴53）を除く。これは、簡易確定手続申立団体または債権届出団体が手続遂行主体になる手続の性質を考慮したものである。
3 ）ただし、口頭弁論の必要性（民訴87）、専門委員等（民訴第 5 章第 2 節）、訴訟記録の閲覧等（民訴91 I II）、判決の確定時期（民訴116）、外国裁判所の確定判決の効力（民訴118）を除く。これは、簡易確定手続および簡易確定決定の性質を考慮したものである。

訴え（民訴第2編第1章）[4]）、口頭弁論およびその準備（民訴第2編第3章）[5]）、証拠（民訴第2編第4章）[6]）、判決（民訴第2編第5章）[7]）、裁判によらない訴訟の完結（民訴第2編第6章）[8]）、抗告（民訴第3編第3章）、再審（民訴第4編）、執行停止（民訴第8編）[9]）である。

　簡易確定手続における送達は、民事訴訟法第1編第5章第4節の規定にもとづいてなされるが、送達場所の届出（民訴104 I 前段）がない場合には、送達は、以下の場所においてなされる（特例法55（旧51）柱書）。すなわち、共通義務確認訴訟において送達場所の届出があった場合には、当該届出にかかる場所（同①）、届出がなかった場合には、当該共通義務確認訴訟において送達場所の届出をしなかった者に対する規律（民訴104 III）にしたがう（特例法55（旧51）②）。

　なお、簡易確定手続に関する申立て、届出および申出は、特別の定めがある場合を除き、書面でしなければならない（特例規則6）。これは、申立てその他の申述を書面または口頭ですることを認める民事訴訟の一般原則（特例規則35、民訴規1 I）に対する例外を設けるものであり、多数の届出債権にかかる簡易確定手続の特質を考慮し、申立てなどの内容を明確にさせるための規律であ

4）訴え提起の方式（民訴134）、証書真否確認の訴え（民訴134の2）、裁判長による訴状却下命令および即時抗告（民訴137 II III）、訴状の送達（民訴138 I）、口頭弁論の指定（民訴139）、口頭弁論を経ない訴えの却下（民訴140）、訴えの変更や反訴など（民訴143〜146）を除く。これは、決定手続としての簡易確定手続の性質や特例法に特別の定めがあることによるものである。

5）審理の計画が定められている場合の攻撃防御方法の提出期間（民訴156の2）、審理の計画が定められている場合の攻撃防御方法の却下（民訴157の2）、訴状等の陳述の擬制（民訴158）、口頭弁論期日不出頭による擬制自白の成立（民訴159 III）、準備書面に記載されていない事実主張の制限（民訴161 III）、争点および証拠の整理手続（民訴第2編第3章第3節）を除く。これは、必要的口頭弁論の原則が妥当しないこと、簡易迅速な手続構造をとることなどの簡易確定手続の性質を考慮したものである。

6）証拠保全（民訴第2編第4章第7節）を除く。これは、証拠調べの範囲が限定されていること（本書139頁）によるものと考えられる。

7）中間判決（民訴245）、直接主義（民訴249）、判決の発効（民訴250）、言渡期日（民訴251）、言渡しの方式（民訴252）、判決書における事実の記載（民訴253 II）、言渡しの方式の特則（民訴254）、判決書等の送達（民訴255）、訴訟費用の負担の裁判の脱漏（民訴258 II〜IV）、仮執行宣言（民訴259 I II）を除く。これは、特例法に特別の定めがあることによるものである。

8）訴えの取下げ（民訴261〜263）および請求の放棄または認諾（民訴266）を除く。これは、特例法に特別の定めがあることによるものである。

9）仮執行宣言付届出債権支払命令の執行停止は、民事訴訟法403条1項1号または3号の準用によるので、それ以外の執行停止事由に関する規定（民訴403 I ②④〜⑥）は除く。

る[10]。ただし、特別の定めがある場合には、口頭の申立てなども許される（特例規則6）。例として、移送の申立て（特例規則35、民訴規7 I）、簡易確定手続開始申立ての取下げ（特例法19（旧18）II、民訴261III但書）、債権届出の取下げ（特例法43（旧40）II、民訴261III但書）などがある。

　また、簡易確定手続における調書（口頭弁論の調書を除く）は、作成することを要しないとする規律（特例規則7本文）も、このことに関係する。調書は、手続上の事象を記録化し、期日に行われた行為の内容を公証する役割を持つが[11]、口頭弁論が開かれる場合以外の審尋などの期日の内容を常に調書によって記録化するまでの必要は存在せず、かえって、円滑迅速な手続の進行を阻害するおそれもあるとの判断にもとづいて、調書の作成を不要としている。もちろん、重要な手続行為、たとえば、諸種の申立てなどは書面によって行われるし（特例規則6）、裁判長が命じたときは、調書が作成されるから（特例規則7但書）、実際上の支障を生じるおそれはない[12]。

第1節　特定適格消費者団体による簡易確定手続開始申立て

　共通義務の存在が確定したとき、すなわち共通義務確認訴訟における請求を認容する判決が確定し、または請求の認諾もしくは共通義務の存在を認める旨の和解によって共通義務確認訴訟が終了ときは、当事者であった特定適格消費者団体は、当事者であった事業者を相手方として、簡易確定手続開始申立てを行う（特例法13（旧12））。当該特定適格消費者団体の特定認定が失効している場合などは、手続を受け継ぐべきものとして内閣総理大臣が指定した特定適格消費者団体（特例法93（旧87）II本文）が開始申立てを行う（特例法13（旧12）第2かっこ書）。管轄裁判所は、共通義務確認訴訟の第1審の終局判決をした地方裁判所である（特例法13（旧12））。訴訟が請求の認諾または和解によって終

---

10) 申立て、届出および申出の例については、条解特例規則19頁参照。これに対して、簡易確定手続開始申立てについては、特例法17（旧16）条が書面ですることを要求する。

11) 伊藤・民訴法329頁。

12) 調書の記載が命じられるであろう例として、和解（特例法40（旧37））、簡易確定手続開始申立ての取下げ（特例法19（旧18）I）、債権届出の取下げ（特例法43（旧40）I）などが考えられる。条解特例規則21頁参照。

了したときには、その訴訟が係属していた地方裁判所が管轄裁判所となる（同第3かっこ書）。

1　簡易確定手続開始原因

　簡易確定手続の開始原因は、第1に、共通義務確認訴訟における請求認容判決の確定、第2に、共通義務確認訴訟の当事者たる事業者等の請求の認諾、第3に、共通義務確認訴訟の当事者である特定適格消費者団体と事業者との間に成立した、共通義務の存在を認める旨の和解または和解金債権の存在を認める和解である（特例法13（旧12））。第2の請求の認諾と第3の和解とを併せて請求の認諾等という（同第1かっこ書）。

　これらが開始原因とされるのは、共通義務確認訴訟の終了と共通義務または和解金債権の既判力による確定効によるものである。すなわち、確定判決によるのであれ、請求の認諾によるのであれ、また、和解によるのであれ、訴訟物たる共通義務の全部または一部もしくは和解金債権の存在が確定して、共通義務確認訴訟が終了した以上、共通義務にもとづいて成立しうべき対象消費者および和解対象消費者の権利を確定する手続に移行するために、法がこれらの事由を手続開始原因としている。

2　簡易確定手続開始申立権

　簡易確定手続の開始申立権は、共通義務確認訴訟の当事者であった特定適格消費者団体、またはその地位を承継すべきものとして指定された特定適格消費者団体（特例法93（旧87）Ⅱ）に専属し、対象消費者にも、また他の特定適格消費者団体にも申立権は認められない。これは、共通義務確認訴訟の当事者であった特定適格消費者団体またはその指定承継人である特定適格消費者団体が、確定した共通義務にもとづく対象消費者の金銭支払請求権や和解対象消費者の和解金債権を確定する職務を負うことによる。

　当該特定適格消費者団体が、請求認容判決の確定または請求の認諾によって共通義務確認訴訟が終了した時に簡易確定手続開始申立義務を課されるのも（特例法15（旧14）Ⅰ）、このような根拠によるものであるが、正当な理由がある場合には、開始申立義務は免除される。開始申立権が当該特定適格消費者団

体の職務の発現であることを考えれば、ここでいう正当な理由は、対象消費者の権利実現にとって開始申立てが不要であること、たとえば、同一の共通義務確認訴訟を訴訟物とする共通義務確認訴訟が複数団体による共同訴訟として提起または追行され（本書77頁）、そのうちのいずれかの団体が簡易確定手続開始の申立てをし、開始決定がされたようなとき、すなわち申立ての利益が存在しないような場合が考えられる[13]。

　もっとも、後に述べるように、ある事業者の同一の行為に起因する場合であっても、訴訟物としての共通義務の内容たる請求権が区別されるときには、法24（旧23）条の重複申立ての禁止は働かず、また、対象消費者がいずれかを選択する利益も認められるところから、申立義務の免除すべき「正当な理由」は存在しないのが通常であろう。

　更に、令和 4 年改正によって事業者等が消費者に対し金銭支払義務を負うこと（特例法 2 ④）を認める和解が成立し、共通義務確認訴訟が終了した時には、特定適格消費者団体は、正当な理由がある場合を除いて、その義務にかかる対象債権について、簡易確定手続開始の申立てをしなければならないとされた（特例法15（旧14）Ⅱ本文）。義務を具体的に確定するための規定である。

　したがって、当該対象債権のうち、当該和解においてその額または算定方法のいずれかが定められている部分については、申立義務は課されない（特例法15（旧14）Ⅱ但書）。簡易確定手続による必要がないためである。もっとも、当該和解において簡易確定手続開始の申立てをしなければならない旨が定められている部分があれば、申立義務が課される（同かっこ書）。また、和解金債権の存在を認める旨の和解によって共通義務確認訴訟が終了した場合において、和解条項として当該和解金債権の全部または一部について簡易確定手続開始の申立てをしなければならない旨が定められているときは、共通義務確認訴訟の当

---

13) 重ねて申立てをしても、特例法24条によって却下される。一問一答63頁、中山ほか9頁。なお、申立義務に関連して一部申立て、たとえば、共通義務確認判決等で認められた共通義務について、対象消費者の範囲や訴訟物たる権利の範囲を限定した申立ての適否に関する議論がある。申立義務は、特定適格消費者団体の行為規範であるから、一部申立てが手続法上不適法とはいえない。ただし、残部について申立てをしないことについては、正当な理由が求められる。これに対し、超過申立て、すなわち共通義務確認判決で認められた範囲を超える申立ては、少なくともその超過部分に関しては不適法である。以上について中山ほか11頁参照。

事者であった特定適格消費者団体は、正当な理由がある場合を除いて、その定めにかかる和解金債権について簡易確定手続開始の申立てをしなければならない（特例法（旧14）15Ⅲ）。このような場合は例外的ではあろうが、和解金債権のうち具体的債権者や債権額の確定を簡易確定手続に委ねる旨の和解条項を想定したものと考えられる。

3　簡易確定手続開始申立ての手続

　簡易確定手続開始の申立ては、共通義務確認訴訟における請求を認容する判決が確定した日または請求の認諾（和解を含む）によって共通義務確認訴訟が終了した日（指定承継特定適格消費者団体の場合には、指定を受けた日）から4月の不変期間内にしなければならない（特例法16（旧15）Ⅰ）。期間を徒過した申立ては不適法として却下の対象になる（特例法20（旧19）Ⅰ参照）。

　しかし、裁判所は、必要があると認めるときは、簡易確定手続開始申立義務を負う特定適格消費者団体の申立てにより、2月以内の期間を定めて、伸長の決定をすることができる。更に伸長を重ねることもできるが（特例法16（旧15）Ⅱ本文）、通算して8月を超えることはできない（同但書）。伸長申立書の記載事項や添付書面などについては、特例規則10の2の定めがある。

　伸長の決定をしたときは、裁判所は、簡易確定手続開始申立義務を負う特定適格消費者団体および事業者等にその旨を通知しなければならない（特例法16Ⅲ）。令和4年改正前は、申立期間を1月の不変期間とし、その経過後は2週間以内の追完を認めるにとどめていたが、事案の性質を考慮し、期間を延長し、その伸長の可能性を認める趣旨の規定である。

　簡易確定手続開始の申立ては、特例規則11条で定める事項を記載した書面でしなければならない（特例法17（旧16）。書式1-1）また、申立書には、相手方の数と同数の写しを添付しなければならないものとする（特例規則13Ⅰ）。裁判所書記官は、裁判所が直ちに当該申立てを却下する決定をしたときを除き、相手方に対し、その写しを送付しなければならないものとする（同Ⅱ）。その場合には、裁判所は、当事者に対し、届出期間および認否期間についての意見を聴くことができる（同Ⅲ）。なお、申立てにあたっては、手数料の納付（民訴費

別表1の16項イ）および裁判所が定める手続費用の予納を要する[14]。

ア　法定（必要的）記載事項

以下の記載事項は、特例法17条の委任を受けて規則が定めるものであり、その不備は、申立書の補正命令（特例法53（旧50）、民訴137Ⅰ）の対象となり、補正されない場合には、不適法な申立てとして却下することができる[15]。

申立書の記載事項の内容は、以下の通りである（特例規則11Ⅰ①～⑥）。すなわち、①「簡易確定手続開始の申立てをする特定適格消費者団体の名称及び住所並びに代表者の氏名[16]」、②「相手方の氏名又は名称及び住所並びに法定代理人[17]の氏名及び住所」、③「申立ての趣旨」、④「簡易確定手続開始の原因となる事実」、⑤「対象債権等及び対象消費者等の範囲」、⑥「法第16条第2項の決定があるときは、その旨及び伸長された期間」である。このうち、①および②は、簡易確定手続の当事者を特定するための事項であり、③は、簡易確定手続開始決定（特例法20（旧19）Ⅰ）を求める旨の申立てを意味し、④は、共通義務確認訴訟の請求認容判決の確定などの事実（特例法13（旧12）参照）であり、⑤は、簡易確定決定に記載されるべき対象債権および対象消費者の範囲を意味する（特例法21（旧20）参照）[18]。⑥は、簡易確定手続の申立期間の伸長決

---

14) 中山ほか12頁。

15) 特例法53（旧50）条第3かっこ書は、民事訴訟法137条2項および3項を準用の対象から除外しているから、申立書の却下はありえないが、申立ての主体や客体が明らかでない申立ては、不適法といわざるをえない。なお、申立ての書式については、中山ほか51頁参照。

16) 代表者の住所の記載は求めない。特定適格消費者団体の代表者としての資格と氏名によって特定ができると考えられたためである。条解特例規則31頁。ただし、代表者としての資格証明書は必要である（特例規則35、民訴規18・15）。また、任意代理人による申立てについては、その者の氏名および住所の記載が求められる（特例規則35、民訴規2Ⅰ①）。委任状等その権限を明らかにする書面も提出しなければならない（特例規則35、民訴規23Ⅰ）。

17) 相手方が法人またはそれに準じる者であるときは、その代表者について記載しなければならない（特例規則35、民訴規18・2Ⅰ①）。法定代理人または代表者については、資格証明書提出の必要がある（特例規則35、民訴規18・15）。

18) 1つの共通義務確認訴訟において、同一の事業者等にかかる複数の共通義務の存在が確定されているときに、それらが請求の基礎となる消費者契約および財産的被害を同じくするものであるときは、手続の円滑かつ迅速な進行を図るために（特例規則1Ⅰ参照）、特定適格消費者団体において、単純併合に代えて、1つの共通義務にもとづく簡易確定手続開始の申立てをする、または数個の共通義務にもとづく開始の申立てに順位を付すとか、選択的なものとすることが期待される。条解特例規則51頁参照。共通義務確認訴訟の段階における訴訟物の併合（本書52頁）や債権届出に関する規律（特例規則19条。本書126頁）と趣旨を共通にする。

定と伸長期間を意味する。

イ　追加的（任意的）記載事項

更に、規則は、手続を円滑に進めるために、以下の事項の記載を求める（特例規則11Ⅱ）。これらの事項の記載がないことは、直ちに簡易確定手続開始の申立てを却下する理由にはならないが、手続の円滑な進行（特例規則１Ⅰ）や特定適格消費者団体間の連携協力のためには、不可欠な記載である。

具体的には、①「届出期間についての……特定適格消費者団体の意見」、②「特定適格消費者団体又は代理人の郵便番号及び電話番号（ファクシミリの番号を含む。）」、③「法第13条に規定する特定適格消費者団体が２以上あるときは、他の特定適格消費者団体による簡易確定手続開始の申立ての見込み」である。

このうち、①は、簡易確定決定と同時に定めるべき事項の１つとして、特定適格消費者団体（簡易確定手続申立団体）が債権届出をすべき期間、すなわち届出期間を定めなければならないが（特例法22（旧21））、それは、対象消費者の数などと関連するために、特定適格消費者団体の意見を徴する趣旨である。したがって、特定適格消費者団体がその意見を記載するに際しては、届出消費者の数の見込み、知れている対象債権者に対する公告（特例法26（旧25）Ⅰ）および通知（特例法27（旧26）Ⅰ）の方法ならびにこれらに要する期間、相手方による通知の求め（特例法28Ⅰ）をする見込み（特例規則11Ⅲ③）、対象消費者等に関する情報にかかる照会（特例法30）をする見込み（特例規則11Ⅲ④）、情報開示命令の申立て（特例法32（旧29））の見込み（特例規則11Ⅲ⑤）、保全開示命令の申立て（特例法９）を認容する決定があるときは、その旨および開示を受けた文書の表示（特例規則11Ⅲ⑥）を、できる限り明らかにしてしなければならないものとされている（同柱書）。

②は、手続関連事項の連絡などのためであり、③は、共通義務確認訴訟が数

なお、共通義務確認判決の対象債権等および対象消費者等に含まれないものについて簡易確定手続の申立てをすることはできないが、対象債権等または対象消費者等の一部についてのみ申立てをすることができるかという問題もある。特定適格消費者団体が申立義務を負う以上、正当な事由がない限り、このような申立ては許されないと解される。山本243頁。

これに対し、中山ほか11頁は、申立義務と訴訟法上の適法性を区別するという理由から、一部についての申立てを許容し、ただし、正当な事由がない場合には、特定適格消費者団体に対する制裁（特例法119（旧97））が課されるとする。

人の特定適格消費者団体によって追行されたときには、いずれの特定適格消費者団体も簡易確定手続開始申立ての適格を有し、いったん簡易確定手続開始決定がなされた事件については、他の特定適格消費者団体は、重ねて簡易確定手続開始の申立てをすることはできないので（特例法24（旧23））、それに関する情報を裁判所が把握するためである。もちろん、数人の特定適格消費者団体が共同して簡易確定手続開始の申立てをすることは可能である。

ウ　簡易確定手続開始の申立書の添付書面

簡易確定手続開始の申立書には、その基礎となる共通義務の存在を証明し、開始申立ての期間（特例法16（旧15）Ⅰ）の遵守を確認するものとして、共通義務確認訴訟における請求認容判決についての判決書（民事訴訟法254条2項に規定する判決書に代わる調書を含む）の謄本および判決の確定証明書または請求の認諾調書（和解調書を含む）の謄本[19]を添付しなければならない（特例規則12Ⅰ）。簡易確定手続申立期間に関する伸長決定（特例法16（旧15）Ⅱ）があるときは、その旨および伸長された期間を証する文書の添付も必要である（特例規則12Ⅱ）。

エ　届出期間および認否期間についての意見の聴取

簡易確定手続開始の申立てがあった場合には、裁判所は、当事者に対し、届出期間および認否期間についての意見を聴くことができる（特例規則13Ⅲ）。簡易確定手続の開始申立てをする特定適格消費者団体については、申立書に届出期間についての意見の記載が定められているが（特例規則11Ⅱ①）、認否期間は、相手方事業者の負担にかかるものであるので、その意見を聴取し、また、届出期間や認否期間について意見について、さらに他方の当事者からの意見を聴取する必要がありうることを想定したものである[20]。

オ　費用の予納

簡易確定手続開始申立てをするときは、特定適格消費者団体は、簡易確定手

---

19) 謄本は、単なる写しではなく、原本の存在と内容の同一性についての認証のある書面を意味する。特定適格消費者団体が判決書の送達の際に受領した正本を添付することもできる。条解特例規則34頁。

20) 簡易確定手続開始の申立書の写しの送付（特例規則13Ⅱ）の前に、特定適格消費者団体から認否期間についての意見を聴取することも可能である。条解特例規則36頁。具体的には、中山ほか14頁参照。

続開始決定の公告（特例法23（旧22）Ⅰ）および通知（同Ⅱ）に要する費用として裁判所の定める金額を予納しなければならない（特例法18（旧17））。予納費用としては、諸種の費用を勘案すると、数万円程度が想定される[21]。

4　簡易確定手続開始の申立ての取下げ

　民事訴訟手続においては、訴訟物についての処分権主義を根拠として、訴えの取下げは原則として自由とされ（民訴261Ⅰ）、ただ、相手方による本案の応訴行為がなされたときには、相手方の利益を保護するために、その同意をえなければならないとの制限が設けられ（同Ⅱ）、終局判決後の訴えの取下げについては、司法資源の無駄を避けるために、再訴の禁止の規定が置かれているにとどまる（同Ⅲ）。これと比較すると、簡易確定手続開始の申立ての取下げについては、裁判所の許可を要するが（特例法19（旧18）Ⅰ）、相手方である事業者の同意は不要である。また、再度の開始の申立てをすることについても、手続上では特段の制限はない。

ア　裁判所の許可

　特例法19（旧18）条1項は、簡易確定手続開始の申立ての取下げについて裁判所の許可を要する旨を規定する。したがって、裁判所の許可がない限り、取下げはその効力を生じない。これは、簡易確定手続開始の申立ての基礎となる共通義務（特例法13（旧12））が、申立人である特定適格消費者団体の自由な処分に服する権利ではなく（本書33頁）、対象消費者の権利実現の基礎となるべきものであり、申立てをすることが特定適格消費者団体に義務づけられ（特例法15（旧14））、簡易確定決定を経て、特定適格消費者団体が対象消費者の権利を届け出て、確定することが予定されている以上、合理的理由がない申立ての取下げを許すべきではないことによる。

　したがって、合理的理由が認められるときとしては、相手方事業者が破産し、対象消費者の権利が破産手続によって確定されるために、もはや簡易確定手続を進めるべき意味がない場合などに限定されよう[22]。なお、裁判所の判断のた

---

21) 中山ほか12頁参照。
22) 一問一答64頁、山本245頁参照。破産手続開始にともなって、簡易確定手続は中断する。破産法44条1項は、訴訟の中断を規定するが、労働審判などの諸手続も訴訟手続に準じて

めに、特定適格消費者団体は、取下げの理由を明らかにしなければならないものとされる（特例規則14 Ⅰ）。

　取下げは、書面でしなければならないが（特例法19（旧18）Ⅱ、民訴261Ⅲ本文）、口頭弁論等の期日においてする場合には、口頭ですることも妨げない（特例法19（旧18）Ⅱ、民訴261Ⅲ但書）。裁判所が取下げを許可したときは、裁判所書記官は、その旨を当事者[23]に通知しなければならない（特例規則14 Ⅱ）。

　　イ　取下げの終期および効果
　簡易確定手続開始の申立ての取下げがなされると、簡易確定手続は、初めから係属していなかったものとみなされる（特例法19（旧18）Ⅱ、民訴262 Ⅰ）。そ

　　　扱われ（伊藤・破産法・民事再生法450頁注174）、簡易確定手続もそこに含まれるからである。詳細については、島岡大雄ほか編『倒産と訴訟』188頁〔島岡大雄〕（2013年、商事法務）中山ほか36頁参照。そして、特定適格消費者団体が対象消費者の債権を届け出る権限を有するとすれば、届出の上、破産手続による調査・確定手続（破115以下）が行われることになるが、特定適格消費者団体にその権限がないとすれば（一問一答107頁、中山ほか36頁は、特例法71（旧65）条 2 項に規定する特定適格消費者団体の業務に含まれないとする）、簡易確定手続開始申立ての取下げによって手続を終了させる以外にないといわれる。日弁連コンメ262頁。
　　　しかし、事業者の破産が稀な事象ではないとすれば、取下げによる終了とするか、当然終了とするかは別として、破産手続開始とともに簡易確定手続が終了し、以後は、対象消費者が共通義務確認訴訟判決の存在を援用しつつ、自ら破産債権の届出などを行わなければならないとすることは、手続に対する信頼を危うくするおそれがある（法の支配座談会37頁）。少なくとも、対象消費者等による簡易確定手続申立団体に対する授権（特例法34（旧31）Ⅰ。本書121頁）がなされた以降は、簡易確定手続申立団体による破産債権の届出を認め、破産管財人などによる異議が述べられれば、労働審判などの手続と同様に、破産管財人による受継の可能性を検討すべきである（破125 Ⅰ但書・127 Ⅰ・129 Ⅰ Ⅱ参照）。
　　　破産債権の届出や破産管財人を相手方とする簡易確定手続の続行も、被害回復関係業務（特例法71（旧65）Ⅱ①・2 ⑨イ）の延長ということができよう。簡易確定決定がなされた後、異議後の訴訟手続係属中の事業者の破産についても同様である。町村131頁も、債権届出団体による届出消費者の破産債権届出を認める。これに対して後藤ほか36頁・40頁は、特定適格消費者団体の受継を否定しつつ、その訴訟代理人たる弁護士の代理権が届出消費者のために継続するとの考え方を示す。中山ほか36頁以下は、係属中の簡易確定手続が中断し、当然には終了せず、また民事訴訟法132条 1 項との関係で簡易確定手続申立の取下げもできないとする考え方を示しつつ、届出消費者による受継の可否を検討する。詳細については、森純子「消費者裁判手続特例法に基づく手続中の事業者の破産」松川正毅編集代表『木内道祥先生古稀・最高裁判事退官記念論文集・家族と倒産の未来を拓く』668頁（2018年、金融財政事情研究会）参照。
　23）通知は、相手方だけではなく、取下げをした特定適格消費者団体に対してもなされる。特定適格消費者団体も、裁判所の許可があったことを当然には知りえないためである。条解特例規則38頁参照。

のこととの関係で、いつの時点まで開始申立ての取下げが可能かを検討する。訴訟手続の場合には、訴訟が係属する限り、すなわち判決の確定までは取下げが可能であるとされており、取下げの結果として、既になされた終局判決や上訴などの効果も遡及的に消滅する[24]。これと比較すると、破産手続などの倒産手続開始の申立ては、手続開始決定前に限って許される（破29前段、民再32前段、会更23前段）。これは、手続開始決定が効力を生じれば（破30Ⅱ、民再33Ⅱ、会社更生41Ⅱ）、破産管財人などの機関が、すべての利害関係人のために各倒産手続の目的を実現するために活動を開始するのであり、倒産手続開始の申立ては、もはや手続の基礎としての意義を失うと考えられることによる。

　特例法は、簡易確定手続開始の申立ての取下げの終期については、特別の規定を置いていない。倒産手続の場合と異なって、簡易確定手続開始決定がなされた後も、手続の主体は特定適格消費者団体（簡易確定手続申立団体・債権届出団体）であり、債権の届出（特例法30）、簡易確定決定（特例法47（旧44））、異議の申立て（特例法49（旧46））から異議後の訴訟（特例法56（旧52））に至るまでの手続を追行する。しかし、異議後の訴訟に移行したときは（特例法49（旧46）ⅠⅡ・56（旧52）Ⅰ）、簡易確定手続とは異なる手続が開始されたとみなされるから、簡易確定手続開始の申立ての取下げは、もはやその意味を有しないと解される。したがって、それ以前は、取下げが許され、債権届出や簡易確定決定、簡易確定決定に対する異議の申立てなどの効果も遡及的に消滅するが、既に確定した届出債権の内容（特例法45（旧42）ⅢⅣ・50（旧47）Ⅰ）は、取下げによって影響を受けないと考えるべきである。

　また、債権届出にもとづく共通義務確認の訴え提起などについての時効の完成猶予および更新の効果（特例法41（旧38））も、取下げによって届出の効力が消滅することによって生じなかったものとなる。裁判所による官報公告（特例法23（旧22））や簡易確定手続申立団体による公告や通知（特例法26・27（旧25・26））などがなされた後に取下げがなされた場合には、団体が対象消費者に対して、その旨の情報提供をするように努めることが必要といわれるが[25]、債権の届出の前提となる対象消費者等の授権（特例法34（旧31）Ⅱ）に催告と

24）伊藤・民訴法512頁・516頁。
25）一問一答64頁。特例法88（旧82）条を根拠とする。

しての効力が認められるとすれば、取下げ後 6 月以内に、裁判上の請求など民法147条 1 項の所定の措置を講じることによって、時効の完成猶予の効果を実質的に維持することができる[26]。

第 2 節　簡易確定手続開始決定

共通義務確認訴訟の当事者たる特定適格消費者団体以外の者による申立てであること、共通義務の存在を認める請求認容確定判決などの不存在、予納費用の不納付などの理由によって簡易確定手続開始申立てを不適法として却下する場合[27] を除いて、裁判所は、簡易確定手続開始決定をなす（特例法20（旧19）Ⅰ。書式1-3）。決定は、対象債権等および対象消費者等の範囲を記載した書面でなされる（特例法21（旧20））[28]。開始決定は、決定の形式でなされる裁判であるから、相当と認める方法で告知することによって、その効力を生じる（特例法53（旧50）、民訴119）。したがって、発効時は、口頭弁論において開始決定が言い渡されたときは言渡し時、審尋期日において告知されたときは告知時になる。また、言渡しや告知がなされないときには、決定書が特定適格消費者団体に対して発送された時に、開始決定の効力が生じる。

1　同時処分

裁判所が開始決定と同時になさなければならない処分を、同時処分と呼ぶ。同時処分としては、簡易確定手続申立団体が債権届出をすべき期間（届出期間）、およびその債権届出に対して相手方たる事業者が認否をすべき期間（認否期間）を定める（特例法22（旧21））。届出期間について法は、特段の定めを置いていないが、裁判所は、当事者の意見を聴いて（特例規則11Ⅱ①・13Ⅲ）、

---

26) 山本245頁参照。民法平成29年改正前の裁判上の催告については、最判平成25年 6 月 6 日民集67巻 5 号1208頁参照。

27) 簡易確定手続開始申立てを却下する決定についても、決定書を作成しなければならない（特例規則15）。却下決定に対しても即時抗告（特例法20（旧19）Ⅱ）が許されることとの関係がある。条解特例規則39頁参照。

28) 決定書には、対象債権と対象消費者の範囲を特定し、簡易確定手続を開始する旨を記すことになる。

予想される届出消費者数の見込み（特例規則11Ⅲ①）などを考慮し、届出の機会を保障するに足る合理的な期間を定めることになろう。認否期間についても、同様である。

2　付随処分

以下の事項は、裁判所が簡易確定決定に付随して行う措置として、付随処分と呼ばれる。

ア　公告および通知

裁判所は、簡易確定手続開始決定をしたときは、直ちに、官報に掲載して以下の事項を公告しなければならない（特例法23（旧22）Ⅰ柱書）[29]。公告の対象となる事項は、簡易確定手続開始決定の主文（同①）、共通義務確認訴訟において共通義務が認められたときは対象債権および対象消費者の範囲、和解金債権の存在を認める和解が成立したときは和解金債権に関する事項（同②）、簡易確定手続申立団体（簡易確定手続開始の申立てをした特定適格消費者団体）の名称および住所（同③）、届出期間および認否期間（同④）である。これに加えて、裁判所は、簡易確定手続申立団体および相手方たる事業者に対してこれらの事項を通知しなければならない（同Ⅱ）。

イ　届出期間または認否期間の伸長

裁判所は、必要があると認めるときは、申立てによりまたは職権で、届出期間または認否期間の伸長の決定をすることができる（特例法25（旧24）Ⅰ）。届出期間と認否期間の双方を伸長することも可能である。必要があると認めるときの代表例は、予想される届出消費者の数が多数に上る場合であろう。伸長の期間も、それに応じて判断されることになる。届出期間または伸長期間の伸長の決定をしたときは、裁判所は、簡易確定手続申立団体および相手方事業者に対し、その旨を通知し（同Ⅱ）、また官報に公告しなければならない（同Ⅲ）。

---

29) 公告に関する事務は、裁判所書記官が取り扱う（特例規則10）。届出期間または認否期間の伸長の決定の公告（特例法25（旧24）Ⅲ）についても同様である。公告に関する事務とは、公告すべき事項を記載した原稿の作成、官報の掲載依頼などである。条解特例規則25頁。具体的には、中山ほか15頁参照。

3　周知のための措置等

　簡易確定手続開始決定がなされたことを対象消費者などに認識させ、以後の簡易確定手続を円滑に進めるための措置としては、ア　簡易確定手続申立団体による公告等（特例法26（旧25））、イ　簡易確定手続申立団体による通知（特例法27（旧26））、ウ　相手方による通知（特例法28）、エ　相手方による公表（特例法29（旧27））の 4 つがあり、また、周知のための措置を担保する規律として、オ　対象消費者等に関する情報にかかる相手方の回答義務（特例法30）、カ　相手方の情報開示義務（特例法31（旧28））、キ　情報開示命令等（特例法32（旧29））がある[30]。

ア　簡易確定手続申立団体による公告等（特例法26（旧25））

　簡易確定手続申立団体は、正当な理由（ガイドライン 4 ⑷ア参照）がある場合を除き、届出期間の末日の 1 月前までに、上記の事項（ガイドライン 4 ⑷ウ参照）を相当な方法により公告しなければならない（特例法26（旧25）Ⅰ）。

　簡易確定手続申立団体は、正当な理由がある場合には、公告の義務を免除される（特例法26（旧25）Ⅰ柱書）。ここでいう正当な理由については、事業者等の破産など、対象債権等の確定について別途の手続が予定され、簡易確定手続を用いて対象債権等を確定する意味が失われた場合や、相手方による公表（特例法29（旧27））がなされ、周知が図られたことなどが考えられる。

①　公告の対象事項

　公告の対象事項は、第 1 に、被害回復裁判手続の概要（特例法26（旧25）Ⅰ①）、第 2 に、被害回復裁判手続の事案の内容（同②）、第 3 に、共通義務確認訴訟の確定判決の内容（請求の認諾、共通義務の存在を認める旨の和解または和解金債権の存在を認める旨の和解がされた場合には、その内容）（同③）、第 4 に、共通義務確認訴訟において共通義務が認められた場合には、その義務にかかる対象債権および対象消費者の範囲（同④）、第 5 に、共通義務確認訴訟において和解金債権の存在を認める和解をした場合には、和解の目的となる権利または

---

30) 令和 4 年改正前は、通知を第 1 次的周知方法とし（改正前特例法25）、公告を第 2 次的周知方法としていたが（改正前特例法26）、改正後は、これを入れ替えている。周知機能の重視および簡易確定手続申立団体の負担軽減を目的とするものと理解できる。

法律関係の範囲（特例法11Ⅱ①）および和解対象消費者の範囲（同③）である（特例法26（旧25）Ⅰ⑤）。

　第6に、共通義務確認訴訟における和解において対象債権等の額または算定方法が定められた場合には、その額または算定方法（特例法26Ⅰ（旧25）⑥）、第7に、簡易確定手続申立団体の名称および住所（同⑦）、第8に、簡易確定手続申立団体の連絡先（同⑧）、第9に、簡易確定手続申立団体が支払いを受ける報酬や費用がある場合には、その額や算定方法など（同⑨）、第10に、対象消費者等（対象消費者および和解対象消費者）が簡易確定手続申立団体に対して授権（特例法34（旧31）Ⅰ）をする方法（特例法26Ⅰ⑩）、第11に、授権をする期間（同⑪）、第12に、その他内閣府令で定める事項（同⑫）である。

　　②　公告対象事項の変更

　公告後、届出期間中に簡易確定手続申立団体の名称および住所（特例法26（旧25）Ⅰ⑦）に変更があったときには、当該変更にかかる簡易確定手続申立団体は、遅滞なく、その旨を、相当な方法（ガイドライン4⑷イ参照）により公告するとともに、裁判所および相手方に書面によって通知しなければならない（同Ⅱ前段、特例規則16）。この場合において、当該通知を受けた裁判所は、直ちに、官報に掲載してその旨を公告しなければならない（特例法26（旧25）Ⅱ後段）。知れている対象消費者に対する通知までは要求されていないが、実際には、通知が望まれることが多いと思われる。

　また、公告後、簡易確定手続申立団体の連絡先（特例法26（旧25）Ⅰ⑧）、簡易確定手続申立団体が支払いを受ける報酬や費用（同⑨）、対象消費者等の授権の方法（同⑩）、授権の期間（同⑪）、その他内閣府令で定める事項（同⑫）に変更があったときは、その変更に関わる簡易確定手続申立団体は、遅滞なく、その旨を相当な方法により公告しなければならない（同Ⅲ）。対象消費者に対する変更事項の周知を図る趣旨であり、通知が望まれることも、上の場合と同様である。ただし、当初の公告と異なって、インターネットなどを利用した対象消費者等が知りうる相当な方法によればたり、官報への掲載は不要である。

　　イ　簡易確定手続申立団体による通知

　公告は、すべての対象消費者に対する周知の方法であるのに対し、通知は、知れている対象消費者に対する周知の手段である。簡易確定手続開始決定がさ

れたときは、簡易確定手続申立団体は、正当な理由がある場合を除き、届出期間の末日の1月前までに知れている対象消費者等にたいし、アの公告事項を書面または電磁的方法（施行規則3の2）によって通知しなければならない（特例法27（旧26）Ⅰ）。正当な理由がある場合の意義は、公告について述べたのと同様であるが、相手方事業者による通知（特例法28）が十分になされたと認められるときも、これに含まれよう。

　ただし、同様の内容の事項が相手方による通知（特例法28Ⅰ）としてなされている対象消費者等は、通知をする必要はない（同第1かっこ書）。重複する通知は無意味であり、簡易確定手続申立団体に無用の負担を課す結果になるためである。

　通知の相手方は、簡易確定手続申立団体に知れている対象消費者等であり、それは、氏名および通知を送付すべき住所または電子メールアドレス等の連絡先が通知の時点で簡易確定手続申立団体に判明している者を意味する[31]。

　また、通知の内容についても、既に公告を行っているときには、その旨、公告の方法、その他内閣府令で定める事項（施行規則3の3Ⅱ）を記載すれば足り、被害回復裁判手続の概要（特例法26（旧25）Ⅰ①）、共通義務確認訴訟の確定判決の内容（同③）、和解にもとづく対象債権の額等（同⑥）、簡易確定手続申立団体の報酬等（同⑨）、対象消費者等による授権の方法（同⑩）、その他内閣府令で定める事項（同⑫）を記載する必要はない（特例法27（旧26）Ⅱ）。通知の内容を簡素化し、簡易確定手続申立団体の負担を軽減する趣旨である。

　なお、公告および通知に要する費用は、その主体である簡易確定手続申立団体が負担するが、債権届出を授権し、簡易確定手続に加入した届出消費者から支払いを受けることができる[32]。

---

31) 一問一答69頁。ガイドライン4(5)イでは、知れている対象消費者の該当性について、共通義務確認訴訟の判決で示された対象消費者に該当する者であると合理的に認められること、および通知をするために必要な事実が判明していることがあげられる。通知の方法については、ガイドライン4(5)ウ参。

32) 一問一答71頁。なお、事業者の負担にすべきであるとの立法論も有力であるが（日弁連コンメ165頁、町村165頁など）、共通義務が確認されたことをもって対象消費者の個別的権利実現のための費用を事業者に負担させることの根拠とすべきかを検討する必要があろう。

ウ　相手方による通知（特例法28）

相手方による通知は、相手方通知と呼ばれるが（特例法27（旧26）Ⅰ第1かっこ書）、対象消費者に関する情報については、相手方事業者等が把握していることが通例であることを考慮し、周知の実効性を確保し、簡易確定手続申立団体の負担を軽減することを目的として、令和4年改正が新設した制度である。簡易確定手続の相手方である事業者等（特例法13（旧12））は、簡易確定手続申立団体の求めがあるときは、届出期間の末日の2月以上前の日であって内閣府令で定める日（施行規則3の4Ⅱ）までに、その求めにかかる知れている対象消費者等に対し、以下の事項を書面または電磁的方法であって内閣府令（施行規則3の5）で定めるものにより通知しなければならない（特例法28Ⅰ柱書）。ただし、簡易確定手続申立団体の求めは、相手方通知のため通常必要な期間を考慮し内閣府令で定める日（施行規則3の4Ⅰ）までにされたものに限る（同かっこ書）。

①　相手方通知の対象事項

相手方通知の対象事項は、簡易確定手続申立団体による公告事項（特例法26（旧25）Ⅰ各号）とほぼ対応するが、以下の通りである（特例法28Ⅰ各号）。

被害回復裁判手続の事案の内容（特例法28Ⅰ①）、共通義務にかかる対象債権および対象消費者の範囲（同②）、和解金債権にかかる対象権利等および和解対象消費者の範囲（同③）、簡易確定手続申立団体の名称等（同④）、対象消費者等の簡易確定手続申立団体に対する授権の期間（同⑤）、簡易確定手続申立団体が公告を行っている旨（同⑥）、その公告の方法（同⑦）、相手方の氏名または名称、住所および連絡先（同⑧）、その他内閣府令で定める事項（同⑨。施行規則3の6Ⅰ）である。

②　相手方通知の手続

簡易確定手続申立団体は、相手方に対し、相手方通知の求めをするときは、自らの連絡先、授権の期間などの他に、内閣府令で定める事項（施行規則3の6Ⅱ）を通知しなければならない（特例法28Ⅱ）。

相手方通知をした相手方は、通知をした時から1週間以内に、通知の求めをした簡易確定手続申立団体に対し、相手方通知をした対象消費者等の氏名および住所または連絡先、相手方通知をした日、その他内閣府令で定める事項（施

行規則3の6Ⅲ）を通知しなければならない（同）。

エ　相手方による公表

　相手方は、簡易確定手続申立団体の求めがあるときは、遅滞なく、インターネットの利用、営業所その他の場所において公衆に見やすいように掲示する方法その他これに類する方法により、届出期間中、相手方通知の対象事項と同一の事項を公表しなければならない（特例法29（旧27）Ⅰ・28Ⅰ各号）。簡易確定手続申立団体の名称および住所、授権の期間、相手方の氏名または名称、住所および連絡先などについては、その変更も公表義務の対象となる（特例法29（旧27）Ⅰかっこ書）。

　相手方による公表を求めるためには、簡易確定手続申立団体は、自らの名称や住所、授権の期間などを通知しなければならない（特例法29（旧27）Ⅱ前段）。これらの事項について変更があったときは、簡易確定手続申立団体は、遅滞なく、その旨を相手方に通知しなければならない（同後段）。

　対象消費者に対する周知は、簡易確定手続申立団体による債権届出の前提となる授権の機会を与えるためのものであるから、授権を受けるべき簡易確定手続申立団体によってなされるべきであるが、一方で、簡易確定手続申立団体が把握している対象消費者に関する情報の範囲には、限界があり、他方で、対象消費者にとっては、消費者契約を締結した相手方である事業者と密接な関係があることが多い。そして、共通義務確認訴訟の結果として、共通義務の存在が確定されていることを前提とすれば、相手方事業者に対して対象消費者への周知について一定の負担を引き受けさせても、不合理なものとはいえない。

　立法者が、相手方事業者に対して上記の公表義務を課したのは、このような考慮もとづくものである。この義務は公法上のものであり、その不履行について直接の制裁はないが、不履行によって簡易確定手続申立団体の債権届出について支障を生じたことが明らかであれば、損害賠償義務の発生可能性が考えられる。

　公表義務は、簡易確定手続申立団体の求めにもとづいて発生し、公表すべき事項は法定されているが、どのような場所において、どのような方法で公表するかは、公衆に見やすいという基準に照らして相手方の判断に委ねられる[33]。

---

33) インターネットのウェブサイトの掲示、事業所における印刷物の掲示や備え置きなどが考えられる。一問一答74頁、山本ほか・座談会（下）16頁。公表の方法、公表の内容および

4　相手方による情報提供

　簡易確定手続が消費者被害回復のために適正に機能するためには、対象消費者等について簡易確定手続申立団体が十分な情報を取得することが不可欠である。それを担保するためのものとして法は、以下の 3 つの規定を設けている。なお、これらは簡易確定手続段階のものであるが、共通義務確認訴訟段階のものとしては、保全開示命令（特例法 9。本書87頁）がある。

ア　対象消費者等に関する情報にかかる相手方の回答義務

　相手方は、簡易確定手続申立団体から以下の事項について照会があるときは、その照会があった時から 1 週間以内に、その簡易確定手続申立団体に対し、書面または電磁的方法であって内閣府令（施行規則 3 の 7 ）で定めるものにより回答しなければならない（特例法30）。この回答義務は、私法上の義務ではなく、公法上の義務と考えられる。

　照会事項は、対象消費者等の数の見込み（特例法30①）、知れている対象消費者の数（同②）、相手方通知をする時期の見込み（同③）、その他内閣府令で定める事項（同④。施行規則 3 の 8 ）の 4 種である。

イ　情報開示義務

　相手方は、対象消費者等の氏名および住所または連絡先（施行規則 4 ）が記載された文書を所持する場合において、届出期間中に簡易確定手続申立団体の求めがあるときは、当該文書を当該簡易確定手続申立団体に開示することを拒むことができない（特例法31（旧28）Ⅰ本文）。ここでいう文書は、電磁的記録を含む（同第 2 かっこ書）。

　相手方の公表義務について述べたのと同様に、対象消費者に関する情報は、取引の相手方である事業者が把握している場合が多いことを考慮し、それが記載された文書の開示義務を課したものである。開示義務の理論的根拠は、共通義務確認訴訟の結果として、共通義務の存在が確定されており、相手方は、共通義務にもとづく対象消費者の金銭支払請求権の存否および内容の確定について協力すべき義務を負っていることに求められる。

公表すべき期間について、留意事項参照。

① 開示対象文書の範囲

開示義務の対象となるのは、対象消費者の氏名および住所または連絡先（施行規則4）が記載された文書である。一体としての文書の中に、それ以外の情報が記載されていることは、開示義務を否定する根拠とはならないが、開示にあたって、それ以外の情報を消去することは許される（特例法31（旧28）Ⅱ後段）。なお、連絡先の開示を受けた簡易確定手続申立団体は、知れている対象消費者に対して通知（特例法27（旧26）Ⅰ）をする必要がある（ガイドライン4(6)）。

相手方たる事業者にとって、顧客の個人情報は、営業秘密（不正競争2Ⅵ）にあたることが多いと思われるが、そのことは、開示義務を免除する理由とはならない。この点が民事訴訟法上の文書提出義務の場合と異なる[34]。また、対象消費者にとっても、その氏名や住所などは、個人情報に属するが（個人情報2Ⅰ）、開示義務は「法令に基づく場合」（同16Ⅲ①）にあたるので、開示についてあらかじめ本人の同意をうる必要はない。

② 開示義務の除外事由

相手方が開示すべき文書の範囲を特定するために不相当な費用または時間を要するときは、開示義務を負わない（特例法31（旧28）Ⅰ但書）。相手方の開示義務は、対象消費者の氏名および住所などが顧客名簿などの形で管理されていることを想定しているが、その種の文書が存在せず、相手方が改めて調査や整理を行わなければならず、かつ、それに要する費用または時間が相手方に不相当な負担を生じさせることが、除外事由とされる趣旨である。民事訴訟法上の文書提出命令の申立ての場合（民訴221Ⅰ）と異なって、開示の対象となるべき文書を特定していなくともよいことが、不相当な負担の発生を除外事由とすることの背景にある。

問題は、不相当性の判断基準であるが、相手方の事業規模や内容を勘案して、単なる不都合を超えて、事業の遂行に支障を来すかどうかなどが考えられる。もっとも、既に共通義務の存在が確認されている以上、多少の負担を生じることは受忍しなければならないが、具体的には、次に述べる情報開示命令の手続

---

34) 文書提出義務と営業秘密との関係については、伊藤・民訴法438頁・480頁参照。

の中で判断されることになる。なお、相手方は、求められた文書の開示をしないときは、簡易確定手続申立団体に対し、速やかに、その旨およびその理由を書面により通知しなければならない（特例法31（旧28）Ⅲ）。

　③　開示の方法

　文書の開示は、その写しの交付（電磁的記録については、それを出力した書面の交付または電磁的方法による提供であって施行規則5条で定める方法）により行う。この場合において、相手方は、個人の氏名および住所または連絡先が記載された部分以外の部分を除いて開示することができる（特例法31（旧28）Ⅱ）。もちろん、対象消費者でないことが明らかな者については、開示の必要はない（同第2かっこ書参照）。

　ウ　情報開示命令

　開示義務を負う文書について相手方が任意に開示を行い、簡易確定手続申立団体がそれに満足すれば、更に手続を要することはない。しかし、相手方が文書の開示を拒絶したり、また、開示された文書の範囲が簡易確定手続申立団体にとって満足すべきものでなかったときには、そこに紛争が発生し、裁判所の判断が求められる。情報開示命令は、そのための手続である。

　簡易確定手続申立団体は、届出期間（特例法23（旧22）Ⅰ④。本書109頁）中、裁判所に対し、情報開示命令の申立てをすることができる（特例法32（旧29）Ⅰ。書式1-5）。申立ての趣旨は、開示義務を負う文書（特例法31（旧28）Ⅰ）について、法定の方法（同Ⅱ）による開示を相手方に命じる旨の決定を求めるものである（特例法32（旧29）Ⅰかっこ書）。

　①　文書の表示

　情報開示命令の申立ては、文書の表示を明らかにしてしなければならない（特例法32（旧29）Ⅱ）。ここでいう文書の表示とは、民事訴訟法221条1項1号にいう文書の表示と同義であり、表題、作成日時、作成者を意味する。民事訴訟法上の文書提出命令の場合には、文書の表示は、文書の趣旨すなわち文書の内容と相まって文書を特定する要素である。これに対して、情報開示命令の場合には、文書の内容は、対象消費者の氏名および住所または連絡先が記載されたものとして定まっているので（特例法31（旧28）Ⅰ本文）、表示のみで文書を特定することができる。

　しかし、表題については、顧客名簿という属性的表示で足りるとしても、作成日時や作成者については、簡易確定手続申立団体の側が厳密な特定をすることは著しく困難と思われるので、民事訴訟法222条を類推適用して、簡易確定手続申立団体の申出にもとづいて裁判所が、特定のための事項を明らかにするように相手方に求めることができるとするか、たとえば、作成日時については、「現在までに作成されたもの」、作成者については、「相手方の作成にかかるもの」という程度の概括的特定で足りるとすべきであろう。

　②　情報開示命令発令の要件

　裁判所は、情報開示命令の申立てを理由があると認めるときは、情報開示命令を発する（特例法32（旧29）Ⅲ）。申立ての対象である文書の表示が明らかにされていることを前提とすれば、申立てに理由がないとされるのは、開示すべき文書の範囲を特定するために相手方に不相当な費用または時間を要するときである（特例法31（旧28）Ⅰ但書）。それ以外の事由、顧客名簿が相手方の営業秘密に属すること（民訴220④ハ参照）、対象消費者の氏名などが個人情報保護法の対象であること、あるいは顧客名簿が自己利用文書（民訴220④ニ）にあたることなどは、情報開示命令を発することの妨げとはならない。

　③　情報開示命令についての審理手続

　簡易確定手続申立団体は、情報開示命令の申立書について相手方に直送しなければならない（特例規則17Ⅰ）[35]。相手方は、情報開示命令の申立てについて意見があるときは、意見を記載した書面を裁判所に提出しなければならない（同Ⅱ）[36]。その際に、文書を開示しない理由を相手方が書面によって簡易確定手続申立団体に通知しているときには（特例法31（旧28）Ⅲ）、その書面の写しを添付しなければならない（特例規則17Ⅲ）。これらは、開示義務をめぐる争いの内容を裁判所があらかじめ把握し、適切な審尋を行うための措置である。

　裁判所は、申立てを却下するか、情報開示を命じるか、いずれかの決定をするが、決定をする場合には、相手方を審尋しなければならない（特例法32（旧

---

35)　直送の方法等は、民事訴訟規則47条の定めるところによる（特例規則35）。直送を困難とする事由その他相当とする事由があるときは、申立書の相手方への送付を裁判所書記官に行わせるよう申し出ることができる（特例規則35、民訴規47Ⅳ）。条解特例規則43頁参照。

36)　簡易確定手続申立団体にも直送する（特例規則35、民訴規83）。

29）Ⅳ）。相手方にとっての手続保障を図る趣旨であり、審尋（民訴87Ⅱ参照）は、口頭または書面で相手方に陳述の機会を与えることを意味する。

　情報開示命令の申立却下決定または情報開示命令のいずれに対しても即時抗告が認められる（特例法32（旧29）Ⅴ）。即時抗告期間は、裁判の告知を受けた日から1週間である（民訴332）。即時抗告についての高等裁判所の決定に対しては、許可抗告が認められる（民訴337Ⅰ）。

　④　情報開示命令の不服従に対する制裁

　情報開示命令（書式1-6）は、相手方に対して表示された文書の開示を命じるものであるが、債務名義（民執22③）としての執行力を有しない（特例法32（旧29）Ⅵ）。したがって、簡易確定手続申立団体は、情報開示命令にもとづいて間接強制（民執172Ⅰ）の申立てをすることはできないが、法は、情報開示命令の実効性を確保するために、正当な理由のない相手方の不服従に対しては、30万円以下の過料の制裁を課すこととしている（特例法32（旧29）Ⅶ）。正当な理由としては、火災などの不可抗力によって対象文書が消失した場合などが考えられるが[37]、開示を拒絶できる事由が存在しないとして、既に情報開示命令が発せられている以上、不服従について正当な理由が認められるのは、上記のような例外的な場合にとどまる。

　過料の決定に対しては、即時抗告が認められるが（特例法32（旧29）Ⅷ）、確定すれば、検察官の命令で執行する（同Ⅸ、民訴189）。

　なお、情報開示命令は、相手方事業者に対して私法上の義務を課すものではないので、その不服従は、特定適格消費者団体や対象消費者に対する損害賠償義務の発生根拠とはならない。

第3節　対象債権等の確定

　簡易確定手続開始決定にかかる対象債権等は、簡易確定手続によって確定されるが、その手続は、⑴簡易確定手続申立団体による届出（特例法33（旧30）・37〜43（旧34〜40））、⑵裁判所書記官による届出消費者表の作成（特例法44

37）一問一答77頁、山本270頁。

(旧41))、(3)相手方による認否（特例法45（旧42））、(4)債権届出団体による認否を争う旨の申出（特例法46（旧43））、(5)簡易確定決定（特例法47・48（旧44・45））、(6)簡易確定決定に対する異議の申立て（特例法49（旧46））からなり、異議の申立てがされたときには、第4節の異議後の訴訟手続（特例法56（旧52）以下）に移行する。また、簡易確定手続申立団体による届出については、対象消費者等の授権（特例法34〜36（旧31〜33））が必要とされ、認否を争う旨の申出については、それがない場合の届出債権についての確定効（特例法50（旧47））が生じる。

1　対象債権等の届出および対象消費者等による授権

　本書第2部において述べたように、対象債権等の基礎となるべき共通義務については、特定適格消費者団体に法定の当事者適格が認められるが、対象債権等自体は対象消費者等に帰属するものであり、簡易確定手続申立団体に当事者適格を認めるためには、別個の法的根拠を必要とする。第1部において説明したとおり、その法的根拠としては、法律の規定による法定手続担当または対象債権者等の授権にもとづく任意的手続担当の2つが考えられるが、特例法は、後者を採用し（特例法34（旧31）I）、その上で簡易確定手続申立団体に対象消費者との授権契約の締結を義務づけている（特例法36（旧33））。本書では、これを義務づけられた任意的手続担当[38]と呼ぶこととする。

ア　簡易確定手続についての授権

　簡易確定手続申立団体は、対象債権等について債権届出をし、および当該対象債権等ついて簡易確定手続を追行するには、当該対象債権等にかかる対象消費者等の授権がなければならない（特例法34（旧31）I。書式2-3）。授権は書面で証明しなければならない（特例規則20 I）。手続の安定性を確保するための規律である[39]。

38）用語は別にして、任意的手続担当という理解には、一致がみられる。三木615頁、山本276頁、町村112頁。上原36頁も、債権届出団体の地位を任意的手続担当とした上で、対象消費者は、簡易確定手続を要するためには、簡易確定手続申立団体に授権する以外になく、その意味では、完全に任意とはいえないとする。山本276頁が、強制的な任意的訴訟担当とするのも同様の趣旨である。これに対して愚見は、担当者となる簡易確定手続申立団体の側に着目して、義務づけられた任意的手続担当としている。

39）民事訴訟手続における法定代理権や選定当事者の選定に関する民事訴訟規則15条と同趣旨

　ここでいう対象債権等と対象消費者等の範囲は、簡易確定決定によって定まるが（特例法21（旧20））、共通義務確認訴訟の当事者であり、簡易確定手続開始申立てをした特定適格消費者団体が複数存在するときには、いずれもが簡易確定手続申立団体となるが（本書99頁参照）、対象消費者等は、簡易確定手続申立団体のうちから1つの簡易確定手続申立団体に限って授権をすることができる（特例法34（旧31）Ⅱ）。そこで、簡易確定手続申立団体は、授権をうるにあたっては、当該授権をしようとする対象消費者等に対し、他の簡易確定手続申立団体に対する授権の有無を確認しなければならない（特例規則20Ⅱ）。二重の授権にもとづく債権届出は不適法になるので（特例法34（旧31）Ⅱ参照）、そのような事態の発生を防ぐためである[40]。

　なお、授権に先立って、簡易確定手続申立団体は、授権をしようとする対象消費者に対し、施行規則6条および6条の2で定めるところにより、被害回復裁判手続の概要および事案の内容その他内閣府令で定める事項（施行規則7）について、これを記載した書面を交付し、またはこれを記録した電磁的記録を提供して説明をしなければならない（特例法35（旧32）。ガイドライン4(7)参照）。対象消費者等が、自らの権利実現を委ねるべき簡易確定手続申立団体かどうかの判断をするための資料を提供し、次に説明する簡易確定手続授権契約を締結するための事前情報開示の措置である。

①　簡易確定手続授権契約

　ここでいう授権とは、簡易確定手続授権契約、すなわち対象債権等についての届出をすること、および簡易確定手続を追行することを対象消費者等が簡易確定手続申立団体に委任し、簡易確定手続申立団体がこれを受任する契約を意味する（特例法36（旧33）Ⅰかっこ書）。

　受任した簡易確定手続申立団体は、自らの名において対象消費者等のために債権届出などの行為をなすから、その地位は、任意的手続担当者というべきものである。加えて、簡易確定手続申立団体は、やむをえない理由があるときを

であり、簡易確定手続申立団体の特定認定が取り消された場合に手続を受け継ぐべき特定適格消費者団体に対する授権（特例法34（旧31）Ⅶ）についても、この規律を適用する。条解特例規則53頁参照。
40）条解特例規則53頁参照。

除いては、簡易確定手続授権契約の締結を拒絶してはならず（特例法36（旧33）Ⅰ）、また、やむをえない理由があるときを除いては、簡易確定手続授権契約を解除してはならない（同Ⅱ）。本書が、簡易確定手続申立団体の地位を義務づけられた任意的手続担当者と呼ぶのは、これを根拠としている[41]。

　したがって、ここでいうやむをえない理由とは、授権契約締結の目的である簡易確定手続申立団体による債権届出を不可能または困難にする事由を意味し、対象消費者等や対象債権等に該当するかどうかという実体的判断とは関わりがない。例としては、授権を証するのに必要な書類を提出しないとか、簡易確定手続申立団体が定めた費用等の負担を拒否するとか、授権をする期間（特例法26（旧25）Ⅰ11）を徒過したことなどが考えられる[42]。

　なお、簡易確定手続申立団体が授権契約を解除したときは、その旨を裁判所に届け出なければならない（特例規則21）。解除によって授権を欠く状態となり、債権届出の取下げがあったものとみなされることから（特例法34（旧31）Ⅵ）、手続の安定性を確保するための規律である。

41）義務づけの根拠は、審理の効率化や相手方事業者の負担軽減の観点から、簡易確定手続における債権届出の資格を簡易確定手続申立団体のみに認め、権利の主体である対象消費者に認めないことにある。一問一答91頁参照。なお、授権契約の法的性質は委任契約であり、委任者たる届出債権者が死亡すれば、終了するのが原則であるが（民653①）、委任契約の特則として授権の効力が失われないとの合意が含まれると解されれば、簡易確定手続申立団体は、承継人のために手続を続行することになる。後藤ほか36頁参照。

　また、当初から承継人による授権を許すべきであるかどうかという問題があり、対象消費者の権利を簡易確定手続申立団体が届け出て、確定を求める手続の趣旨に即して考えれば、相続人や対象消費者の破産管財人はもちろん、特定承継人を一律に排斥する必要はないが、業として譲り受けている個人や法人は授権主体となりえないと解すべきであろう。中山ほか23頁参照。

42）一問一答92頁、山本279頁。もっとも、期間の徒過については、その程度に応じて柔軟に対応すべきであろう。ガイドライン4(8)アでは、「やむを得ない理由」の具体的内容について、本文に述べる理由のほかに、簡易確定手続申立団体の申立てにより仮差押えの執行が先行している財産について、簡易確定手続申立団体が強制執行や配当要求をするときに、「当該簡易確定手続申立団体が取得した債務名義及び取得することとなる債務名義に係る届出債権を平等に取り扱わなければならないことについて、授権をする者が了解しない場合」などがあげられている。このような取扱いが問題となる場面については、本書200頁参照。

　なお、町村113頁では、対象消費者が主張する債権が共通義務確認判決で認められた対象債権と一致していないと判断するときも、授権契約締結を拒絶できるとするが、判断をめぐって争いが生じることも考えられる。

②　授権の取消し

これに対して、対象消費者等の側では、いったん授権をした後であっても、それを取り消すことができる（特例法34（旧31）Ⅲ）。もっとも、取り消したとしても、対象消費者等自身が簡易確定手続における債権届出をすることはできないので、その権利を実現しようとすれば、通常の民事訴訟手続などによることになろう。

なお、授権の取消しは、授権を行った対象消費者等から授権をえた簡易確定手続申立団体に対する授権契約の解除や取消しの意思表示によって行われることになるが、当該対象消費者等または当該簡易確定手続申立団体から相手方に通知しなければ、その効力を生じない（特例法34（旧31）Ⅳ）。これは、既に授権にもとづく届出がなされているような場合を想定したときに、対象債権等についての認否の責任を課されている相手方の利益を保護するための規定である[43]。授権取消しの効力が生じると、当該債権についてなされた債権届出は取下げがあったものとみなされる（同Ⅵ）。

授権の取消しは、簡易確定手続申立団体による債権届出（特例法33（旧30）Ⅰ）後、相手方の認否（特例法45（旧42）Ⅰ）を経て、簡易確定決定（特例法47（旧44）Ⅰ）後も可能であるが[44]、取り消した届出消費者（特例法33（旧30）Ⅱ①かっこ書）は、更に簡易確定手続申立団体に授権をすることができない（特例法34（旧31）Ⅸ）。終局判決後の訴えの取下げについての再訴の禁止（民訴262Ⅱ）と同趣旨であり、対象債権についての確定の機会を自ら放棄した届出消費者に対する制裁を意味し、機能としては、不利な簡易確定決定をえた者が授権の取消しを濫用することを防ぐ役割を果たす。ただし、再度の授権禁止は、簡

---

[43] また、授権の取消しの通知をした者は、その旨を裁判所に届け出なければならない（特例規則20Ⅲ）。授権の取消しによって債権届出の取下げがあったものとみなされるので（特例法34（旧31）Ⅵ）、手続の安定性および明確性を確保するためである。届出は、書面によってしなければならない（特例規則6）。届出の主体は、授権の取消しの通知の主体である対象消費者または簡易確定手続申立団体である。以上について、条解特例規則54頁参照。

[44] 簡易確定決定に対する異議申立て（特例法49（旧46）Ⅰ）後も授権の取消しは可能であるが、簡易確定決定に対して適法な異議申立てがなされず、届出債権の存否および内容が確定すれば（同Ⅵ）、授権の取消しは、その確定効を覆す効力はない。また、異議申立てによって異議後の訴訟手続に移行し（特例法56（旧52）Ⅰ）、新たな授権（特例法57（旧53）Ⅰ）がなされれば、簡易確定手続の授権の取消しは、その意味を失う。

易確定手続上の効果であるので、対象債権について届出消費者が、訴えを提起するなどの権利を否定するものではない。

③　授権の失効

授権をえた簡易確定手続申立団体の特定認定（特例法71（旧65）Ⅰ）が失効し（特例法80（旧74）Ⅰ）、取り消されたときは（特例法92（旧86）ⅠⅡ）、当該授権は、その効力を失う（特例法34（旧31）Ⅴ）。特定認定が簡易確定手続申立団体の手続追行資格の基礎となっている以上、それが失効したり、取り消されたときには、もはや授権の効力を維持すべき理由が認められないためである。

簡易確定決定があるまでに特定認定が失効したり、取り消されたりした場合には、届出消費者は、被害回復裁判手続を受け継ぐべきものとして指定された他の特定適格消費者団体（特例法93（旧87）Ⅰ本文）に対し、指定に関する内閣総理大臣の公示の日から1月の不変期間内に、指定を受けた特定適格消費者団体に授権をすることができる（特例法34（旧31）Ⅶ）。授権をしないときは、その届出債権については、債権届出の取下げがあったものとみなされる（同Ⅷ）。当該届出債権者が、簡易確定手続による権利の確定の意思を失っているものとみられるためである。

なお、簡易確定決定後の特定認定の失効または取消しの場合にも、被害回復裁判手続を受け継ぐべき特定適格消費者団体は指定されるが（特例法93（旧87）Ⅰ本文）、債権届出の効力には影響を生じない（特例法34（旧31）ⅦⅧ参照）。しかし、授権はその効力を失っているために（同Ⅴ）、指定された特定適格消費者団体が簡易確定決定に対する異議の申立て（特例法49（旧46）Ⅰ）をするためには、届出消費者から改めて授権（特例法34（旧31）Ⅰ）を受けなければならない。届出消費者は、授権をせずに、自ら異議の申立てをすることもできる（特例法49（旧46）Ⅱ）。

④　簡易確定手続申立団体の公平誠実義務および善管注意義務

対象消費者からの授権をえた簡易確定手続申立団体には、公平誠実義務と善管注意義務の2つが課される。

（i）　公平誠実義務

対象消費者等から授権をえた簡易確定手続申立団体は、授権をした対象消費者等（以下、単に対象消費者等という）のために、公平かつ誠実に債権届出、簡

易確定手続の追行および民事執行の手続の追行（特例法2⑨ロ。授権にかかる債権にかかる裁判外の和解を含む）、ならびにこれらにともない取得した金銭その他の財産の管理をしなければならない（特例法37（旧34）Ⅰ）。ここでいう公平誠実義務は、対象債権者等間の利益調整にかかる公平義務と、対象消費者等と簡易確定手続申立団体との関係にかかる誠実義務とに分けられる。

　公平義務は、債権の届出（特例法33（旧30）Ⅰ）、届出消費者表にもとづく強制執行（特例法45（旧42）Ⅴ・50（旧47）Ⅱ）、認否を争う旨の申出（特例法46（旧43）Ⅰ）、簡易確定決定に対する異議の申立て（特例法49（旧46）Ⅰ）を通じて、対象消費者等間に合理的理由なく差別的取扱いをすることを禁止するものであり、異議後の訴訟手続や民事執行の手続に関する公平義務（特例法57（旧53）Ⅵ前半部分）と趣旨を同じくする。公平義務は、平等原則と共通する部分があり、相手方から受領した金銭を分配する際に、合理的な理由なく特定の対象消費者等に有利に分配したりすることは、公平義務に反するし、一部の対象消費者等に対してのみ報酬等の減額をすることも同様である[45]。

　しかし、公平義務は、対象消費者等について形式的な平等取扱いを命じるものではないから、届出消費者のうちの一部の者について債務名義（特例法45（旧42）Ⅴ・50（旧47）Ⅱ）が形成され、他の届出消費者については、未だ債務名義ができていないときに、相手方たる事業者に対して強制執行を行い、その結果としてえられた金銭を一部の届出消費者に交付することが当然に公平義務に反するとはいえない[46]。もっとも、相手方に他にみるべき資産がないとか、他の届出消費者についても近く債務名義が形成される見込みがあるなどの事情が存在するときには、強制執行によってえた金銭を全員の届出消費者に交付することが公平義務に合致する（本書179頁）。

　誠実義務は、授権をした対象消費者等と授権を受けた簡易確定手続申立団体との間の関係についての規律であり、簡易確定手続を通じて対象消費者等の権利の確定および実現に注力すべきことを意味する。具体的に誠実義務違反が問題となる場合を想定することは困難であるが、簡易確定手続申立団体と対象消費者等の利益が相反した際に、団体自身の利益を優先することがあげられてい

---

45)　一問一答93頁、山本281頁、町村153頁。
46)　一問一答93頁。

る[47]。なお、簡易確定手続段階の誠実義務は、異議後の訴訟や民事執行の手続の追行に関する誠実義務（特例法57（旧53）Ⅵ前半部分）に引き継がれる。

(ii)　善管注意義務

対象消費者から授権をえた簡易確定手続申立団体は、授権をした対象消費者等に対し、善良な管理者の注意をもって、債権届出、簡易確定手続の追行など、公平誠実義務の対象となる行為をしなければならない（特例法37（旧34）Ⅱ）。これを簡易確定手続申立団体の善管注意義務と呼ぶが、その基礎は、受任者が委任者に対して負う善管注意義務（民644）に求められる[48]。対象消費者等からそれぞれの権利の確定および実現について授権を受けた簡易確定手続申立団体としては、いわば他人の権利実現を預かる立場となり、権利の届出から始まり、簡易確定手続や民事執行の手続の追行に際して自らの不注意による毀損が生じないように留意し、その結果として取得した金銭その他の財産の管理についても、その価値の保全に努めなければならない[49]。また、簡易確定手続段階の善管注意義務は、公平誠実義務の場合と同様に、異議後の訴訟手続などにおける善管注意義務（特例法57（旧53）Ⅶ）につながる。

なお、善管注意義務違反の事実は、内閣総理大臣による改善命令（特例法91Ⅱ）や特定認定の取消事由（特例法92（旧86）Ⅰ④・Ⅱ①参照）となりうるほかに、委任者たる対象消費者等に対する関係では、損害賠償義務を発生させることがある（民415）。

イ　債権届出

対象債権等の主体は、対象消費者等であるが、債権届出の主体は、対象消費者等から授権を受けた簡易確定手続申立団体である（特例法33（旧30）Ⅰ）。特定適格消費者団体の地位は、義務づけられた任意的手続担当というべきものであることは、すでに述べた通りである（本書121頁）。

---

47)　一問一答93頁、山本281頁、町村114頁。
48)　善管注意義務については、中田裕康『契約法〔新版〕』532頁（2021年、有斐閣）、我妻榮＝有泉亨＝清水誠＝田山輝明『コンメンタール民法：総則・物権・債権〔第8版〕』1372頁（2022年、日本評論社）参照。
49)　具体例としては、債権届出の懈怠、対象消費者から預かった証拠書類の紛失、相手方から回収した金銭の不適切な管理、和解内容についての説明不十分などがあげられる。一問一答94頁。

①　届出書の記載事項

　簡易確定手続申立団体は、届出期間（特例法22（旧21）。書式2-2）内に、次に掲げる事項を記載した届出書を簡易確定手続開始決定をした裁判所に提出しなければならない（特例法33（旧30）Ⅱ柱書[50]）。届出書の記載内容は、第1に、対象債権等について債権届出をする簡易確定手続申立団体、相手方および届出債権者ならびにこれらの法定代理人である（同①）。届出債権とは、対象債権等として裁判所に債権届出があった債権の債権をいう（同かっこ書）。

　具体的には、簡易確定手続申立団体の名称および住所ならびに代表者の氏名（特例規則18Ⅰ①）、相手方の氏名または名称および住所ならびに法定代理人の氏名および住所（同②）、届出消費者の氏名および住所ならびに法定代理人の氏名および住所（同③）が求められる（同柱書）。また、簡易確定手続申立団体の代理人（代表者を除く）の氏名および住所（特例規則18Ⅲ①）、簡易確定手続申立団体または代理人の郵便番号および電話番号（ファクシミリの番号を含む）（同②）も記載しなければならない（同柱書）。

　第2は、請求の趣旨および原因である（特例法33（旧30）Ⅱ②）。ここでいう請求の趣旨および原因とは、共通義務確認訴訟における請求の趣旨および原因（特例法5）と異なり、対象債権等の具体的金額とそれについて債権届出団体への給付を求める旨[51]（請求の趣旨）、およびそれを権利として特定するに足る発生原因たる事実（請求の原因）を意味する。たとえば、平成29年5月1日に契約および代金の支払いを行い、5月30日に同契約について取消しの意思表

50）届出書の記載内容が以下のように定められているのは、適法な異議の申立てがあったときは、届出書が訴状とみなされるため（特例法56（旧52）Ⅰ後段）、訴状の記載事項（民訴133、民訴規53）を参考にしたものである。したがって、以下に述べる事項のほか、民事訴訟規則2条に規定する事項を記載すべきこととなる（特例規則35）。条解特例規則46、47頁参照。ただし、民事訴訟規則53条1項においては、重要な間接事実などの記載も求められているが、認否前の段階でそこまでの記載を求めるのは適当でないこと、債権届出の段階では裁判所への証拠の提出は求めないこととしているために、これらの記載は求めないこととしている。条解特例規則47頁参照。

　　また、債権届出団体ではなく、届出消費者が異議の申立てをなし、原告としての訴え提起があったものとみなされる場合（特例法56（旧52）Ⅰ前段かっこ書）については、特例規則32条1項参照。

　　なお、債権届出の手数料に関しては、中山ほか19頁参照。

51）債権届出団体に対する支払いを求める旨を表示すべきことについて、上原39頁参照。

示をしたことによる不当利得返還請求権との事実の記載が必要である。共通義務確認訴訟の場合には、訴訟物が概括的法律関係であることとの関係から、請求の原因も、一定期間において契約締結、代金の支払い、取消しの意思表示を行ったことなどの概括的記載となるが（本書48頁）、届出債権の場合には、それぞれの届出債権者に即して、具体的な契約日時等の記載が求められる。

　ただし、請求の原因については、共通義務確認訴訟において認められた義務または和解金債権にかかる事実上および法律上の原因を前提とするものに限る（特例法33（旧30）Ⅱ②かっこ書）。これは、簡易確定手続が共通義務確認訴訟において存在を確定された共通義務または和解金債権を基礎とするものであることによる。もっとも、共通義務確認訴訟において数個の共通義務の確認が単純併合として求められ、その認容判決が確定され、それにもとづいて数個の共通義務についての簡易確定手続が開始されているときには、届出の内容となる請求の原因も数個の記載がなされる可能性がある[52]。

　第3は、最高裁判所規則で定める事項であり、具体的には、届出にかかる請求が共通義務確認訴訟において認められた義務または和解金債権にかかる事実上および法律上の原因を前提とするものであることを明らかにする事実を記載するほか、請求を理由づける事実を具体的に記載しなければならない（特例規則18Ⅱ）。通常は、請求を特定するのに必要な事実の記載と重なることが多いと思われるが、これに加えて、契約内容や代理権の存在などの具体的記載が求められることになろう[53]。

　なお、以上の記載内容のうち、特例規則固有の事項については、その不記載

---

52) 数個の共通義務の存在が確定したときであっても、特定適格消費者団体が、いずれか1つの共通義務を選択し、または順位を付して簡易確定手続開始の申立てをしていれば、このような事態は生じないが、その義務づけがない以上、本文のような可能性は否定できない。
　　また、共通義務が不当利得返還請求権であり、それを理由づける事実が錯誤による取消しとされたときに、詐欺による取消しを理由とする債権届出がなされた場合には、厳密に言えば、共通義務確認訴訟において認められた義務にかかる事実上および法律上の原因（特例法33（旧30）Ⅱ②）と異なることになり、補正を命じることになるが、債権届出そのものを却下するまでの必要はない。中山ほか24頁参照。
53) もっとも、契約内容は、「当該請求が共通義務確認訴訟において認められた義務に係る事実上及び法律上の原因を前提とするものであることを明らかにする事実」に含まれることになるので、「請求を理由付ける事実」としては、代理人により契約が締結された場合の代理権の存在等の事実が考えられる。条解特例規則48頁参照。

が債権届出を不適法とする理由にはならないが、手続を円滑に進めるために記載が求められることは当然である。

②　数個の請求にかかる義務について簡易確定手続開始決定がされた場合の債権届出

ある商品の販売にあたって、事業者が虚偽の説明を行ったことを理由として、詐欺取消しにもとづく不当利得返還にかかる共通義務と不法行為にもとづく損害賠償にかかる共通義務とを訴訟物とする共通義務確認訴訟が提起されたときに[54]、その併合形態をどのように取り扱うかという問題があり、単純併合ではなく、順位的または選択的併合として扱うべきであるというのが本書の立場である（本書54頁）。しかし、現行法の下では、単純併合としての審判が求められたときに、それを不適法とする理由はなく、共通義務確認訴訟の判決において、数個の共通義務の存在が確定される可能性がある。

そして、手続が簡易確定手続に移行する段階でも、簡易確定手続申立団体としては、数個の共通義務のいずれかを選択するか、または申立てに順位を付するなどの措置をとることが望まれるが（本書56頁）、それがなされずに、数個の共通義務にもとづく簡易確定決定がされることも考えられる。しかし、このような状況に至っても、相手方事業者等に不当な負担を生じさせることなく、以後の手続を円滑かつ迅速に進めるためには、一の対象消費者の一の財産的被害等については、一の対象債権に限って債権届出をなすか（特例規則19Ⅰ）、数個の対象債権の届出をなす場合においても、各債権届出に順位を付し、または選択的なものとしなければならない（同Ⅱ）。

このような規律は、「できる限り」（特例規則19Ⅰ）という文言に示されているように、訓示的性質のものであり、それに反する債権届出、すなわち実質的に同一の給付を求める対象債権を並列的にする債権届出を不適法とする効果はないが、債権届出を行う簡易確定手続申立団体の責務を具現化したものというべきである[55]。

54）この例は、条解特例規則51頁の記述を参考としている。

55）条解特例規則51頁参照。なお、特例規則19条2項は、1項と異なり、「できる限り」との文言を用いていないが、1項の規定にもかかわらず、数個の対象債権の債権届出をする場合には、順位を付し、または選択的なものとすることによって手続の錯雑を避けることが強く要請されるためである。

③　国際裁判管轄

　簡易確定手続は、届出債権の存否および内容の確定を目的とするものであるから、対象債権がわが国の国際裁判管轄に属することが必要である。特例法が、「簡易確定手続申立団体は、債権届出の時に対象消費者が事業者等に対して対象債権に基づく訴えを提起すれば民事訴訟法第一編第二章第一節の規定により日本の裁判所が管轄権を有しないときは、……当該対象債権については、債権届出をすることができない」（特例法33（旧30）Ⅲ）と規定するのは、このような趣旨を表現したものである。

　ここでいう民事訴訟法第1編第2章第1節とは、わが国の裁判所の国際裁判管轄に関する3条の2ないし3条の12までの規律を意味する。対象債権についてもっとも密接な関係を有するのは、消費者契約に関する3条の4第1項と思われるが、そこでは、消費者契約に関する消費者からの事業者に対する訴えは、訴え提起の時または消費者契約の締結の時における消費者の住所が日本国内にあるときは、日本の裁判所の国際裁判管轄を認めるので[56]、通常は、国際裁判管轄が否定されることはないと思われる。

④　対象消費者等自身による訴訟の係属

　簡易確定手続は、共通義務の存在を認める確定判決等にもとづいて対象債権等の確定を図ることを目的とし、特定適格消費者団体がその手続追行主体となる。もっとも、対象債権等が対象消費者等に帰属する権利である以上、対象消費者等自身が民事訴訟の方法によって権利の実現を図ることを否定すべき理由はない。しかし、同一の対象債権等について簡易確定手続との二重応訴を相手方に受忍させるべき理由はなく、また、簡易確定手続における届出債権の確定（特例法45（旧42）Ⅴ前段・50（旧47）Ⅱ前段）と民事訴訟における確定判決の既判力（民訴114Ⅰ）とが衝突するおそれもある。

　立法者は、このような点を考慮して、民事訴訟における二重起訴（重複起訴）禁止の規律（民訴142）と同趣旨のものとして、簡易確定手続申立団体は、

56）趣旨などについては、伊藤・民訴法59頁参照。そのほか、民事訴訟法3条の3第1号・3号・4号・5号・8号などが国際裁判管轄の根拠として考えられる。また、併合請求の国際裁判管轄（民訴3の6）が適用されるとすれば、同じく共通義務に包含される一部の債権のみについて国際裁判管轄が否定される事態は想定しがたい。山本273頁、町村118頁。

対象消費者が提起したその有する対象債権にもとづく訴訟が裁判所に係属しているときは、当該対象債権については、債権届出をすることはできないと規定する（特例法33（旧30）Ⅳ）。

⑤　債権届出の内容の変更

債権届出団体（債権届出をした簡易確定手続申立団体。特例法34（旧31）Ⅶかっこ書）は、届出期間内に限り、当該債権届出の内容を変更することができる（特例法42（旧39）。書式2-4）。届出の内容の変更としては、第1に、請求の趣旨および原因によって特定する届出債権を別個の債権に差し替えるもの、第2に、債権としての同一性を前提としながら債権額の増額のように、相手方の不利になるもの、第3に、同じく減額のように、相手方の有利になるもの、第4に、同じく債権の帰属の変更のように、相手方の利益に影響を与えないものの4種類が考えられるが、ここでいう変更は、そのすべてを含む[57]。ただし、第3および第4のものについては、債権届出期間経過後であっても、届出債権の確定（特例法45（旧42）ⅢⅤ・50（旧47）ⅠⅡ）までは、減額を絶対的に排斥すべき理由はないし、帰属の変更についても、同様に考えられる[58]。

⑥　債権届出の取下げ

債権届出は、簡易確定決定に対し適法な異議の申立てがあるまで、その全部または一部を取り下げることができる（特例法43（旧40）Ⅰ本文。書式2-5）。取下げは、口頭弁論等の期日でする場合を除いて、書面によってしなければならない（同Ⅱ、民訴261Ⅲ）。取下げの時期が限定されるのは、簡易確定決定に対

---

[57]　届出債権の内容に影響を与えない、届出債権者の住所などの変更はここに含まれない。一問一答96頁。

[58]　破産債権の届出の変更に関しては、伊藤・破産法・民事再生法677頁参照。これに対して、一問一答96頁、山本284頁では、届出債権の帰属の変更も届出期間経過後は許されないとし、金銭が債権届出団体に引き渡されるのであるから、実際上の不都合は起きないとする。しかし、届出債権者自身が届出消費者表にもとづく強制執行をできるとすれば（本書185頁参照）、変更を許さないとすると、承継執行文を取得しなければならないという負担が生じる（一問一答96頁参照）。また、同書同頁では、届出期間経過後の減額変更も許されないとし、一部取下げとして扱うべきであるとする。実際上、大きな差異を生じることはないと思われるが、簡易確定決定後の一部取下げについては、相手方の同意を要する（特例法43（旧40）Ⅰ但書）という問題がある。
　　さらに、債権届出後に相手方たる事業者側について、合併や事業譲渡によって変更が生じるとか、特定適格消費者団体の合併などの事由が生じたことは、簡易確定手続上の当事者の地位の承継の問題である（特例法53（旧50）、民訴50・51・124～129。一問一答97頁）。

し適法な異議の申立てがなされると、届出債権についての訴え提起を擬制し（特例法56（旧52）Ⅰ前段）、訴訟手続に移行するため、債権届出の取下げは、その意義を失うためである。もちろん、訴えの取下げは別である（民訴261）。

ただし、簡易確定決定があった後にあっては、相手方の同意をえなければ、債権届出の取下げの効力は生じない（特例法43（旧40）Ⅰ但書）。相手方が届出債権について認否をなし（特例法45（旧42）Ⅰ）、それに対して債権届出団体が認否を争う旨を申し出て（特例法46（旧43）Ⅰ）、簡易確定決定がなされた以上、取下げによって簡易確定決定の効力を失わせることは、相手方が認否などに費やした時間と労力を無に帰するからである。

債権届出の取下げがあったときは、裁判所書記官は、その旨を相手方に通知しなければならない（特例規則24Ⅰ）[59]。授権を欠く状態になった場合などの取下げの擬制（特例法34（旧31）ⅦⅧ）場合も同様である（特例規則24Ⅱ）[60]。

債権届出取下げの効力が生じると、債権届出は当初からなされなかったものとみなし（特例法43（旧40）Ⅱ、民訴262Ⅰ）、既になされた簡易確定決定もその効力を失う。これに対し、再訴の禁止規定（民訴262Ⅱ）は準用されないので（特例法43（旧40）Ⅱ参照）、簡易確定決定後の取下げでも、再び債権届出をなす可能性が残されるが、債権届出期間が過ぎていることが通常であろう。また、認否において相手方が届出債権の全部を認め、または認否をしなかった結果として確定したもの（特例法45（旧42）ⅡⅢ）であっても、取下げによって確定の効力は消滅する。

⑦　債権届出の実体法上の効果──時効の完成猶予および更新

債権届出があったときは、その債権届出にかかる対象債権の時効の完成猶予および更新に関しては、簡易確定手続の前提となる共通義務確認訴訟を提起し、または訴えの変更の書面を係属裁判所に提出したときに、裁判上の請求があったものとみなす（特例法41（旧38））。本来、消滅時効の完成猶予および更新事

59）通知は、取下げについて相手方の同意を要する場合（特例法43（旧40）Ⅰ但書）のみならず、同意を要しない場合にもなされる（民訴規162Ⅱ参照）。これに対して、擬制同意（民訴261Ⅴ）の規定は、特例法に置かれていないために、取下書の送達（同Ⅳ）に対応する規定は設けられていない。条解特例規則58頁参照。
60）届出消費者および債権届出団体は、取下げ擬制の事実を知りうるために、通知はなされない。条解特例規則59頁参照。

由としての裁判上の請求（民147①）は、対象債権自体を訴訟物とする訴えを意味し、時効の完成猶予および更新の効果は、訴え提起の時に生じるが（民訴147）、共通義務確認訴訟が対象債権の基礎となるべき概括的法律関係を確定することを目的とするものであり、係属中に対象債権について消滅時効が完成してしまうのでは、共通義務確認訴訟の意義が失われること、共通義務の存在を前提として簡易確定手続が開始されている以上、対象債権についての時効の完成猶予および更新の効果発生を共通義務確認訴訟の提起時または訴えの変更時に遡らせても不合理とはいえないことを考慮し、このような特則が設けられている[61]。

　なお、債権届出の却下や取下げによって手続が終了したときには、時効の完成猶予および更新の効果は、終了の時から 6 月を経過するまでの間は継続する（民147 I 柱書かっこ書）。

ウ　届出後の手続

　裁判所は、債権届出が不適法であると認めるとき、または届出書の送達に必要な費用の予納がないときは、決定で、当該債権届出を却下しなければならない（特例法39（旧36）I）。債権届出却下決定に対しては、即時抗告が許される（同 II）[62]。債権届出が不適法である場合としては、届出期間の徒過、届出書記

61）請求の内容および相手方が同一である共通義務確認訴訟が複数の団体によって提起された場合（本書81頁）には、どの団体が債権届出をしたかにかかわらず、最初の共通義務確認訴訟の提起時に時効の完成猶予および更新の効果（中断効）が生じる。一問一答95頁。なお、本文の記述は、民法の一部を改正する法律の施行に伴う整備法による改正後の特例法41（旧38）条を前提とするものであるが、その施行日前に債権届出がされた場合における時効の特例については、従前の例によることとされている（整備法103 II）。

62）この場合を含み、簡易確定手続における決定に対する即時抗告にかかる事件記録の送付については、原裁判所が簡易確定手続にかかる事件の記録を送付する必要がないと認めたときは、原裁判所の裁判所書記官は、抗告事件の記録のみを抗告裁判所の裁判所書記官に送付すれば足りる（特例規則 8 I）。原則（特例規則35、民訴規205・174）にしたがって、簡易確定手続にかかる事件の記録を抗告裁判所の裁判所の裁判所書記官に送ることは、債権届出却下決定に対する即時抗告（特例法39（旧36）II）などの例を考えれば、不必要と認められるためである。条解特例規則22頁。ただし、抗告裁判所が簡易確定手続にかかる事件の記録が必要であると認めたときは、抗告裁判所の裁判所書記官は、速やかに、その送付を原裁判所の裁判所書記官に求めなければならない（特例規則 8 II）。
　簡易確定手続における決定の確定証明書を第 1 審の裁判所書記官が交付し（特例規則 9 I）、または事件がなお抗告審に係属中であるときは、当該簡易確定手続にかかる事件の記録の存する裁判所の裁判所書記官が、決定の確定した部分のみについて交付する（同 II）も、上記のことを前提としている。条解特例規則24頁参照。

載事項の不備、国際裁判管轄の不存在（特例法33（旧30）Ⅲ）、対象消費者自身による訴訟の係属（同Ⅳ）、対象消費者からの授権の不存在（特例法34（旧31）Ⅰ参照）、届出債権が対象債権に含まれないことが明らかであること（特例法33（旧30）Ⅰ参照）が考えられる。また、届出書の送達に必要な予納費用は、郵送費用などを基礎として、送達必要回数を考慮して決定することとなろう[63]。ただし、いずれの場合であっても、却下決定を発する前に補正命令を発することになろう（特例法53（旧50）、民訴137Ⅰ）。また、届出期間徒過については、追完の余地がある（特例法53（旧50）、民訴97Ⅰ）[64]。

　却下決定をする場合を除いて、届出書（特例法33（旧30）Ⅱ）の提出を受けた裁判所は、遅滞なく、当該届出書を相手方に送達しなければならない（特例法38（旧35））。送達は、債権届出団体から提出された副本によってする（特例規則22）。

　また、裁判所は、必要があると認めるときは、債権届出団体に対し、その届出にかかる届出債権について届出書に記載する事項（特例規則18）を記載した一覧表の提出を求めることができる（特例規則23）。多数の債権届出がなされる事態を想定すると、相手方の認否（特例法45（旧42）Ⅰ）や裁判所書記官による届出消費者表の作成（特例法44（旧41）Ⅰ）などについて手続を円滑に進めるための規定である。

2　届出消費者表の作成と届出債権の認否等

　債権届出が適法になされた後の手続は、届出消費者表の作成、そこに記載された届出債権の内容についての相手方の認否、認否を争う旨の債権届出団体の申出からなる。

ア　届出消費者表の作成等

　債権届出を受理した裁判所の裁判所書記官は、届出債権について、届出消費者表を作成しなければならない（特例法43（旧41）Ⅰ。書式2-8-1、2-8-2）。届出消費者表には、各届出債権について、その内容その他最高裁判所規則で定め

---

63) それに加えて、債権届出自体の手数料として、一個の債権について1,000円の納付が必要である（民訴費別表第1の16の2）。一問一答112頁。
64) 中山ほか22頁参照。

る事項を記載しなければならない（同Ⅱ）。届出債権の内容とは、その主体である届出消費者、相手方である事業者、債権の金額および発生原因たる事実（請求の趣旨および原因。特例法33（旧30）Ⅱ②）を意味する。実際上は、債権届出団体が提出する一覧表（特例規則23）を基礎として作成することになろう。

　最高裁判所規則で定める事項としては、①届出消費者の氏名および住所、②債権届出団体の名称および住所、③相手方の氏名または名称および住所[65]、④届出債権の原因[66]、⑤債権届出の却下（特例法39（旧36）Ⅰ・69（旧63）Ⅰ）[67]や債権届出の取下げ（特例法43（旧40）Ⅰ・34（旧31）ⅥⅧ）があったときはその旨、⑥適時の認否がなされなかったことにより認めたものとみなされたときは（特例法45（旧42）Ⅱ）その旨、⑦認否を争う旨の申出が却下されたときは（特例法46（旧43）Ⅱ）その旨を記載しなければならない（特例規則25）。このうち、①ないし④は、届出書と届出消費者表から明らかになるものであるが、⑤ないし⑦は、債権届出後の事由である。しかし、これらの事由が発生したのであれば、その後の手続を進める必要がないことが明らかになるために、届出消費者表に記載しなければならないものとされている。

　届出消費者表の記載に誤りがあるときは、裁判所書記官は、申立てによりまたは職権で、いつでもその記載を更正する処分をすることができる（特例法44（旧41）Ⅲ）。ここでいう誤りは、計算間違いや誤記の類いのように、誤りが届出消費者表自体から明らかである場合だけではなく、実質的な誤りを含んでいる[68]。不服申立てとしては、異議の申立てが認められる（特例法53（旧50）、民訴121）。

---

65) ①届出消費者の氏名などおよび③相手方の氏名などは、届出債権の内容たる主体に関する情報であり、②債権届出団体の名称および住所は、債務名義（特例法45（旧42）Ⅴ・47（旧44）Ⅱ）上の債権者たる特定適格消費者団体に関する情報である。また、法定代理人（代表者）の記載は求められていない。以上について、条解特例規則63頁参照。
66) 届出債権の内容に加えて④届出債権の原因の記載が求められるのは、同一の事業者から複数の商品を購入している場合などを想定し、より具体的な特定に必要な事実の記載を意味している。条解特例規則63頁参照。
67) 債権届出却下決定が確定したことを意味する。⑦認否を争う旨の申出の却下についても、同様である。条解特例規則64頁参照。
68) 破産法115条3項などと同趣旨である。伊藤・破産法・民事再生法681頁参照。

イ　届出債権の認否

　届出書の送達（特例法38（旧35））の送達を受けた相手方は、届出債権の内容（本書126頁）について、認否期間（特例法22（旧21）第4かっこ書）内に認否をしなければならない（特例法45（旧42）Ⅰ）。認否は、書面（認否書）でしなければならない（特例規則27Ⅰ。書式2-6）。認否のため必要があるときは、相手方は、債権届出団体に対し、当該届出債権に関する証拠書類の送付を求めることができる（特例規則26）[69]。認否書は、債権届出団体に直送しなければならない（特例規則27Ⅲ）[70]。

　認否の態様は、届出債権の内容の全部を認める、届出債権の全部を認めない、届出債権の一部を認め、残部を認めないという3種類に分けられるが、それに加え、認否をしないという対応も考えられる。全部または一部を認めないときは、認否書にその理由を記載しなければならない（特例規則27Ⅱ）[71]。裁判所は、必要があると認めるときは、相手方に対し、届出債権の認否の内容を記載した一覧表の提出を求めることができる（特例規則28）[72]。債権届出団体に求められる届出債権の内容の一覧表（特例規則23）に対応するものである。

①　認否義務の懈怠と届出債権の確定

　認否期間内に相手方が認否をしないときは、届出債権の内容の全部を認めたものとみなす（特例法45（旧42）Ⅱ）。破産法117条4項および5項などと同趣旨の規定であり、相手方に認否の義務が課されていることを前提とし、その懈怠を相手方に不利益に取り扱うものである。認否は、各届出債権についてなされるものであるから、他の届出債権について認否がなされても、ある届出債権について認否がなされなければ、当該債権について擬制の効果が生じる。

　全部を認めたものとみなす結果、届出債権の内容は確定し（特例法45（旧42）Ⅲ）、裁判所書記官がその旨を届出消費者表に記載すると（同Ⅳ）、その記

---

[69]　一律の送付を求めるのではなく、必要性を具体的に検討することを想定している（条解特例規則65頁、特例規則1Ⅰ、山本ほか・座談会（下）20頁参照）。また、送付の方法は、写しの交付やファクシミリを用いた送信によってする（特例規則35、民訴規47Ⅰ）。

[70]　債権届出団体による認否を争う申出をするかどうかの判断や申出をするための準備に資するための規律である。条解特例規則66頁参照。

[71]　濫用的な認否（特例規則1Ⅰ参照）を防ぐための規律であるが、理由の記載がない場合でも、認否の効力そのものには影響しない。条解特例規則66頁。

[72]　認否の理由（特例規則27Ⅱ）の記載までは求められない。条解特例規則68頁。

載は、確定判決と同一の効力を有し（同Ⅴ前段）、債権届出団体は、それを債務名義として、相手方に対し、強制執行をすることができる（同後段）。

　　②　全部を認める旨の認否と届出債権の確定

　相手方が、認否期間内に届出債権の内容の全部を認めたときは、当該届出債権の内容は確定する（特例法45（旧42）Ⅲ）。確定した債権についての届出消費者表の記載（同Ⅳ）の効力および執行力は、①について述べたのと同様である（同Ⅴ）。

　　③　全部を認めないまたは一部を認める旨の認否の効果

　相手方が、全部を認めない旨の認否をしたときには、当該債権についての確定の効果は生じず、その確定は、債権届出団体による認否を争う旨の申出（同46（旧43）Ⅰ）に委ねられる。相手方が、ある届出債権の内容の一部を認める旨の認否をしたときにも、一部について認めたことにもとづく確定の効果は生じず、当該届出債権の確定は、債権届出団体による認否を争う旨の申出（同）に委ねられる。破産債権などの場合には、一部のみについて破産管財人などが認めない旨の認否をしたときには、それ以外の部分は確定したものとして扱われるが[73]、簡易確定手続における相手方の地位は、破産管財人などと異なって、手続機関としての調査の責任を負っているわけではなく、また、請求の一部認諾と同様に扱うのは、かえって手続の柔軟性を失わせると考えられたためである[74]。

　一部を認める旨の認否に対して債権届出団体が適法に認否を争う旨の申出

73）伊藤・破産法・民事再生法683頁注43。

74）一問一答99頁は、認否の手続が当事者間の話合いによる解決を促進するための仕組みであることから、認否で争わなかったことをもってその後の手続を拘束すべきではないとの理由づけを示している。

　　なお、不当利得返還請求権と損害賠償請求権など、同一の給付を目的とする数個の債権を届け出、かつ、それらの相互の関係について選択的または予備的という条件づけをしている場合の取扱いが問題になる。届出の趣旨を考えれば、選択的の場合には、相手方が一方の債権を認める旨の認否をしたときは、他方の債権届出に付された解除条件が成就するから、全部を認める旨の認否として扱う。予備的の場合にも、主位的債権を認める旨の認否をしたときは、他方の債権届出に付された解除条件が成就するから、同様の結果となる。これに対して、主位的債権を認めず、予備的債権を認める旨の認否をしたときは、一部を認めない旨の認否をしたものとして扱い、債権届出団体が認否を争う旨の申出をすることとなる。中山ほか26頁参照。

（特例法46（旧43）Ⅰ）をすれば、届出債権の確定は、裁判所の簡易確定決定（特例法47（旧44）Ⅰ）に委ねられる。また、債権届出団体が認否を争う旨の申出をしないときは、認否の内容により届出債権の内容が確定するので（特例法50（旧47）Ⅰ）、届出債権の一部の存在と残部の不存在が確定する。

④　認否の変更

　認否の変更については、特例法は明文の規定を置いていない。全部を認める旨の認否をしたときは、その時点で当該届出債権の内容が確定するので（特例法45（旧42）Ⅲ）、たとえ認否期間内であっても、後にそれを全部を認めない、または一部を認める旨に変更することは許されない。これに対して、全部を認めない旨の認否を全部を認める、または一部を認める旨に変更する、あるいは一部を認める旨の認否を全部を認める、全部を認めない、または量的に異なった一部を認める旨に変更することは、当該届出債権の確定の効果が生じていない以上、それを許すべきである。

　ただし、全部を認める旨の認否への変更は、債権届出団体による認否を争う旨の申出（特例法46（旧43）Ⅰ）後でも届出債権の確定までは許すべきであるが、一部を認める旨への変更や、量的に異なった一部を認める旨への変更は、手続の円滑かつ迅速な進行の要請（特例規則1Ⅰ）を考えると、認否を争う旨の申出までとし、それ以後は、簡易確定手続における和解（特例法40（旧37））に委ねるべきである。一部を認める旨を全部を認めない旨へ変更することについても、同様である。なお、認否の変更にあたっても、書面が必要である[75]。

ウ　認否を争う旨の申出

　債権届出団体は、相手方が届出債権の内容の全部を認め、それが確定したとき（特例法45（旧42）Ⅲ）を除き、相手方による届出債権の認否に対し、届出債権の認否を争う旨の申出（認否を争う旨の申出という）をすることができる。認否を争う旨の申出は、認否期間の末日から1月の不変期間内に裁判所に対してしなければならない（特例法46（旧43）Ⅰ）。債権届出団体は、認否を争う旨の申出をするかどうかを判断するため必要があるときは、相手方に対し、当該届出債権に関する証拠書類の送付を求めることができる（特例規則29）。相手

75）条解特例規則66頁。

方が債権届出団体に対して認否のための証拠書類の送付を求めることができること（特例規則26）に対応する規定である。必要性に関する検討が前提となっていることも、同様である[76]。

　認否を争う旨の申出の書面（特例規則 6 参照）には、できる限り、予想される争点および当該争点に関連する重要な事実を記載し、かつ、予想される争点ごとに証拠を記載しなければならない（特例規則30Ⅰ）。認否を争う旨の申出の前段階として、認否書には相手方によるの認否の理由が記載され（特例規則27Ⅱ）、債権届出団体との間で証拠資料の交換（特例規則26・29）が行われている場合を想定すると、予想される争点が明らかになっていることが多いと考えられるために、関連する重要な事実（間接事実）とともに、その記載を求める趣旨である[77]。

　この書面には、できる限り、予想される争点につき、証拠となるべき文書の写し（書証の写し）を添付しなければならないとされているのも（特例規則30Ⅱ）、同様の理由からである。また、債権届出団体は認否を争う旨の申出の書面および添付する書証の写しを相手方に直送しなければならない（同Ⅲ）[78]。

　裁判所書記官は、認否を争う旨の申出の有無を届出消費者表に記載しなければならない（特例法46（旧43）Ⅳ）。認否を争う旨の申出がないときは、届出債権の内容は、届出債権の認否の内容により確定する（特例法50（旧47）Ⅰ）。

　なお、裁判所は、不変期間を徒過しているなどの理由から、認否を争う旨の申出が不適法であると認めるときは、決定で、これを却下しなければならない（特例法46（旧43）Ⅱ）。却下決定に対しては、即時抗告をすることができる（同Ⅲ）。

3　簡易確定決定

　裁判所は、認否を争う旨の申出があったときは、それを不適法として却下す

76）送付が当事者間で行われることや送付の方法についても、特例規則26条の場合（本書136頁）と同様である。条解特例規則68頁。
77）条解特例規則70頁。ただし、争点が明確になっているかどうかは事案によるため、記載は、「できる限り」で差し支えない。また、この規定は訓示規定であり、記載がないことが認否を争う旨の申出を不適法にするわけではない。
78）すでに相手方に送付されているものも含め、直送しなければならない。条解特例規則71頁。

る場合を除き、簡易確定決定をしなければならない（特例法47（旧44）Ⅰ）。簡易確定決定とは、届出債権の存否および内容を確定し、その全部または一部の存在が認められるときには、相手方に対して支払いを命じる裁判を意味する。支払いを命じる簡易確定決定を届出債権支払命令と呼ぶ（同Ⅳかっこ書）。

ア　簡易確定決定の審理

　簡易確定決定の審理は、相手方の認否にしたがって、届出債権の存否または内容について争いのある部分を中心になされるが、裁判所は、当事者双方を審尋しなければならない（特例法47（旧44）Ⅱ）。審尋とは、口頭または書面などの方式を問わず、当事者に陳述の機会を与えることを意味する。公開法廷で行う必要はなく、当事者双方の対席も求められない。通常は書面で行われる。

　また、証拠調べについては、第1に、それを書証（民訴219以下）、すなわち文書を対象とするものに限るとの制限がある（特例法48（旧45）Ⅰ）。書証以外の証拠調べの方法について実際上問題となるのは、証人尋問（民訴190以下）や当事者尋問（同207以下）であろうが、これらを実施するについては、一定の時間や手続を要することから、効率的かつ迅速な審理を実現する観点から、書証以外の方法による証拠調べを行えないものとしている[79]。もっとも、ここでの証拠調べは、疎明（民訴188）とは異なるから、当事者である債権届出団体または相手方が所持し、自ら提出する文書（民訴219前半部分）に限らず、第三者が所持している文書であっても差し支えない。ただし、文書提出命令の申立ては許されないから（特例法48（旧45）Ⅱ）、第三者が所持する文書については、文書送付嘱託（民訴226）に限られよう[80]。また、文書の真否を判断するための対照の用に供すべき筆跡または印影を備える物件の提出命令の申立てが許されないのも（特例法48（旧45）Ⅱ）、同様の理由による。

　ただし、このような証拠調べの制限は、裁判所が職権で調査すべき事項には、適用しない（特例法48（旧45）Ⅲ）。職権で調査すべき事項とは、届出債権の存否または内容にかかる事項以外の事項であって、たとえば、債権届出の却下の

79）一問一答102頁。
80）文書提出命令の場合には、提出義務の存否などをめぐって即時抗告の可能性があり、手続の長期化のおそれがあるのに対して（民訴223Ⅶ）、文書送付嘱託の場合には、不服申立てを予定しないなどの違いがある。一問一答102頁参照。

要件（特例法30参照）の審査などが考えられる。

イ　簡易確定決定

　簡易確定決定は、主文および理由の要旨を記載した決定書を作成してしなければならない（特例法47（旧44）Ⅲ。書式3-1）。主文は、「認否を争う旨の債権届出団体による申出」に対する裁判所の判断を示すものであり、申出に理由がないとするときは、請求棄却、理由があるとするときは、請求認容、すなわち債権届出団体に対する届出債権の支払いを命じる届出債権支払命令の両者があり、その中間に、申出の一部に理由があるとする一部認容がある。一部認容の主文は、給付判決の例にならって、存在が認められる一部について届出債権の支払いを命じ、その余の部分についての請求を棄却する内容になる。

　決定書に理由の要旨の記載が求められるのは、簡易確定決定に対する異議申立てが認められるためであるが[81]、要旨は、判断の根拠を簡潔に示せば足りる。

　決定書は、当事者に送達しなければならず（特例法47（旧44）Ⅴ前段）、決定の効力は送達された時に生じる（同後段）[82]。これは、相当と認める方法で告知することによって決定の効力が生じるという原則（民訴119）の例外であり、異議の申立ての機会を保障し（特例法49（旧46）Ⅰ）、異議の申立てがなければ、確定判決と同一の効力を有する（同Ⅵ）、簡易確定決定の特質を重視したものである。

ウ　仮執行宣言

　届出債権支払命令については、裁判所は、必要があると認めるときは、申立てによりまたは職権で、担保を立てて、または立てないで仮執行をすることができることを宣言することができる（特例法47（旧44）Ⅳ）。仮執行宣言は、財産上の請求に関する未確定の判決に執行力を付与する制度であり（民訴259）、相手方に判決に対する不服申立ての機会を保障することによって、勝訴者の権

---

81)　書面による決定一般については、理由の記載が必要とされるが（民訴122・253Ⅰ③）、理由の要旨で足りるとされたのは、非訟事件手続法57条2項2号にならったものと思われる。
82)　送達は、決定書の正本によってする（特例規則31）。簡易確定決定は、債務名義となる可能性があり（特例法49（旧46）Ⅵ、民執22①③の3⑦）、強制執行は、債務名義の正本にもとづいて実施するとされている（民執25本文、民執規21柱書）ためである。条解特例規則73頁。

利実現が遷延するのを防ぐことを目的とする[83]。そして、決定の形式による裁判についても、仮執行宣言を付すことが認められている[84]。届出債権支払命令についての仮執行宣言は、それと並ぶものであり、仮執行宣言を付した届出債権支払命令は、債務名義となり（民執22③の３）、執行文の付与を受けて、強制執行を実施することができる（民執25）。

　仮執行宣言の付与は、裁判の種類によっては必要的とされることもあるが（民訴259Ⅱ・310・376Ⅰ）、それは、請求の性質や迅速な権利実現の必要性を重視したものであり、対象消費者の届出債権については、定型的に仮執行宣言を付するまでの理由は認められないことから、民事訴訟法の原則に沿って、「必要があると認める」ことを要件としている。必要性を基礎づける事情としては、一般的には、債権者側と債務者側の事情を考慮し、あわせて立担保を条件とするかどうかも総合するといわれるが、届出債権支払命令の場合には、執行債権者が債権届出団体であることを考えると、相手方の財産散逸や隠匿の可能性を重視することになろう。

　なお、仮執行宣言が付された届出債権支払命令の効力は、相手方が異議を申し立てても失われることはないが（特例法49（旧46）Ⅴ参照）、民事訴訟法403条１項１号または３号が定める事情について疎明があれば、執行停止の可能性はある（特例法53（旧50））。

エ　簡易確定決定の効力

　簡易確定決定の効力は、決定書が当事者に送達された時に生じるが（特例法47（旧44）Ⅴ）、当事者または届出消費者が適法に異議の申立てをすると（特例法49（旧46）ⅠⅡ）、その効力は失われる（同Ⅴ）。ただし、仮執行宣言付簡易確定決定の効力は失われないので（同）、債権届出団体は、それを債務名義とする強制執行を求めることができる。

　これに対して、当事者または届出消費者による適法な異議の申立てがないときは、簡易確定決定は、確定判決と同一の効力を有する（特例法49（旧46）Ⅵ）。ここでいう確定判決と同一の効力とは、既判力および執行力を意味し、既判力

83）仮執行宣言の制度趣旨、手続構造、要件などについては、伊藤・民訴法653頁参照。
84）犯罪被害者等の権利利益の保護を図るための刑事手続に付随する措置に関する法律32条２項。

は、届出債権支払命令の内容である届出債権の存在、請求が棄却された届出債権の不存在を確定する[85]。執行力は、届出債権支払命令の債務名義（民執22⑦）としての効力を意味する。執行債権者となるのは、債権届出団体であるが、届出消費者が承継執行文をえて自ら強制執行を申し立てられるかどうかについては、後に述べるように（本書185頁）、考え方の対立がある。

オ　異議の申立て

　当事者、すなわち債権届出団体および相手方事業者は、簡易確定決定に対し、その決定書の送達（特例法47（旧44）Ⅴ）を受けた日から1月の不変期間内に、その資格において当該簡易確定決定をした裁判所に異議の申立てをすることができる（特例法49（旧46）Ⅰ。書式3-2）。届出消費者も、債権届出団体が送達を受けた日から1月の不変期間内に、同様に異議の申立てをすることができる（同Ⅱ）。

　届出消費者が異議の申立てをするときは、異議の申立書には、①異議の申立てをする者の代理人（法定代理人を除く）の氏名および住所、②異議の申立てをする者または代理人の郵便番号および電話番号（ファクシミリの番号を含む）を記載しなければならない（特例規則32Ⅰ）。異議の申立てがされると、届出書が訴状とみなされるところ（特例法56（旧52）Ⅰ後段）、届出書には、債権届出団体（簡易確定手続申立団体）の任意代理人の氏名や電話番号などが記載されている（特例規則18Ⅲ）が、届出消費者が異議の申立てをなし、異議後の訴訟における原告となるときは（特例法56（旧52）Ⅰ前段かっこ書）、届出書には、原告となる届出消費者の代理人の氏名、住所、郵便番号および電話番号（ファクシミリ番号を含む）が記載されていないために、その記載を義務づける趣旨である[86]。また、異議の申立書に攻撃防御方法など（民訴161Ⅱ）が記載されているときには、その申立書は、異議後の訴訟における準備書面を兼ねるものと

85）既判力は、簡易確定決定の当事者である債権届出団体および相手方のほかに、債権届出団体に簡易確定手続の追行を授権した届出消費者にも及ぶ（特例法53（旧50）、民訴115Ⅰ②）。ただし、既判力の客観的範囲は、共通義務にかかる対象債権に限られるので、届出消費者が別の原因にもとづく債権を別訴で主張することは、既判力によって遮断されない。

86）特例規則35条が準用する民事訴訟規則2条1項との関係についても、条解特例規則76頁参照。なお、届出消費者の包括承継人、破産管財人、特定承継人が異議の申立てをする場合については、中山ほか34頁参照。

されている（特例規則32Ⅳ）[87]。　異議の申立書には、簡易確定決定の当事者（特例法49（旧46）Ⅰ）、すなわち債権届出団体および相手方事業者の数と同数の写しを添付しなければならない（特例規則32Ⅱ）。ただし、異議の申立てをする者は含まれない（同かっこ書）。裁判所は、その写しを当事者に送付しなければならない（同Ⅲ）[88]。

　異議申立権者である債権届出団体などが、その申立権を放棄することはできる（特例法49（旧46）Ⅶ、民訴358）。放棄は、裁判所に対する申述によってしなければならない（特例規則33Ⅰ）。申述は、書面でしなければならない（同Ⅱ）[89]。申述があったときは、裁判所書記官は、その旨を申述をした者以外の当事者に通知しなければならない（同Ⅲ）。債権届出団体が申述したときには、相手方事業者に、相手方事業者が申述したときには、債権届出団体に、届出消費者が申述したときには、債権届出団体と相手方事業者に通知がなされる[90]。

　また、異議の申立て後であっても、異議後の訴訟の第 1 審の終局判決があるまで、異議の申立てを取り下げることができるが（特例法49（旧46）Ⅶ、民訴360Ⅰ）、相手方当事者の同意をえなければ、異議の申立ての取下げの効力が生じない（特例法49（旧46）Ⅶ、民訴360Ⅱ）。異議の申立てを取下げの方式や効果などは、訴えの取下げに準じる（特例法49（旧46）Ⅶ、民訴360Ⅲ）。なお、異議の申立ての取下げの書面の送達は、取下げをした者から提出された副本によってする（特例規則33Ⅳ、民訴規162Ⅰ）。

　異議の申立ては、裁判に対する不服申立ての一種であるから、不服のない当事者や届出消費者による異議の申立ては不適法である。認否を争う旨の申出の全部が認められた場合の債権届出団体や届出消費者、逆に認否を争う旨の申出の全部が棄却された場合の相手方が、これにあたる。異議後の請求の拡張の必要性は、不服を基礎づける理由にはならない。

87）民事訴訟規則217条 3 項と同趣旨の規定である。条解特例規則75頁。

88）したがって、当事者が異議の申立てをした場合には、他方の当事者に対して、届出消費者が異議の申立てをした場合には、双方の当事者（債権届出団体および相手方事業者）に対して異議申立書の写しを送付する。条解特例規則75頁。

89）多数の届出債権について簡易確定決定がなされうることなどから、手続の安定性と明確性を確保する趣旨である。特例規則 6 、民訴規218参照。条解特例規則77頁。

90）届出消費者に対する通知がなされないのは、債権届出団体からの通知に委ねる趣旨である。条解特例規則77頁。

　裁判所は、1月の不変期間を徒過した場合[91]や、不服が認められない場合など、異議の申立てが不適法であると認めるときは、決定でこれを却下しなければならない（特例法49（旧46）Ⅲ）。却下決定に対しては、即時抗告が許される（同Ⅳ）。却下決定が確定すれば、適法な異議の申立てがなかったものとして、簡易確定決定に確定判決と同一の効力が認められる（同Ⅵ）。

　これに対し、適法な異議の申立てがあったときは、簡易確定決定は、仮執行の宣言を付したものを除いて、その効力を失い（特例法49（旧46）Ⅴ）、手続は、異議後の訴訟に移行する（特例法56（旧52）Ⅰ）。

　なお、簡易確定決定に対して債権届出団体と届出消費者の双方が異議の申立てをすることは可能であるが、異議後の訴訟に関しては、異議の申立てをした届出消費者が自ら訴訟を追行したときは、当該届出消費者は、更に債権届出団体に訴訟追行の授権をすることができないため（特例法57（旧53）Ⅲ）、債権届出団体を原告とする訴訟が不適法なものとなり、異議後の訴訟については、届出消費者が当事者となる。

4　簡易確定手続における費用の負担

　簡易確定手続の追行については、その当事者が一定の経済的負担を引き受けるべきことが定められている。その内容には、各種の申立手数料、あるいは手続を進めるための送達や公告の費用が含まれる。

ア　簡易確定手続の費用（個別費用を除く費用）とその負担

　簡易確定手続の費用は、債権届出の手数料および簡易確定手続における届出債権にかかる申立ての手数料と、それ以外の費用とに分けられる。前者は、個別債権の確定に関する費用という意味で、個別費用と呼ばれる（特例法51（旧48）Ⅰかっこ書）。

　個別費用を除く簡易確定手続の費用は、簡易確定手続開始の申立てをはじめとする各種の裁判を求める申立ての手数料[92]、手続開始や情報開示命令の申立

---

91) ただし、責めに帰することができない事由によって不変期間を徒過した場合には、追完の余地はある（特例法53（旧50）、民訴97）。
92) 民事訴訟費用等に関する法律3条および別表第1の16の項イによって1,000円と定める。

書の作成および提出費用[93]、手続開始決定の送達や官報公告費用[94] を含む[95]。

　民事訴訟においては、訴訟費用は、敗訴の当事者の負担とする原則をとるために（民訴61）、終局判決の主文において訴訟費用の負担者を定め（民訴67 I）、それを基礎として、裁判所書記官が具体的な費用の負担額を定める（民訴71 I）。したがって、いったん提訴手数料などを当事者が納付しても、それが相手方当事者の負担とされたときには、裁判所書記官の処分を債務名義として（民執22④の 2）、相手方に対する強制執行をすることができる。これに対して、簡易確定手続の費用については、各自が負担することを原則とするために（特例法51（旧48）I）、このような手続はとられない。これは、簡易確定手続の結果が勝敗という概念にそぐわないこと、この種の費用は、簡易確定手続において確定する各請求に割りつけることが困難であるとの理由にもとづいている[96]。

　ただし、例外として、裁判所は、事情により、当事者がそれぞれ負担すべき費用の全部または一部を、その負担すべき者以外の当事者に負担させることができる（特例法51（旧48）同II）。たとえば、一方当事者が不誠実な手続行為をして手続を遅延させ、相手方に不要な費用を支出させた場合が考えられる[97]。このような場合には、裁判所は、簡易確定手続にかかる事件が終了した場合[98]において、必要があると認めるときは、申立てによりまたは職権で、簡易確定手続の費用の負担を命じる決定をすることができる（同III）。決定に対しては、

---

93) 民事訴訟費用等に関する法律 2 条 6 号ならびに民事訴訟費用等に関する規則 2 条の2および別表第 2 の 2 の 2 の項によって1,000円と定める。ただし、情報開示命令の申立てにかかる費用は同別表第 2 の 2 の 2 の項にあたるのかどうかという疑問もあろう。

94) 民事訴訟費用等に関する法律11条 1 項による。

95) それ以外の費用、具体的には、簡易確定手続申立団体のする対象消費者への公告や通知（特例法26・27（旧25・26））の費用、相手方による通知や公表（特例法28・29（旧27））や情報開示のために文書の写しを作成し送付する（特例法31（旧28）II）費用などは、簡易確定手続の費用に含まれず、それを支出した者の負担になる。一問一答72頁・110頁。訴訟代理人たる弁護士の費用や報酬についても、同様である。山本318頁は、令和 4 年改正時における議論の状況を紹介する。

96) 一問一答108頁。類似の規律として、非訟事件手続法26条 1 項がある。その趣旨について、金子修編著『一問一答　非訟事件手続法』60頁（2012年、商事法務）参照。

97) 一問一答110頁。

98) 簡易確定手続の終了についての裁判はなされないが、債権届出却下決定や簡易確定決定などによって、すべての届出債権について簡易確定手続による処理が終わった時点を意味する。簡易確定手続開始申立ての取下げによる終了も含む。簡易確定決定に対する異議が提出されたことは、簡易確定手続の終了に影響しない。一問一答110頁参照。

即時抗告が認められる（同Ⅳ）。負担の額は、負担の裁判が執行力を生じた後に、申立てにより、第1審の裁判所書記官が定める（同Ⅴ、民訴71Ⅰ）。

　なお、費用負担については、法定代理人等の費用償還（民訴69）、無権代理人の費用負担（民訴70）、訴訟費用額の確定手続（民訴71）、和解の場合の費用額の確定手続（民訴72）、費用額の確定処分の更正（民訴74）の規定を準用する（特例法51（旧48）Ⅴ）[99]。

イ　個別費用

　個別費用とは、債権届出の手数料および簡易確定手続における届出債権にかかる申立ての手数料を意味する（特例法51（旧48）Ⅰかっこ書）。アにおいて述べた簡易確定手続の費用と異なって、債権届出や届出債権にかかる申立ての手数料は、個別的権利の主張にかかるものであるので、その結果を考慮して、いずれかの当事者の負担とすることに適する。そこで特例法は、民事訴訟法の敗訴者負担の原則（民訴61）を準用して（特例法52（旧49）Ⅲ）、裁判所が費用の負担を定めることとしている（同Ⅰ）。

　ここでいう債権届出の手数料は、1個の債権について1,000円である（民訴費別表第1の16の項イ）。また、届出債権にかかる申立ての手数料とは、債権届出却下決定に対する即時抗告（特例法39（旧36）Ⅱ）、認否を争う旨の申出の却下決定に対する即時抗告（特例法46（旧43）Ⅲ）、異議の申立ての却下決定に対する即時抗告（特例法49（旧46）Ⅳ）、個別費用の負担の決定に対する即時抗告（特例法52（旧49）Ⅱ）の手数料などを意味し、それぞれ1,000円である（民訴費別表第1の18の項(4)）。これに対し、相手方による認否（特例法45（旧42）Ⅰ）や債権届出団体による認否を争う旨の申出（特例法46（旧43））については、手数料は不要である[100]。

　裁判所は、届出債権について簡易確定手続にかかる事件が終了した場合において、必要があると認めるときは、申立てによりまたは職権で、当該事件に関する個別費用の負担を命じる決定をすることができる（特例法52（旧49）Ⅰ）。

---

99) 訴訟が裁判および和解によらないで完結した場合等の取扱い（民訴73）が準用の対象から除外されているのは、特例法51（旧48）条3項の規定が存在するためである。山本314頁注332。

100) 一問一答109頁参照。

簡易確定手続にかかる事件が終了した場合の費用負担に関する裁判とその内容については、以下のように整理できる[101]。

① 相手方が届出債権を認め（特例法45（旧42）Ⅰ）、または認めたものとみなす場合（同Ⅱ）には、債権届出手数料は、相手方の負担とし、裁判所は、その旨の決定をし（特例法52（旧49）ⅠⅢ、民訴67Ⅰ）、裁判所書記官がその額を定める（特例法52（旧49）Ⅲ、民訴71Ⅰ）。

② 相手方が届出債権の全部を認めず、債権届出団体が認否を争う旨の申出（特例法46（旧43）Ⅰ）をしなかった場合には、債権届出手数料は、債権届出団体の負担になる。一部を認めなかった場合には、民事訴訟法64条による。申し出がなされたが、不適法として却下された場合（同Ⅱ）も、同様である。

③ 認否を争う旨の申出がされ、簡易確定決定がなされる場合には、届出債権全部について届出債権支払命令が発せられれば、簡易確定手続において債権届出手数料を相手方の負担とすることを定め（特例法52（旧49）Ⅲ、民訴67Ⅰ）、裁判所書記官がその額を定める（特例法52（旧49）Ⅲ、民訴71Ⅰ）。逆に、申出の全部を棄却するのであれば、簡易確定手続において債権届出手数料を債権届出団体の負担とすることを定める（特例法52（旧49）Ⅲ、民訴67Ⅰ）。申出の一部を認容するのであれば、裁判所の裁量によって負担を定め（特例法52（旧49）Ⅲ、民訴64）、裁判所書記官がその額を定める（特例法52（旧49）Ⅲ、民訴71Ⅰ）[102]。

④ 簡易確定決定に対して異議があり、簡易確定決定が失効した場合には、個別費用の負担の定めも効力を失うため、異議後の訴訟の結果を踏まえ、簡易確定手続の裁判所が個別費用の負担を命じる裁判をし（特例法52（旧49）ⅠⅢ、民訴61・64）、裁判所書記官がその額を定める（特例法52（旧49）Ⅲ、民訴71Ⅰ）。ただし、簡易確定決定に仮執行宣言が付されているときは、異議によって簡易確定決定の効力が失われないが（特例法49（旧

101）一問一答108頁、山本316頁を参考としている。
102）簡易確定決定がなされたにもかかわらず、個別費用の負担の裁判がなされなかった場合には、異議なく簡易確定決定が確定したときにはその後に、異議があったときには異議後の訴訟の結果が定まった後に、費用の負担を命じる裁判がされる。

46）Ⅴ参照）、異議後の訴訟において簡易確定決定が取り消されれば、個別費用の負担の定めも効力を失うため、異議後の訴訟の結果を踏まえ、簡易確定手続の裁判所が個別費用の負担を命じる裁判をし（特例法52（旧49）ⅠⅢ、民訴61・64）、裁判所書記官がその額を定める（特例法52（旧49）Ⅲ、民訴71Ⅰ）。

⑤　簡易確定手続が和解によって終了する場合（特例法40（旧37））には、和解によって費用の負担を定めるか、定めていないときには、各自の負担となる（特例法52（旧49）Ⅲ、民訴68）。額の確定は、簡易確定手続の裁判所書記官による（特例法52（旧49）Ⅲ、民訴72）。

　　ウ　費用負担額を定める申立ておよび処分等

簡易確定手続の費用および個別費用の負担の額を定める申立ての方式や裁判所書記官の負担額を定める処分の手続などは、民事訴訟規則24条ないし28条の定めるところによる（特例規則34）[103]。

　　エ　異議申立てにもとづく提訴擬制の手数料

簡易確定決定に対し適法な異議の申立てがあったときは、債権届出にかかる請求について、債権届出団体または届出消費者を原告とする訴え提起があったものとみなされが（特例法56（旧52）Ⅰ）、この場合には、通常の提訴手数料（民訴費3Ⅰ・別表第1の1の項）から納付済みの債権届出の手数料を控除する（同Ⅱ③）。簡易確定手続における債権届出と異議申立てにもとづく訴え提起による権利主張が経済的目的を同一にすることに着目したものである[104]。相手方が異議を申し立てたときも、同様である。なお、異議後の訴訟における費用の負担は、提訴手数料を含め、民事訴訟法の一般原則による。

第4節　簡易確定手続における和解

債権届出団体は、簡易確定手続において、届出債権について、和解をするこ

103）詳細については、条解特例規則79頁参照。
104）簡易確定決定が届出債権の一部を認め、それに対して異議が申し立てられたときにも、届出債権全額について提訴がなされたものとされるので、提訴手数料もそれを基準として定まる。一問一答114頁。

とができる（特例法40（旧37））。共通義務確認訴訟における和解については、本書73頁で触れたが、簡易確定手続においては、対象債権について債権届出をし、簡易確定手続を追行するについて対象消費者から簡易確定手続申立団体に授権がなされる（特例法34（旧31））。届出債権についての債権届出団体の和解権限は、授権にもとづく届出債権の処分権限が基礎となっている[105]。ここでいう和解は、簡易確定手続上の和解と手続外の和解の双方を含む。なお、和解の時期については、特別の制限は置かれていないが、対象債権について債権届出団体が処分権を有することが前提となるので、対象消費者からの授権（同Ⅰ）をえた後になる。

第1項　簡易確定手続上の和解

　簡易確定手続上の和解とは、手続の係属中、当事者たる債権届出団体と事業者が届出債権に関するそれぞれの主張を譲歩した上で、裁判所の面前において届出債権に関する一定内容の実体法上の合意と、手続終了についての合意をなすことを指す。ただし、その効力が生じるためには、裁判所がこれを調書に記載せしめなければならない。

1　和解の内容——互譲

　手続上の和解の内容をなす、届出債権に関する当事者間の合意は、互譲を前提としなければならない（民695）。たとえば、届出消費者または届出債権の一部について存在を認め、残りの部分については、存在しないことを確認し、存在すると確認するものについては、弁済の時期などを定めるなどの例が考えられる。

　ただし、互譲の判断基準は柔軟に考えられるので[106]、たとえば、事業者が届出債権の存在および内容を全面的に認める場合であっても、他の和解条項において債権届出団体が手続費用を負担するとか、事業者に対して別個の法律上の

105）ただし、債権届出団体の和解権限は、簡易確定手続授権契約（特例法36（旧33）Ⅰかっこ書）中の条項として明らかにしておくことが望ましい。和解の時期などについては、山本ほか・座談会（下）22頁参照。
106）伊藤・民訴法529頁、中山ほか43頁。

負担をするなどの定めがなされていれば、互譲の存在が認められる。

2　合意の主体および合意の内容

　簡易確定手続上の和解は、簡易確定手続終了効の発生を目的とする以上、簡易確定手続の両当事者、すなわち債権届出団体と事業者が主体として不可欠である。問題は、これに加えて第三者が和解当事者として加入しうるかどうかであるが、訴訟上の和解の場合と同様に、これを肯定すべきである。たとえば、和解にもとづく事業者の金銭支払債務の履行を確保するために第三者が保証人となり、和解の当事者として加わることも許される[107]。

3　手続上の和解の効力

　手続上の和解の効力は、簡易確定手続を終了させる効力と、和解調書の記載にもとづく確定判決と同一の効力（特例法53（旧50）、民訴267）とに分けられる。

　確定判決と同一の効力については、届出債権の存否および内容についての既判力が基本となる。和解調書の記載に既判力が認められるかどうかについては、考え方の対立があるが、民事訴訟法上の和解一般についていう制限的既判力説にもとづき[108]、ここでも和解の内容にしたがって、届出債権の存否および内容について既判力が生じると解する。加えて、和解条項の内容として届出債権について事業者の具体的義務履行の態様が定められているときには、それについて執行力が認められる（民執22⑦）。

　なお、和解の無効を主張し、このような効力を排除する手段としては、一般には、手続終了効を否定して、その続行を求めるか、あるいは和解無効確認の訴えや請求異議の訴えの提起などによって、和解調書の執行力を排除または制限することが考えられる。前者としては、和解がいずれの段階で成立したかによるが、債権届出団体が簡易確定決定をするよう裁判所に申し出ることなどが考えられる。裁判所とは、和解が有効であると判断するときには、申出を却下

107）伊藤・民訴法532頁。その場合には、保証人たる第三者に対しても和解調書の執行力などが及ぶ。
108）伊藤・民訴法540頁。

することになろう[109]。

第2項　簡易確定手続外の和解

　債権届出団体と事業者との間における手続外の和解としては、たとえば、事業者が届出債権の全部または一部の存在を認め、債権届出団体は債権届出を取り下げる（特例法40（旧37）Ⅰ参照）などの合意を訴訟外で行うことなどの内容になろう。

---

109)　町村130頁も、和解無効にもとづく簡易確定手続再開の余地を認める。これに対し、山本304頁は、手続を再開することはありえないので、対象消費者が和解無効確認の訴えを提起する方法以外にないとする。

第 2 章　異議後の訴訟手続

　簡易確定決定に対して適法な異議申立てがなされると、手続は、訴訟に移行する。これを異議後の訴訟手続と呼び、以下、管轄および移送、当事者、訴訟物、審理手続、判決の順に分説する。異議後の訴訟の制度が設けられているのは、届出債権の存否および内容は、実体権の確定に他ならないので、訴訟手続による審判を保障するためである。

第 1 節　管轄および移送

　異議後の訴訟は、異議の対象とされた簡易確定決定をした地方裁判所の管轄に属する（特例法56（旧52）Ⅰ前段）。たとえば、簡易確定決定をしたのが東京地方裁判所の裁判体であれば、東京地方裁判所が管轄を有することになる。同一の裁判体である必要はなく、むしろ、事件の配点としては、簡易確定決定の審査という視点から、他の裁判体が担当することが通常であろう。

　この管轄は、専属管轄である（特例法56（旧52）Ⅱ）。したがって、被告の普通裁判籍による管轄（民訴 4 Ⅰ）、財産権上の訴え等についての管轄（民訴 5）、併合請求における管轄（民訴 7）、管轄の合意（民訴11）、応訴管轄（民訴12）の規定は適用しない（民訴13）。管轄違いの移送の規定（民訴16）は適用するが、遅滞を避ける等のための移送（民訴17）については、特例法56（旧52）条 3 項の特則がある。

　異議後の訴訟が係属する地方裁判所は、著しい損害または遅滞を避けるため必要があると認めるときは、その専属管轄の規定にもかかわらず、申立てによりまたは職権で、その事件にかかる訴訟を民事訴訟法 4 条 1 項または 5 条 1 号、5 号もしくは 9 号の規定により管轄権を有する地方裁判所に移送することができる（特例法56（旧52）Ⅲ）。

　民事訴訟法17条も同趣旨の規定であるが、同条は、法定専属管轄の場合に

は適用されないことから（民訴20Ⅰ）、特例法独自の移送規定が置かれたものである。なお、移送の申立てがあったときは、地方裁判所は、相手方の意見を聴いて決定するものとされ（特例規則36Ⅰ）、職権によって移送の決定をするときには、当事者の意見を聴くことができる（同Ⅱ）[110]。

　また、移送の要件についてみると、民事訴訟法17条では、「訴訟の著しい遅滞を避け、又は当事者間の衡平を図るため必要があると認めるとき」とされているのに対し、特例法56（旧52）条3項は、「著しい損害又は遅滞を避けるため必要があると認めるとき」と規定している。

　両者に共通する著しい遅滞とは、証人や検証物の所在などによって受訴裁判所において訴訟手続を進めることに不相当な時間を要することを意味する。これに対して、特例法56（旧52）条3項の要件である著しい損害とは、当事者、特に被告の訴訟追行上の不相当な負担を意味する[111]。

　移送を受けるべき裁判所は、被告たる事業者の住所や主たる事務所などの普通裁判籍所在地を管轄する地方裁判所（民訴4Ⅰ）、届出債権について授権を受けているという意味での義務履行地たる債権届出団体の所在地（民484参照）を管轄する地方裁判所（民訴5①）、被告たる事業者の事務所または営業所の所在地を管轄する地方裁判所（民訴5⑤）、不法行為地[112]を管轄する地方裁判所（民訴5⑨）である。

第 2 節　異議後の訴訟の当事者

　異議後の訴訟の当事者は、簡易確定決定に対して異議の申立てをした者とその相手方であり、債権届出団体または届出消費者と事業者等である。ただし、異議申立てをしたのがいずれの者であっても、被告は事業者等であり、原告は、

---

110) 共通義務確認訴訟の移送に関する特例規則3条と同趣旨の規律である。条解特例規則89頁。
111) 著しい損害という概念は、旧民事訴訟法31条の中で用いられていたが、現行民事訴訟法17条に定められている考慮要素と同様の事情を考慮して判断すべきものとされていた。伊藤・民訴法102頁参照。
112) 不法行為地が、加害行為地と損害発生地を含むことなどについては、伊藤・民訴法84頁参照。

債権届出団体か届出消費者かのいずれかになる。債権届出団体と届出消費者の双方が異議申立てをしたときであっても、債権届出団体が原告となるためには届出消費者からの授権が必要であり（特例法57（旧53）Ⅰ）、届出消費者は、自ら異議後の訴訟を追行したときは、更に債権届出団体に訴訟追行の授権をすることができない（同Ⅲ後半部分）ためである[113]。

第1項　債権届出団体

異議後の訴訟における債権届出団体の当事者適格（原告適格）は、自らまたは相手方事業者による異議の申立ておよび届出消費者による授権という、2つの事実によって基礎づけられる。

1　簡易確定決定に対する異議の申立て

第1は、簡易確定決定に対して、自らまたは相手方事業者が異議の申立てをしたことである。相手方事業者が異議の申立てをした場合であっても、異議後の訴訟における原告は、債権届出団体である（特例法56（旧52）Ⅰ前段）。破産債権査定申立てについての決定に対する異議の訴えなど（破126Ⅰなど）と異なる。

破産債権査定申立てについての決定に対する異議の訴えなどの訴訟物は、査定決定に対する異議権であり、裁判所は、異議に理由があれば、査定決定を取り消して、破産債権の全部または一部を認定したり、逆に、破産債権を存在しないものとする判決をなすし、異議に理由がなければ、査定決定を認可する判決をする（破126Ⅶ）。したがって、異議訴訟の当事者は、異議を述べた者と異議を述べられた破産債権者であり、いずれかが原告または被告となる。これは、訴訟物を異議権とし、裁判所の審判の対象が破産債権査定決定の当否であることを反映している。

113）したがって、債権届出団体と届出消費者による共同訴訟の追行はありえない。山本321頁参照。

　なお、届出消費者が対象消費者に該当しないと判断するときは、裁判所は、その者にかかる訴えを却下する。この手続の利用資格が認められないためである。増森珠美「消費者集団裁判手続特例法施行後の運用（共通義務確認訴訟及び異議の訴え）において想定される実務上の諸問題」民訴雑誌63号268頁（2017年）参照。

　これに対して、特例法にもとづく異議後の訴訟の場合には、独立の訴えを必要とせず、異議の申立てによって債権届出にかかる請求についての訴え提起を擬制する構成をとるために（特例法56（旧52）Ⅰ前段）[114]、訴訟物は、当該届出債権であり、訴訟の形式は給付訴訟となる。そのため、債権届出団体、届出消費者または相手方事業者のいずれが異議の申立てをしたかを問わず、債権届出団体または届出消費者が原告となる。したがって、債権届出団体の原告適格を基礎づける事実の1つは、債権届出団体自身による異議の申立てまたは相手方事業者による異議の申立てである。

2　届出消費者の授権

　簡易確定手続における債権届出団体の手続追行権について、義務づけられた任意的手続担当という概念を提示した（本書120頁）。その手続追行権は、簡易確定決定に対する異議の申立てをした段階で消滅し、異議後の訴訟については、訴訟物たる届出債権の帰属主体である届出消費者から新たに訴訟追行権の付与を受けなければならない。これが異議後の訴訟についての届出消費者の授権である（特例法57（旧53）Ⅰ）。新たに訴訟追行権の付与を受けることを必要としたのは、簡易確定手続と異議後の訴訟手続が、手続行為や訴訟行為の質が異なり、また、結果に至る費用や労力についても差異が存在することから、権利帰属主体である届出消費者の判断の機会を保障するためと考えられる。

ア　届出消費者の授権──訴訟授権契約の締結

　債権届出団体は、異議後の訴訟を追行するには、届出消費者の授権がなければならない（特例法57（旧53）Ⅰ）。届出債権の帰属主体である届出消費者からの授権によって、債権届出団体の訴訟追行権が基礎づけられるという意味において、債権届出団体の原告適格は、講学上の任意的訴訟担当に属する。任意的訴訟担当については、その適法性が当然に認められるわけではないが、他の例[115]と同様に、合理的必要性が存在することを根拠として、特例法は、その

114）このような構成は、労働審判法22条1項前段や犯罪被害者等の権利利益の保護を図るための刑事手続に付随する措置に関する法律34条1項前段による訴え提起の擬制と同様のものである。第一東京弁護士会犯罪被害者保護に関する委員会編著『被害者参加・損害賠償命令制度の解説』36頁（2008年、東京法令出版）参照。
115）伊藤・民訴法210頁参照。

適法性を明らかにしている。授権は、書面で証明しなければならない（特例規則37Ⅰ・20Ⅰ参照）。

ただし、届出消費者による授権の相手方は、その届出債権にかかる債権届出団体に限られる（特例法57（旧53）Ⅱ）。任意的訴訟担当者となるべき資格にかかる規律であるが、簡易確定手続における手続追行主体としての債権届出団体と、異議後の訴訟における訴訟追行主体としての債権届出団体としての同一性を求め、手続の連続性を確保し、その円滑な進行を実現するためである。

また、届出消費者が簡易確定決定に対して自ら異議の申立てをし、異議後の訴訟を追行したときは、当該届出消費者は、債権届出団体に訴訟追行の授権をすることはできない（特例法57（旧53）Ⅲ後半部分）。届出消費者が自ら訴訟追行をするという選択をした以上、重ねて債権届出団体に訴訟追行権を授与することを認める合理性に欠けるためである。もっとも、届出消費者が自ら異議の申立てをして、その者による訴え提起が擬制されるときであっても（特例法56（旧52）Ⅰかっこ書）、自らした異議の申立てを取り下げたのであれば、異議の申立てをし、原告となっている債権届出団体に授権をし、訴訟追行を委ねることが認められる。

なお、届出消費者がいったん授権をした後で、それを取り消したときには（特例法57（旧53）Ⅷ・34（旧31）Ⅲ）、再び授権をして債権届出団体に訴訟追行をさせることはできない（特例法57（旧53）Ⅲ前半部分）。訴訟手続の安定を害するおそれがあるためであり、簡易確定手続に関する特例法34（旧31）条9項と同趣旨の規律である。

イ　義務づけられた任意的訴訟担当

債権届出団体は、正当な理由があるときを除いては、訴訟授権契約（届出消費者が訴訟追行の授権をし、債権届出団体が異議後の訴訟を追行することを約する契約）の締結を拒絶してはならない（特例法57（旧53）Ⅳ）。簡易確定手続における特例法36（旧33）条1項と同趣旨の規律であり、被害回復関係業務における債権届出団体の任務（特例法81（旧75）Ⅰ）を考慮して、任意的訴訟担当者としての訴訟追行を義務づけている。

債権届出団体は、授権に先立ち、授権をしようとする者に対し、内閣府令（施行規則）で定めるところにより、被害回復裁判手続の概要および事案の内

容その他内閣府令で定める事項について、これを記載した書面を交付し、またはこれを記録した電磁的記録を提供して説明をしなければならない（特例法57（旧53）Ⅷ・35（旧32））。簡易確定手続における授権の場合と同様に、届出消費者が授権の意義を十分に理解し、判断することを保障しようとするものである。内閣府令で定める事項とは、共通義務確認訴訟の確定判決の内容、対象債権および対象消費者の範囲、簡易確定手続申立団体の名称および住所などの特例法26（旧25）条 1 項 3 号から 9 号までに掲げる事項、届出消費者が債権届出団体に対して授権をする方法および期間などである（施行規則 7 Ⅱ各号）。

　もっとも、正当な理由があるときは、債権届出団体は、訴訟授権契約の締結を拒絶することができる。簡易確定手続における授権契約の締結拒絶については、「やむを得ない理由」とされているのと比較すると、やや要件が緩和されている。これは、簡易確定手続において届出債権の存否や内容についての裁判所の判断が示されており、債権届出団体としてそれを覆すのが難しいと考える場合があること、簡易確定手続と異なって、届出消費者自身が異議後の訴訟を追行できることなどを考慮したものであり[116]、実際上は、届出債権について債権届出団体が主張立証を尽くしても、簡易確定決定の判断を覆すのが難しい場合が中心となろう。授権契約の締結を拒絶する理由は、届出消費者にあらかじめ説明しなければならない（施行規則 7 Ⅱ④）。

　また、授権をえた債権届出団体は、正当な理由があるときを除いては、訴訟授権契約を解除してはならない（特例法57（旧53）Ⅴ）。正当な理由としては、訴訟の進め方をめぐって債権届出団体と届出消費者との間に重大な意見対立が生じ、授権にもとづく訴訟追行を続行することが届出消費者の意思に合致せず、債権届出団体にも不相当な負担を生じることなどが考えられる。債権届出団体は、解除をしたときは、その旨を裁判所に書面で届け出なければならない（特例規則37Ⅲ）[117]。届出消費者に対する説明の必要があることは、締結拒絶の場合

---

116)　一問一答115頁。授権契約締結拒絶および解除についての正当な理由の具体的内容については、ガイドライン 4 (8)イ、山本326頁参照。なお、このことも考慮すれば、簡易確定手続の授権（特例法34（旧31）Ⅰ）が異議後の訴訟の授権（特例法57（旧53）Ⅰ）を含むとはいえない。後藤ほか33頁参照。

117)　訴訟授権契約の解除は、訴訟手続の中断事由となると解されるために、手続の安定性および明確性を確保するためである。条解特例規則92頁。

と同様である（施行規則7Ⅱ④）。

　なお、授権の取消しがなされたり、特定認定の取消しによって授権が失効したりする場合には、債権届出団体の訴訟担当者としての資格が失われるために、訴訟の中断および受継が生じ（特例法57（旧53）Ⅸ、民訴124Ⅰ⑥）[118]、権利帰属主体であり、授権の取消しなどをした届出消費者自身が手続を受継するか[119]、特定認定の失効などによって内閣総理大臣から手続を受け継ぐべき者として指定を受けた特定適格消費者団体（特例法93（旧87）Ⅰ）が、届出消費者からの授権を受けて手続を受継する[120]。ただし、原告たる債権届出団体に訴訟代理人が存在すれば、その訴訟代理権は、債権届出団体の訴訟追行権の消滅による影響を受けず（特例法57Ⅸ、民訴58Ⅱ）、訴訟の中断も生じない（特例法57（旧53）Ⅸ、民訴124Ⅱ）。訴訟代理人は、新たに当事者となる届出消費者または債権届出団体のために訴訟を追行する。

　　ウ　債権届出団体の公平誠実義務および善管注意義務

　届出消費者からの授権をえた債権届出団体は、授権をした届出消費者のために、公平かつ誠実に異議後の訴訟の追行および届出債権についての民事執行の手続の追行（裁判外の和解を含む）ならびにこれらにともない取得した金銭その他の財産の管理をしなければならない（特例法57（旧53）Ⅵ）。この公平誠実義務は、簡易確定手続における債権届出団体の公平誠実義務（特例法37（旧34）Ⅰ）と同質のものであり、届出消費者間の利益調整にかかる公平義務と届出消費者と債権届出団体との関係にかかる誠実義務とに分けられる（本書124頁参照）。

　異議後の訴訟における公平義務は、異議後の訴訟の訴訟物たる各届出債権について、合理的理由のない差別的取扱いをすることなく攻撃防御を尽くすことを意味する。裁判上の和解および裁判外の和解についても同様であり、各届出

---

118)　中断事由としては、民事訴訟法124条1項5号の準用も考えられるが、届出消費者の授権にもとづく任意的訴訟担当者としての債権届出団体の地位が選定当事者と同質であることを重視したものと思われる。

119)　受継に際し、債権届出団体に対する支払いを求める旨を届出消費者自身に対する支払いを求める旨に請求の趣旨を変更する必要がある。上原39頁、山本330頁。

120)　受継の申立ては、書面でしなければならず、その書面には、受継を申し立てる者が民事訴訟法124条1項各号に定める者であることを明らかにする資料を添付しなければならない（特例規則38・43、民訴規51）。

債権に関する証拠の軽重などを考慮した差異を設けることが排斥されるわけではないが、基本的には、各届出債権の平等な取扱いが求められる。民事執行の手続の追行、および相手方の任意弁済や執行の結果としてえた金銭などの管理についても同様であり、できる限り対象消費者が平等に満足を受けるように配慮しなければならない。

　誠実義務についても、簡易確定手続におけるのと同様であり、訴訟授権契約にもとづいて債権届出団体が、異議後の訴訟、民事執行の手続を含め、届出消費者の利益実現に注力しなければならないことを意味する。

　また、授権をえた債権届出団体は、授権をした届出消費者に対し、善良な管理者の注意をもって異議後の訴訟の追行、民事執行の手続の追行、裁判上または裁判外の和解、あるいは受領した金銭などの財産の管理をしなければならない（特例法57（旧53）Ⅶ）。この善管注意義務も、簡易確定手続上のそれと同質のものであり、訴訟授権契約によって、債権届出団体が届出消費者の権利を預かる立場となり、その結果として、異議後の訴訟や民事執行の追行に際して、自らの不注意による届出債権の毀損が生じないように注意し、取得した金銭その他の財産の管理に関しても、その価値の保全に注意を払わなければならない。これも簡易確定手続の場合と同様に、善管注意義務の違反は、内閣総理大臣の監督権行使の理由になるほか（特例法91（旧85）Ⅱ・92（旧86）Ⅰ④・Ⅱ①）、委任者たる対象消費者との関係では、損害賠償義務を発生させることがある（民415Ⅰ本文）。

　なお、授権をした届出消費者は、それを取り消すことができ（特例法57（旧53）Ⅷ・34（旧31）Ⅲ）、授権の取消しは、届出消費者または債権届出団体から相手方への通知によって効力を生じ（特例法57（旧53）Ⅷ・34（旧31）Ⅳ）[121]、授権をえた債権届出団体の特定認定が失効したり、取り消されたときは、授権が効力を失うことは（特例法57（旧53）Ⅷ・34（旧31）Ⅴ）、簡易確定手続における授権と同様である。

121）授権の取消しの通知をした者は、その旨を裁判所に書面で届け出なければならない（特例規則37Ⅱ）。授権の取消しが訴訟の中断事由となるため（特例法57（旧53）Ⅸ、民訴124Ⅰ⑥。本書158頁参照）、手続の安定性および明確性を確保するためである。条解特例規則91頁。

第2項　届出消費者

　簡易確定決定に対し適法な異議の申立てをした届出消費者（特例法49（旧46）II）は、債権届出の時に、自らが原告となって、訴えを提起したものとみなされる（特例法56（旧52）I かっこ書）。訴訟物となる届出債権の帰属主体は届出消費者であるところ、簡易確定手続係属中は、その管理処分権が制限されていたが、簡易確定決定に対する異議を自ら申し立てることによって、届出消費者が管理処分権を回復する結果である。訴訟手続上の地位は、民事訴訟一般の規律に従う。ただし、簡易確定決定の基礎となっている債権届出においては、請求の趣旨として、債権届出団体に対する給付を求める旨が表示されているので、これを異議の申立てをした届出消費者自身に対する給付を求める旨に変更する必要がある[122]。

第3項　相手方事業者等

　簡易確定手続における相手方である事業者等は、債権届出団体の異議、届出消費者の異議または自らの異議によって、異議後の訴訟における被告適格を取得する。訴訟手続上の地位は、民事訴訟一般の規律に従う。

第3節　異議後の訴訟

　異議後の訴訟は、届出債権を訴訟物とする給付訴訟である。後に述べるように、簡易確定決定の内容が届出債権の支払いを命じる届出債権支払命令であり、かつ、それに仮執行宣言が付されているときは（特例法47（旧44）IV参照）、異議の申立てがあっても、仮執行宣言付届出債権支払命令の効力が失われないために（特例法49（旧46）V参照）、判決の形式は認可判決になるが（特例法59（旧55）I本文）、このことは、給付訴訟としての性質に影響を与えるものではない[123]。したがって、簡易確定決定に仮執行宣言が付されていないときには、

122）前掲（注119）参照。
123）これと比較して破産債権査定申立てについての決定に対する異議の訴え（破126 I）の訴訟物は、決定に対する異議権であり、訴えの類型としては、形成訴訟であるとされている。

給付訴訟としての性質から、判決は、届出債権についての給付命令を掲げる給付判決となる。

第 1 項　異議後の訴訟の提起

　簡易確定決定に対し適法な異議の申立てがあったときは、債権届出にかかる請求については、当該債権届出の時に、当該債権届出にかかる債権届出団体または届出消費者を原告として、当該簡易確定決定をした地方裁判所に訴えの提起があったものとみなす（特例法56（旧52）Ⅰ前段）。この規律に関し、管轄裁判所については、本章第 1 節で、原告たるべき債権届出団体または届出消費者については、第 2 節で説明した。以下では、異議の法的性質（ア）、訴え提起の擬制（イ）、訴訟物（ウ）、訴え提起（エ）の効果について解説する。

1　異議の法的性質

　簡易確定決定に対する異議（特例法49（旧46）Ⅰ）の手続法上の性質は、裁判に対する不服申立ての一種ではあるが、上級審に対するものではない点で、上訴とは区別される。上訴の効力としては、原裁判の確定遮断効と事件の上訴審への移審効があげられるところ[124]、異議は、簡易確定決定の確定遮断効を有するが（同Ⅵ参照）、移審効ではなく、簡易確定決定を失効させ（同Ⅴ）、届出債権にかかる訴訟手続を簡易確定決定をなした裁判所に係属させる効果を有する。移審効との対比でいえば、異議は、簡易確定決定の効力消滅および訴訟手続への移行という形成的効果を持つ手続行為と考えられる。

　もっとも、仮執行宣言付簡易確定決定（届出債権支払命令）は、異議によっても失効しないために（特例法49（旧46）Ⅴ）、異議の効果のうち、訴訟手続へ

　伊藤・破産法・民事再生法696頁。同じく、決定を認可するとの判決主文を想定する（同Ⅶ）にもかかわらず、このような違いが生じるのは、簡易確定手続における債権届出団体による債権届出が、給付の申立てとしての性質を有し、それが認められるときには、簡易確定決定において仮執行宣言を付すことができるのに対し、破産債権の届出は、破産手続上の確定を求めるものであり、査定決定は、それに対応する確認的裁判であって、異議の訴えは、その効力を消滅させる目的を持つことによる。異議後の訴訟に対する判決と同様の構造をとるものとして、犯罪被害者等の権利利益の保護を図るための刑事手続に付随する措置に関する法律37条 1 項がある。高井康行ほか『犯罪被害者保護法制解説〔第 2 版〕』76頁（2008年、三省堂）参照。
124）秋山ほかⅥ 9 頁。

の移行効のみを有する。仮執行宣言付簡易確定決定（届出債権支払命令）についての異議後の判決が、それを認可し（特例法59（旧55）Ⅰ本文）、または取り消す（同Ⅱ）との内容になるのは、このような理由によるものである。

　このように、異議が原裁判である簡易確定決定に対する不服の申立てである以上、届出債権のすべてが簡易確定決定において認められた債権届出団体のように、原裁判に対する不服がない者による異議申立ては不適法であるが、適法な異議の申立てがあれば、確定遮断効と手続移行効、または手続移行効のみが発生する[125]。

2　訴え提起の擬制

　訴えの提起は、訴状を裁判所に提出して行い（民訴134Ⅰ）、訴状には、訴訟法律関係の主体たる当事者および法定代理人、訴訟物を特定するための請求の趣旨および原因を記載しなければならないのが本則である（同Ⅱ）。そして、訴状提出時に時効の完成猶予等の効果が発生し（民訴147、民147①）、訴状送達時（民訴138Ⅰ）に訴訟係属の効果が発生する。

　これに対して、異議後の訴訟の場合には、簡易確定手続における届出書（特例法33（旧30）Ⅱ第2かっこ書）を訴状とみなし、届出書の送達（特例法38（旧35））を訴状の送達とみなすこととしている（特例法56（旧52）Ⅰ後段）。

ア　訴状の必要的記載事項

　訴状の記載事項についていえば、債権届出をする簡易確定手続申立団体[126]、相手方[127]および届出消費者[128]の記載（特例法33（旧30）Ⅱ①前半部分）が訴訟法律関係の主体である当事者の記載に相当し、それらの法定代理人の記載（同後半部分）とあわせて、訴状の当事者欄の記載とみなされる。

　そして、届出書における請求の趣旨および原因の記載（特例法33（旧30）Ⅱ

125）類似の制度である手形判決に対する異議の申立て（民訴357）や少額訴訟判決に対する異議の申立て（民訴378）については、条解民訴法1795頁・1868頁参照。
126）特例規則18条1項1号によれば、「簡易確定手続申立団体の名称及び住所並びに代表者の氏名」の記載を意味する。
127）特例規則18条1項2号によれば、「相手方の氏名又は名称及び住所並びに法定代理人の氏名及び住所」の記載を意味する。
128）特例規則18条1項3号によれば、「届出消費者の氏名及び住所並びに法定代理人の氏名及び住所」の記載を意味する。

②）は、訴状の記載とみなされ、訴訟物たる届出債権が特定する。

イ　訴状の任意的記載事項

　民事訴訟一般の規律としては、訴状の必要的記載事項のほか、請求を理由づける事実を具体的に記載し、かつ、立証を要する事由ごとに、当該事実に関連する事実で重要なものおよび証拠を記載しなければならない（民訴規53Ⅰ）。これらは訓示的記載事項と呼ばれるが、それに相当するものとして、特例規則18条で定める事項は、訴状に記載したものとみなす（特例法56（旧52）Ⅰ後段）。その中で、特例規則18条2項は、「請求の趣旨並びに請求を特定するのに必要な事実並びに当該請求が共通義務確認訴訟において認められた義務又は和解金債権に係る事実上及び法律上の原因を前提とするものであることを明らかにする事実を記載するほか、請求を理由付ける事実を具体的に記載しなければならない」と定める。

　このうち、請求の趣旨、請求を特定するのに必要な事実の記載および請求を理由づける事実の具体的記載は、民事訴訟規則の規定内容と同一であるが、当該請求が共通義務確認訴訟において認められた共通義務にかかる事実上および法律上の原因を前提とするものであることを明らかにすることを求めるのは、共通義務確認訴訟、簡易確定手続、異議後の訴訟の手続としての連続性を確保するためである。

3　訴訟物

　先に述べたとおり、異議後の訴訟は給付訴訟であり、その訴訟物は、請求の趣旨、すなわち各届出消費者が相手方事業者に対して有する一定額の金銭の支払いを債権届出団体に対して求める旨の表示と、請求の原因、すなわち金銭支払請求権の実体法上の請求権としての性質を明らかにするに足る事実によって特定する。ただし、請求の原因は、共通義務確認訴訟において認められた義務にかかる事実上および法律上の原因を前提とするものに限る（特例法33（旧30）Ⅱ②かっこ書）。

　もっとも、仮執行宣言を付した簡易確定決定（届出債権支払命令）は、異議の申立てによって失効しないので（特例法49（旧46）Ⅴ参照）、それを対象とする異議には、取消しの申立てを含むと解すべきであるため、訴訟物とするかど

うかはともかく、異議の申立ての中に取消しの申立てが含まれているものとして扱うべきである。

4　訴え提起の効果

訴え提起を擬制することによる訴訟法上の効果は、届出書の送達をもって訴状の送達とみなすことによる、訴訟物たる届出債権に関する債権届出団体または届出消費者と相手方事業者等との間の訴訟係属の発生である。

ア　二重起訴（重複起訴）の禁止

二重起訴の禁止（民訴142）は、当事者の同一性と訴訟物の同一性とを基本的要件として、係属中の事件について更に訴えを提起することを禁止し、後訴を不適法とする法理であるが、異議後の訴訟についても妥当する。もっとも、異議後の訴訟の原告適格が、債権届出団体または異議の申立てをした届出消費者に限定されているため、二重起訴禁止の法理の適用場面としては、債権届出団体による異議の申立ての後に届出消費者が異議の申立てをした場合や、債権届出団体と届出消費者の異議が同時になされた場合などが考えられる。しかし、債権届出団体が異議後の訴訟を追行するには、届出消費者の授権を要すること（特例法57（旧53）Ⅰ）、届出消費者が自ら異議後の訴訟を追行したときは、債権届出団体に対する授権が認められないこと（同Ⅲ）を考慮すれば、届出消費者による異議の申立てが後行のときであっても、届出消費者による異議後の訴訟を優先させることになろう。

また、債権届出団体または届出消費者が当事者である異議後の訴訟係属中に、届出消費者が自らの届出債権について重ねて給付訴訟を提起する場合もありえよう。異議後の訴訟の原告が届出消費者であるときに、当該届出消費者が重ねて給付の訴えを提起すれば、当事者と訴訟物の同一性から、後訴は二重起訴として不適法である。また、届出消費者から授権を受けた債権届出団体が異議後の訴訟の原告となっているときに、当該届出消費者が重ねて給付の訴えを提起した場合にも、当事者適格の視点からみれば、当事者が同一であるので、後訴は二重起訴となる。もちろん、当該届出消費者が授権を取り消した場合（特例法57（旧53）Ⅲ参照）や、当該債権届出団体が訴訟授権契約を解除した場合（同Ⅴ参照）は、別である。

イ　処分権主義

　処分権主義とは、訴訟物に関する民事訴訟の基本原則であり（民訴246など）、訴訟物たる権利について当事者が、その特定や変更などの処分権を有し、裁判所は、当事者の処分に拘束されることを意味する。異議後の訴訟も民事訴訟であるから、処分権主義が妥当するが、訴えの変更および反訴については、制限がある。

　第1に、「裁判所は、当事者が申し立てていない事項について、判決をすることができない」（民訴246）との規律との関係では、裁判所は、異議後の訴訟の訴訟物、すなわち届出債権の範囲を超えて判決をすることができない。たとえば、相手方事業者による特定の不法行為にもとづく一定額の損害賠償請求権が届出債権とされているときに、別の原因にもとづく損害賠償請求権について判断することはもちろん、当該損害賠償請求権についても、その額を超えて判断することは、処分権主義違反となる。

　すなわち、異議審は、届出債権を訴訟物として審判するので、その範囲で請求の当否を判断することとなり、異議審がその内容を超えた届出債権の存在を認めるときであっても、それがために仮執行宣言が付された届出債権（全額）支払命令を変更することはできず、届出債権支払命令を認可するにとどめなければならない。このことを前提とした異議後の判決の態様については、本書170頁において説明する。

ウ　訴えの変更および反訴の禁止

　異議後の訴訟においては、原告は、訴えの変更をすることができない（特例法58（旧54）Ⅰ）。被告は、反訴を提起することができない（同Ⅱ）。したがって、異議後の訴訟の訴訟物は、簡易確定手続における審判の対象である届出債権から変動することはない[129]。

①　訴えの変更の禁止

　民事訴訟の一般原則からすれば、原告は、訴訟の係属中、請求の基礎に変更

129）ただし、届出債権について事業者が消費者を相手方として債務不存在確認の訴えを提起し、その係属中に当該債権について債権届出団体による債権届出がなされ（特例法30Ⅳ参照）、簡易確定決定を経て異議後の訴訟に移行したような場合には、弁論の併合（民訴152Ⅰ）がなされることによって、請求の客観的併合状態が生じうる。一問一答120頁、山本331頁。

がない限り、その訴えを変更することができる（民訴143Ⅰ本文）。これは、訴訟物の追加または変更が原告に許されるという意味で、処分権主義の発現とみることができる。これに対して異議後の訴訟において、原則としての訴えの変更が許されないのは、債権届出団体が授権を受けた届出債権の存否内容を迅速に確定するためであり[130]、また、簡易確定手続と異議後の訴訟手続との連続性を確保するために、処分権主義を制限したものということができる。

　たとえば、届出債権が不実告知による取消しを理由とする不当利得返還請求権であるときに、それを不法行為にもとづく損害賠償請求権に追加的または交換的に変更することは、たとえ請求の基礎を同一にするにしても、新たな事実についての審理が必要になる可能性があり、訴えの変更は許されない。

　もっとも、訴えの変更にあたるかどうかは、請求の趣旨および原因によって特定する訴訟物の同一性が基準となるので、単なる攻撃防御方法の追加や変更、たとえば、不実告知の態様にかかる事実を追加主張するなどが禁止されることはなく、時機に後れた攻撃防御方法の却下（民訴157）などの民事訴訟一般の規律に委ねられる[131]。

　また、訴えの変更の禁止の例外として、届出消費者または請求額の変更を内容とするものは許される（特例法58（旧54）Ⅰかっこ書）。相続などの理由によって届出債権が新たな主体に移転し、訴訟物たる権利の帰属に変動に生じることがあるが、そのような場合においてまで訴えの変更を禁止する理由に乏しい。また、請求額についてみても、その増額を禁止すれば[132]、届出消費者が別訴を提起せざるをえなくなる一方、請求の拡張によって相手方事業者に不当な負担増を生じるとも考えられないところから、これを許すものとしている[133]。

　②　反訴の禁止

　反訴は、被告側から訴訟物を追加する行為であり（民訴146）、同じく処分権主義の発現であるが、訴えの変更を禁止するのと同様の理由から、これを許さないものとしている（特例法58（旧54）Ⅱ）。もっとも、相手方事業者は、反訴

130）一問一答117頁。
131）伊藤・民訴法678頁。具体例については、秋山ほかⅢ195頁、後藤ほか34頁参照。
132）請求額の増額は、請求の拡張といわれ、訴えの変更の一種として扱われている。秋山ほかⅢ192頁。ただし、訴えの変更としない考え方もある。伊藤・民訴法678頁注14。
133）一問一答117頁、山本332頁、町村135頁参照。

の訴訟物たる債権を別訴によって訴求することは許されるし、また、その債権を異議後の訴訟において相殺の抗弁の自働債権として用いることも妨げられないから、反訴の禁止によって事業者の利益が損なわれるとはいえない。

第2項　異議後の訴訟の審理

異議後の訴訟の審理は、民事訴訟の一般的規律にしたがい、異議審に特有の規律はない。ただし、先行する簡易確定手続との関係で、民事訴訟の基本原則である直接主義（民訴249Ⅰ）、弁論主義および時機に後れた攻撃防御方法の却下（民訴157）との関係では、検討の必要がある。

1　直接主義および弁論主義

直接主義とは、事実認定のための弁論の聴取や証拠の取調べを受訴裁判所の裁判官自身が行う原則であり、弁論主義とは、訴訟物たる権利関係の基礎を成す事実の確定に必要な裁判資料の収集、すなわち事実の提出と証拠の収集を当事者の権能と責任に委ねる原則である[134]。この2つの原則との関係で、簡易確定手続において当事者が主張した事実や提出した証拠を異議後の訴訟でどのように取り扱うべきかが問題となる。

簡易確定手続と異議後の訴訟とは、訴訟物を軸とする連続性があり、実質的な審理内容が共通するとはいえ、簡易確定手続は、任意的口頭弁論による決定手続であるのに対し、異議後の訴訟は、必要的口頭弁論による訴訟手続であり、異種の両手続間の資料が当然に共通するものとはいえない。したがって、異議後の訴訟における直接主義や弁論主義の要請を満たすためには、既に簡易確定手続において主張した事実や提出した証拠であっても、当事者は、それらを新たに異議審に提出する必要がある[135]。

もっとも、異議審における審理の中心が、実際には、簡易確定決定における判断の妥当性であり、簡易確定手続の審理記録が異議審に引き継がれていることを前提とすれば、簡易確定手続において主張した事実や提出した証拠を当事

---

134) 伊藤・民訴法289頁・332頁。
135) 訴状とみなされる届出書記載事項は別である。労働審判について、最高裁判所事務総局行政局監修『労働審判手続に関する執務資料〔改訂版〕』89頁（2013年、法曹会）参照。

者が包括的に援用することを認め、簡易確定手続において提出することが許されない人証（特例法48（旧45）Ⅰ）や文書提出命令の対象となる文書などを中心とする証拠調べを行うことが通常となろう。

　届出消費者が簡易確定決定に対する異議を申し立て（特例法49（旧46）Ⅱ）、異議後の訴訟の原告となるときにも（特例法56（旧52）Ⅰ前段かっこ書）、基本的な考え方は同様であるが、届出消費者は、簡易確定手続の当事者ではないので（特例法13（旧12）参照）、当然にその審理内容を把握しているとは限らず、手続記録の閲覧などを通じて（特例法53（旧50）、民訴91ⅠⅡ・92）その内容を知りうるに過ぎない。もっとも、閲覧規定の適用にあたっては、権利帰属主体である届出消費者は、当事者である債権届出団体に準じる取扱いをすべきであろう。また、対象消費者の利益のために被害回復関係業務を適切に実施すべき責務を負う債権届出団体（特定適格消費者団体）としては、簡易確定手続の審理内容についての情報を届出消費者に対して適切に開示すべきものと考えられる。

　令和4年改正が新設した特例法54条は、「簡易確定手続の当事者及び利害関係を疎明した第三者は、裁判所書記官に対し、簡易確定手続にかかる事件の記録の閲覧を請求することができる」と規定する。これは、上記の問題に対処するためであり、届出消費者は、その地位にもとづいて利害関係が認められる。

2　時機に後れた攻撃防御方法の却下

　168頁に述べた簡易確定手続と異議後の訴訟との関係を前提とすれば、簡易確定手続において当事者が提出しえない人証や文書提出命令にかかる文書などはもちろん、提出しえた書証であっても、それを異議後の訴訟において提出することが、当然に時機に後れた攻撃防御方法として却下（民訴157）の対象になるものではない[136]。しかし、簡易確定手続の段階で提出することができ、また提出することを期待される届出債権の発生原因にかかる書証などは、異議後の訴訟の早期に提出すべきであり、そのことは、時機に後れた攻撃防御方法に

---

136) 同じく異議審であるが、手形判決に対する異議訴訟においては、訴訟手続としての連続性（民訴361参照）から、民事訴訟法157条の適用可能性が肯定されている。条解民訴法1812頁〔松浦馨＝加藤新太郎〕。

あたるかどうかの判断の一要素となろう。

3　異議後の訴訟係属中の被告たる事業者の破産

　異議後の訴訟は、破産債権たる対象消費者の債権の確定を目的とする訴訟であるから、破産手続開始とともに中断し（破44Ⅰ）、破産管財人が認めず、または他の破産債権者が異議を述べたものについては、届出破産債権者が受継することになるが（破127Ⅰ・129Ⅱ）、特定適格消費者団体が当事者であった異議後の訴訟についても、特定適格消費者団体の業務の範囲が限定されていること（特例法71（旧65）Ⅱ）との関係で、特定適格消費者団体が受継することはできず、破産債権届出をした対象消費者が受継する以外にないというのが通説である。しかし、本書では、105頁注22において述べた理由から、特定適格消費者団体による受継を認めるとの考え方をとる。

4　訴えの取下げの制限

　異議後の訴訟においては、訴えの取下げは、相手方の同意をえなければ、その効力を生じない（特例法60）。これは、令和4年改正が新設した規律である。訴えの取下げに関する民事訴訟法の一般原則（民訴261Ⅱ）によれば、相手方が本案について応訴行為をした場合において相手方の同意が求められるが、異議後の訴訟においては、既に簡易確定手続を経ていることから、訴えの取下げの要件を厳格化している。

第3項　異議後の判決

　異議後の訴訟においていかなる本案判決をなすべきかは、第1に、簡易確定決定の内容が届出債権支払命令か請求棄却か、第2に、届出債権支払命令に仮執行宣言が付されているかどうか、第3に、届出債権の全部について届出債権支払命令が発令されているか、一部について発令されているかによって区別する。なお、異議後の判決に対しては、民事訴訟の原則にしたがい、控訴および上告が許される。

1　仮執行宣言が付された届出債権（全額）支払命令の場合

　仮執行宣言が付された届出債権（全額）支払命令である場合は、異議審は、届出債権について届出債権支払命令の通り判断するときには、届出債権支払命令を認可する（特例法59（旧55）Ⅰ本文）。仮に、異議審がその内容を超えた届出債権の存在を認めるときであっても、判決としては、届出債権支払命令を認可する（同）ことにとどめなければならない。これに対し、届出債権支払命令より少額と判断するときには、届出債権支払命令を取り消した上（同Ⅱ）、少額部分の支払いを命じ、その余の請求を棄却する。届出債権支払命令を取り消す部分は、実務上は、届出債権支払命令を次のとおり変更する、とすることが多い。届出債権の全額を否定するときも、届出債権支払命令を取り消した上で、請求を棄却する。

　ただし、届出債権支払命令の手続が法律に違反したものであるときは、たとえなすべき判決が届出債権支払命令と符合するときであっても、認可判決をすることは許されず（特例法59（旧55）Ⅰ但書）、届出債権支払命令を取り消した上で（同Ⅱ）、給付判決をする。これに仮執行宣言を付すかどうかは、受訴裁判所の判断に委ねられる（民訴259Ⅰ）。届出債権支払命令の手続が法律に違反するとは、命令の成立過程における違法を指し、法律上決定に関与できない裁判官が関与した場合などを意味する[137]。

2　仮執行宣言が付されていない届出債権支払命令の場合

　届出債権全額の支払いを命じる簡易確定決定であるが、仮執行宣言が付されていないときは、適法な異議の申立てによって簡易確定決定が失効するので（特例法49（旧46）Ⅴ）、異議審は、これを認可し（特例法59（旧55）Ⅰ本文）ま

---

[137]　これに対して、決定に至る過程での手続の違法、たとえば、書証以外の証拠調べにもとづいてなされた簡易確定決定については、当然に取消しの理由になるものではなく、証拠調べを再度実施するなどして、結論が届出債権支払命令と一致すれば、認可判決をして差し支えない。手形訴訟について条解民訴法1820頁〔松浦馨＝加藤新太郎〕、旧民事訴訟法457条について、新堂幸司ほか編『注釈民事訴訟法(9)』309頁（1996年、有斐閣）〔飯塚重男〕、現行民事訴訟法362条について高田裕成ほか編『注釈民事訴訟法（5）』625頁（2015年、有斐閣）〔德岡治〕参照。

たは取り消す（同Ⅱ）ことなく、届出債権を訴訟物として審判し、届出債権の全部または一部の支払いを命ずる給付判決または請求棄却判決をすることになる。給付判決に仮執行宣言を付するかどうかは、1の場合と同様である。

　届出債権の一部の支払いを命じ、その余の部分について届出債権を否定した簡易確定決定であって、仮執行宣言が付されていないものに対して異議の申立てがなされたときも、同様である。

3　届出債権の全部を否定する簡易確定決定の場合

　届出債権の全部を否定する簡易確定決定に対して異議の申立てがなされたときにも、簡易確定決定が失効し（特例法49（旧46）Ⅴ）、異議審は、届出債権を訴訟物として審判するので、その範囲で請求の当否を判断する。給付判決に仮執行宣言を付するかどうかは、1の場合と同様である。

4　仮執行宣言が付された届出債権（一部）支払命令の場合

　届出債権の一部について仮執行宣言が付された届出債権支払命令を発し、その余の部分について届出債権を否定した簡易確定決定に対して異議の申立てがなされたときには、簡易確定決定は失効しない（特例法49（旧46）Ⅴ参照）。したがって、異議審は、届出債権について簡易確定決定の通り判断するときには、届出債権支払命令を認可し、その余の請求を棄却する。

　異議審が届出債権全額の存在を認めるときは、届出債権支払命令を取り消し、全額の支払いを命じる。逆に、異議審が届出債権全額を否定するときは、届出債権支払命令を取り消し、原告の請求を棄却する。これらは、訴訟物からみると、全部認容または全部棄却判決にあたる。給付判決に仮執行宣言を付するかどうかは、1の場合と同様である。

　異議審の判断が、届出債権支払命令と異なる一部認容であるときには、届出債権支払命令を取り消した上、認容部分の支払いを命じ、その余の請求を棄却する。これは、訴訟物との関係では、一部認容判決に該当する。給付判決に仮執行宣言を付するかどうかは、1の場合と同様である[138]。

138）以上の場合の主文例については、後藤ほか38頁参照。

第 **4** 部

強制執行および仮差押え

　第 4 部では、特定適格消費者団体[1] の行う強制執行およびその保全のための仮差押えを扱う。対象債権等の存在および内容が確定し、または届出債権支払命令に仮執行宣言が付されたときに、事業者がそれについて任意の履行をすれば、その後は、特定適格消費者団体が届出消費者に対して受領した金銭の交付または分配を行う。しかし、任意履行がなされないときは、その強制的実現を図る必要があり、強制執行は、そのための手段である。また、強制執行の実効性を担保するためには、その対象たるべき事業者の責任財産を確保する必要がある。仮差押えは、そのための手段である。強制執行および仮差押えは、それぞれ民事執行法および民事保全法にもとづいて行われるが、いずれも特定適格消費者団体が届出消費者（仮差押えの段階では対象消費者等）のために申し立てる点に特徴がある。

---

1 ）強制執行の執行債権者となるのは、債権届出団体であるが、仮差押えは、簡易確定手続開始前の共通義務確認訴訟の段階または同訴訟の提起前の段階でなされうるので、主体は、特定適格消費者団体と表記する。

第1章　強制執行

強制執行は、債務名義に表示された当事者などの申立てにもとづいて（民執2・23Ⅰ）、債務名義に表示された当事者などに対し（同）、執行文の付された債務名義の正本にもとづいて実施する（民執25本文）。強制執行の申立てをする者を執行債権者といい、相手方を執行債務者という。

第1節　被害回復裁判手続における民事執行の手続の債務名義

特定適格消費者団体（債権届出団体）が対象債権等に関して取得した債務名義による民事執行の手続は、被害回復裁判手続の一環をなすが（特例法2⑨ロ前半部分）、ここでいう債務名義とは、強制執行によって実現されるべき給付請求権（執行債権）の存在と内容とを明らかにし、それを基本として強制執行をすることを法律が認めた一定の格式を有する文書を意味する[2]。被害回復裁判手続における債務名義としては、以下の7種類のものがある[3]。

1　相手方が届出債権の内容の全部を認めた届出消費者表

届出消費者表に記載された届出債権について相手方が認否期間内に内容の全部を認めたときは、当該届出債権の内容は、確定し（特例法45（旧42）Ⅲ）、それについての届出消費者表の記載（同Ⅳ）は、確定判決と同一の効力を有し（同Ⅴ前段）、債権届出団体は、確定した届出債権について、相手方に対し、届出消費者表の記載により強制執行をすることができる（同後段）。確定した届出債権を執行債権とし、届出消費者表の記載を債務名義（民執22⑦）とする強

2）中野・民執法166頁、条解民執法132頁。
3）なお、共通義務確認訴訟の段階で対象債権に関する和解が可能であることを前提とすれば（本書73頁）、その和解調書も債務名義に含まれることになるが、ここでは、その点に触れない。また、強制執行の具体的手続たる申立ての書式などについては、近藤ほか14頁に詳しい。

制執行を認める趣旨である。

　ここで内容の全部を認めたとは、届出消費者表に記載されたすべての届出債権ではなく、個々の届出債権を基準とする。たとえば、届出消費者表記載の20個の届出債権のうち15個は相手方がその全部を認め、5個は半額部分に限って認めた場合には、15個の債権の内容は確定し（特例法45（旧42）Ⅲ）、5個の債権の内容は確定しない。ただし、当該5個につき「認否を争う旨の申出」がされなかった場合には、その半額部分の存在が確定する（特例法50（旧47）Ⅰ）。

2　相手方が認否期間内に認否をしなかった場合の届出消費者表

　相手方が認否期間内に認否をしなかった場合には、相手方において届出債権の内容の全部を認めたものとみなされるから（特例法45（旧42）Ⅱ）、上記と同様に扱われる。

3　適法な認否を争う旨の申出がない届出消費者表

　相手方が届出債権の内容の全部または一部を認めなかった場合、届出債権の内容は、直ちには確定しない（特例法45（旧42）Ⅲ参照）。この場合には、債権届出団体は、当該届出債権について「認否を争う旨の申出」をすることができ（特例法46（旧43）Ⅰ）、債権届出団体が適法な「認否を争う旨の申出」をしないと、当該届出債権の内容は、相手方がした届出債権の認否の内容により確定する（特例法50（旧47）Ⅰ）。たとえば、相手方が20個の届出債権の全部につき半額部分に限って認めたのに対し、債権届出団体が15個についてのみ「認否を争う旨の申出」をした場合、5個の債権の内容は、その半額で確定し、15個の債権の内容は確定しない。

　そして、確定した届出債権については、届出消費者表の記載は、確定判決と同一の効力を有し（特例法50（旧47）Ⅱ前段）、債権届出団体は、その存在および内容が確定した届出債権について、相手方に対し、届出消費者表の記載により強制執行をすることができる（特例法50（旧47）後段）。この場合には、届出消費者表記載の届出債権すべてではなく、相手方がその全部を認めた旨が記載されたもの（特例法45（旧42）ⅢⅣⅤ）および相手方がその一部を認め債権届出団体が認否を争う旨の申出をしなかったものについて届出消費者表の記載（特例法

46（旧43）Ⅳ）が債務名義（民執22⑦）となり、強制執行が認められる（特例法50（旧47）ⅠⅡ）。たとえば、相手方が20個の届出債権のうち15個は全部を認め、5個は半額部分に限って認めたのに対し、債権届出団体が当該5個のうち3個についてのみ「認否を争う旨の申出」をした場合、15個の債権の全額および2個の債権のそれぞれ半額について、届出債権者表の記載が債務名義になる。

4　適法な異議の申立てのない簡易確定決定（届出債権支払命令）

適法な認否を争う旨の申出にもとづいて、裁判所が簡易確定決定の内容として届出債権支払命令を発令し、かつ、それに対して適法な異議の申立てがないときは、簡易確定決定は、確定判決と同一の効力を有し（特例法49（旧46）Ⅵ）、債務名義（民執22⑦）となる。

5　仮執行宣言を付した届出債権支払命令

適法な認否を争う旨の申出にもとづいて、裁判所が簡易確定決定の内容として届出債権支払命令を発令し、かつ、それに仮執行宣言（特例法46（旧43）Ⅳ）を付したときは、仮執行宣言を付した届出債権支払命令が債務名義（民執22③の3）となる。なお、仮執行宣言を付した届出債権支払命令について異議後の訴訟において認可判決がなされたときにも、債務名義となるのは、仮執行宣言を付した届出債権支払命令である。

6　異議後の訴訟における給付判決

先に述べたとおり、なすべき判決の額が仮執行宣言を付した届出債権支払命令の内容を超えるときには、認可に加えて、給付判決をすることになる（本書171頁）。この場合には、確定した給付判決または仮執行宣言付給付判決が債務名義となる（民執22①②）。また、なすべき判決の額が仮執行宣言を付した届出債権支払命令の額に満たないときは、それを変更した上で給付判決を言い渡すことになるが、これについても確定判決または仮執行宣言付判決が債務名義となる。さらに、請求を棄却する簡易確定決定または仮執行宣言を付さない届出債権支払命令は、異議の申立てとともに、それらの効力を失うために（特例法49（旧46）Ⅴ）、裁判所が請求を認容するときは、新たに給付判決をすること

となり、確定給付判決または仮執行宣言付給付判決が債務名義となる（民執22①②）。

7　簡易確定手続または異議後の訴訟の和解調書

簡易確定手続において、債権届出団体と相手方事業者等との間に届出債権について手続上の和解（特例法40（旧37）参照）が成立したときは、和解調書が債務名義（民執22⑦）となる（特例法53（旧50）、民訴267）。異議後の訴訟において和解が成立したときも、同様である。また、共通義務確認訴訟における和解（特例法11。本書73頁）が成立したときも、同様である。

第2節　強制執行の当事者

強制執行の当事者、すなわち債務名義にもとづく強制執行を申し立てることができる者およびその相手方となる者は、民事執行法23条1項によって定まる。

1　債務名義に表示された当事者（民執23Ⅰ①）──義務づけられた任意的執行担当

債務名義に表示された当事者には、執行債権者としての債権届出団体と執行債務者としての相手方事業者等がこれにあたる。このうち、相手方事業者等は、執行債権の債務者であることから、特段の説明を要しないが、債権届出団体の執行当事者適格については、以下のように考えられる。

債権届出、簡易確定手続および異議後の訴訟における債権届出団体の適格が、届出債権の主体である対象消費者からの授権にもとづき（特例法34（旧31）Ⅰ・57（旧53）Ⅰ）、しかも、債権届出団体が授権契約の締結を拒絶したり、解除したりすることが、原則として許されないこと（特例法36（旧33）ⅠⅡ・57（旧53）ⅣⅤ）からすれば、債権届出団体の地位は、義務づけられた任意的手続担当または訴訟担当というべきものである。

もっとも、届出消費者表や仮執行宣言が付された届出債権支払命令などを債務名義とする強制執行については、届出消費者による授権に関する特別の規定

は存在しない。これは、債権届出などの授権の中に、当該債権を執行債権とする強制執行申立てについての授権までが含まれているためである[4]。しかも、債権届出団体（特定適格消費者団体）としては、対象消費者の利益のために、被害回復関係業務を適切に実施しなければならない（特例法81（旧75）Ⅰ）のであるから、債務名義が形成された以上、必要と判断するときには、適切な時期に強制執行の申立てをする責務を負っているといえよう。これは、義務づけられた任意的執行担当者[5]としての債権届出団体の責務ということができる[6]。この責務は、授権を受けた届出債権者すべてに対し、債務名義に表象された執行債権についての強制執行の申立てをしなければならないことを意味する。

ア　公平誠実義務

　債権届出団体は、授権をした届出消費者のために、公平かつ誠実に民事執行の手続（特例法2⑨ロ前半部分）の追行およびそれにともなって取得した金銭その他の財産の管理をしなければならない（特例法37（旧34）Ⅰ・57（旧53）Ⅵ）。これを公平誠実義務と呼ぶ。また、債権届出団体は、授権をした届出消費者に対し、善良な管理者の注意をもって上記の行為をしなければならない（特例法37（旧34）Ⅱ・57（旧53）Ⅶ）。これを善管注意義務と呼ぶ。

4）これに対して、上原42頁は、任意的執行担当の構成を前提としながら、特例法において、権利の確定と実現の手続とが分けられていることを重視し、簡易確定手続の授権とは別に強制執行のための授権が必要であると説く。三木628頁も、執行の授権を要する趣旨と解される。逆に、Ｑ＆Ａ125頁は、債務名義上の当事者となっている以上、団体は、授権の有無を問わず、当然に強制執行をすることができるとする。もちろん、この立場や愚見を前提としても、実務上は、債権届出の授権を受けるに際して、強制執行の授権を含むことを説明し、それを授権契約の内容として明らかにすることが望ましい。山本355頁参照。

5）任意的執行担当の概念については、中野・民執法144頁、条解民執法154頁。同書では、その許容性について明文の規定があるか否か、担当者による訴訟手続が先行しているか否かなどが分けられているが、債権届出団体による執行担当は、明文の規定がある場合に準じるものであり、かつ、簡易確定手続などの先行手続における担当が先行しており、立法者も、その許容性を前提としているものと理解できる。

6）任意的訴訟担当の一種である選定当事者や株主代表訴訟における代表株主のような法定訴訟担当において、訴訟担当者としての資格にもとづいて執行担当が認められるかどうかについては議論があり（中野・民執法145頁、条解民執法155頁、上原44頁）、愚見は、消極説を採る（伊藤眞「株主代表訴訟の原告株主と執行債権者適格（下）」金法1415号14頁（1995年）、伊藤・民訴法204頁）。しかし、債権届出団体については、強制執行の実施が被害回復裁判手続の一環として（特例法2⑨ロ前半部分）、特定適格消費者団体（債権届出団体）の業務の1つとされていること（特例法71（旧65）Ⅱ①）などから、任意的執行担当が許容され、予定されていると解される。

　公平誠実義務および善管注意義務の基本的内容は、簡易確定手続や異議後の訴訟におけるのと同様であるが、民事執行（強制執行）は、執行機関の手によって執行債務者から執行債権者に強制的に財貨を移転するという特徴があり、特に執行債務者の責任財産が不足する場面においては、多数に上る届出消費者を想定すると、公平誠実義務と善管注意義務に沿って債権届出団体がどのような行為をすべきかについて検討する必要がある。

　具体例として、届出債権の額がすべて50万円として、届出消費者の数が300名であり、①そのうち180名については、相手方が届出債権の内容の全部を認め、120名については、相手方が届出債権の全部または一部を認めず、債権届出団体が当該120名について認否を争う旨の申出をしたとすれば、180名分については、第1節1に述べた「相手方が届出債権の内容の全部を認めた届出消費者表」が債務名義となり（特例法45（旧42）Ⅴ）、債権届出団体は、執行文の付与を受けて（民執26）、強制執行の申立てをすることができる（民執25本文）。②相手方が認めなかった120名については、債権届出団体が認否を争う旨の申出をなした結果として、そのうちの50名については、簡易確定決定において第1節5に述べた仮執行宣言を付した届出債権支払命令が発令されたとすれば、債権届出団体は、それを債務名義として、強制執行の申立てをすることができる。

　その余の70名のうち40名については、簡易確定決定において請求が棄却されたが、債権届出団体が異議を申し立て、異議後の訴訟において、仮執行宣言を付した給付判決が言い渡されたとすれば、債権届出団体は、それを第1節6の債務名義として強制執行の申立てをすることができる。更に、残りの30名については、異議後の訴訟の第1審においても請求が棄却されたが、債権届出団体が控訴をした結果、控訴審において、30名のうちの20名については、1人あたり10万円を支払う旨の和解が成立して、訴訟が終了したとすれば、債権届出団体は、それを第1節7の債務名義として強制執行の申立てをすることができる。なお、30名のうちの10名については、和解が成立せず、控訴棄却の判決がなされることによって、届出債権の不存在が確定したとする。

　このように、債権届出団体が届出債権について債務名義を取得する時期については、相手方の対応などによって一定の幅があるのが通常であることを前提

としたときに、債権届出団体の公平誠実義務の発現は、以下のように考えられる。公平誠実義務は、届出消費者間の取扱いに関する公平義務と、届出消費者と債権届出団体との関係にかかる誠実義務とに分けられるが、ここで主として問題になるのは、公平義務である。公平義務の内容は、対象消費者間に合理的理由なく差別的取扱いをすることを禁止するものであり、上記の例でいえば、最初に債務名義ができた180名については、強制執行の申立てまたは配当要求を通じて[7]、平等な満足がえられるようにしなければならない。

　もっとも、強制執行の結果としてえた配当金等を債権届出団体が遅滞なく債務名義上の届出消費者に分配すべきかどうかは、更に検討を要する。「特定適格消費者団体は、対象消費者の利益のために、被害回復関係業務を適切に実施しなければならない」（特例法81（旧75）Ⅰ）との規定における対象消費者とは、強制執行の段階では、特定の届出消費者ではなく、届出消費者全体を意味することを考えれば、公平義務は、届出債権者ができるかぎり平等な満足を受けるように配慮すべき義務を含むものと解すべきだからである。

　1つの考え方としては、執行債権や配当要求債権の主体たる180名の届出消費者に対する誠実義務や善管注意義務を重視すれば、遅滞なく分配すべきであるといえる[8]。債権届出団体の地位が届出消費者から授権を受けた執行担当者である以上、強制執行からえた利益を権利帰属主体である届出消費者に遅滞なく還元すべきであるとの発想からいえば、このような考え方もなりたとう。これを順次分配実施説と呼ぶ。

　特定適格消費者団体が弁済や配当等を受領したことによって、実体法上、その時点で個別の対象債権について弁済の効果が生じ、充当計算に移るとする考え方も[9]、これに沿ったものである。

7）強制執行の申立てをするか、配当要求をするかは、そのための準備や費用（園部厚『民事執行手続・書式ハンドブック』15頁以下・61頁以下（2012年、新日本法規）など参照）を考慮し、特定の届出消費者について強制執行の申立てをし、その他の者について配当要求をするなどが考えられるが、その判断は、不必要な費用を生じさせないという意味で、執行債権者たる債権届出団体の裁量に委ねられよう。山本349頁参照。
8）加納克利＝須藤希祥「消費者裁判手続特例法における仮差押えと強制執行手続」ジュリ1481号46頁（2015年）も、このような考え方を前提としているものと理解する。山本356頁、法の支配座談会31頁、日弁連コンメ310頁、町村153頁も、このような取扱いが許されるとしている。
9）条解特例規則111頁参照。

　他方、届出債権の不存在が確定した10名はともかく、残りの290名については、債務名義成立の時期が異なっているだけであり、等しく相手方の責任財産から満足を受けるべき地位にあることを踏まえれば、残りの110名も満足を受けることができるかどうかを見極めて始めて、180名に対する配当金等の分配を行うべきであるとの考え方もありえよう。債権届出団体が負う公平義務を重視するのであれば、このような考え方にも理由がある。これを分配集約説と呼ぶ。

　公平義務を最も狭く解すれば、ある時点で債務名義を取得した届出消費者間で平等な満足が実現されるように努めるべきことになる。不動産執行を例にとれば、債権届出団体は、配当要求の終期までに債務名義が形成された届出消費者が配当を受けるべき債権者の範囲（民執87Ⅰ①②）に含まれるように努めた上で、受領した配当金等を債務名義に表象された届出債権の主体である届出消費者に分配すべきことになる。このように解するのであれば、順次分配実施説を是とすべきである。

　これに対して公平義務を最も広く解すれば、債権届出団体は、将来に債務名義を取得すべき届出消費者を含めて届出消費者全体の平等な満足を図らなければならないことになる。したがって、ある強制執行でえた配当を直ちに当該執行の執行債権または配当要求債権の帰属主体である届出消費者に対して分配すべきではなく、他の届出消費者のための債務名義が形成され、または形成されないことが確定した後に、他の強制執行の結果としてえた配当とを合算して、債務名義が形成された届出消費者全体に、その債権額に比例した平等な配当を行うべきことになる。このように解するのであれば、分配集約説を是とすべきである。

　このように、いずれの考え方を是とすべきかは、債権届出団体が負う誠実義務や善管注意義務に力点を置くか、公平義務を重視するかによって影響されるところがあるが、類似の立場にある破産管財人と比較しても、第1の順次分配実施説を基本とすべきものと思われる。破産管財人の場合には、一方で、破産手続開始の破産者の総財産を管理換価し（破78Ⅰ）、他方で、総破産債権者の債権を確定し、配当を実施することが任務である。したがって、破産管財人は、優先劣後の関係を別にすれば、給料の請求権等の弁済の許可（破101Ⅰ本文）や

中間配当（破209 I）のような例外を除いて[10]、破産債権者に対して同時期に平等な配当を実施することを求められる（破194 II）。これと比較して債権届出団体は、相手方事業者の責任財産を把握する権限を有せず、また、届出消費者の全員に対する関係で平等な分配を行うべき責任を負うものではない。これが、第1の順次分配実施説を基本とすべき理由である。

　ところで、順次分配説を徹底すると、相手方事業者の資力が不足しているときには、次のような問題を生じる。

　180名分の届出消費者についての債務名義にもとづく強制執行（これを第1次強制執行という）の結果として、3,600万円の売却代金がえられたとする。相手方事業者に対する執行債権者として他に3,000万円の配当要求債権者を想定すると、配当等を受けるべき債権としては、50万円×180名＝9,000万円の債権について、3,600万円×9,000万円÷（9,000万円＋3,000万円）＝2,700万円という30％配当となり、180名の債権者1人あたり15万円の分配となり、それぞれは35万円の債権が残る。

　次に、50名について債務名義、すなわち仮執行宣言を付した届出債権支払命令が発令された段階で、相手方の他の財産に対して強制執行が行われるとする（これを第2次強制執行という）。債権届出団体が第2次強制執行において、その時点で債務名義が形成されている届出債権をすべて執行債権に加えるとすれば、第1次強制執行で完全な満足を受けられなかった180名の各35万円、合計6,300万円に加え、新たに債務名義が形成された50名×50万円＝2,500万円、合計8,800万円が第2次強制執行に参加することとなる。そして、第2次強制執行における換価金が2,300万円であったとする。ほかに、1,200万円の配当要求債権者を想定すると、配当等を受けるべき債権としては、8,800万円＋1,200万＝1億円となり、2,300万円×8,800万円÷（8,800万円＋1,200万円）＝2,024万円、すなわち23％の配当がなされる。それを230名の届出消費者に均霑すれば、1人あたり、2,024万円÷230名＝8.8万円になる。

　問題は、180名の届出消費者については、第1次強制執行によってえた15万円＋8.8万円＝23.8万円の満足がえられるのに対して、第2次強制執行にのみ

10）これらも配当の時期に関する例外であって、優先的満足を与える趣旨ではない。伊藤・破産法・民事再生法301頁・751頁参照。

参加した50名については、8.8万円の満足しかえられない点である。公平義務を最も広く解する分配集約説の立場からすると、これは公平義務に反する結果とみられるが、公平義務を最も狭く解する順次分配実施説の立場によれば、債務名義形成の時期が異なる以上、やむをえない不平等ということになる。

　しかし、両者の中間として、届出消費者間の満足を調整する方策もありえないではない。たとえば、第2次強制執行の結果としてえられた2,024万円は、まず第2次強制執行のみに参加する50名の届出消費者に対して、第1次強制執行によって180名の各届出消費者が満足を受けた15万円に満つるまで分配し（50名×15万円＝750万円）、残1,274万円（2,024万円－750万円＝1,274万円）を230名の届出消費者に均等に分配する（1,274万円÷230名＝約5.5万円）こととすれば、平等な満足が実現できる[11]。第3次強制執行についても、同様に考えることができる。これをホッチ・ポット・ルール説と呼ぶ。

　問題は、ホッチ・ポット・ルール説にもとづく取扱いが特例法の下で許容されるかどうかである。第1次強制執行の配当の分配を受けた180名の届出消費者からみれば、第2次強制執行においても自らの債権が執行債権または配当要求債権とされているにもかかわらず、第2次強制執行の配当の分配においては、劣後的地位に置かれる結果となるからである。破産におけるホッチ・ポット・ルールは、債権者平等の理念とそれを実現すべき破産管財人の職務遂行の原理が基礎となっている。先に述べたように、債権届出団体による強制執行や被害回復裁判手続をそれと同様に考えることはできないが、それにもかかわらず、公平義務の発現として、上記のような措置をとること自体には合理性が認められる。

　もっとも、法令に根拠がないままに、このような措置をとることは許されないとの指摘もあろうが、簡易確定手続や異議後の訴訟についての授権（特例法34（旧31）Ⅰ・57（旧53）Ⅰ）をうるさいに、このような可能性について説明し（特例法35（旧32）・57（旧53）Ⅷ）、それを前提として授権をえていれば、法令上の問題は生ぜず、むしろ、債権届出団体が負う公平義務に相応しいと評価

11）これは、ホッチ・ポット・ルールと呼ばれる破産法上の原則（破201Ⅳ。伊藤・破産法・民事再生法275頁参照）を参考にしたものである。これに対する評価として、法の支配座談会33頁がある。

できる[12]。

　いずれの方法による分配を行うにしても、特定適格消費者団体は、強制執行による弁済を受けたとき（民執122Ⅱ・155Ⅱ・160・161Ⅵ）[13]または配当等（民執84Ⅲ）を受けたとき[14]は、速やかに、①民事執行の事件の表示、②執行裁判所の表示、③債務名義の表示、④弁済を受け、または配当等を受けた額および年月日、⑤対象債権等の額（利息その他の附帯の債権の額を含む）、⑥その額のうち弁済または配当等によって消滅した額を書面によって債務者に通知しなければならない（特例規則41）。

イ　善管注意義務

　善管注意義務の中心的内容は、届出債権について債務名義が成立した以上、相手方の任意履行の可能性を見極めながら、適時に強制執行の開始申立てをなし、その結果として取得した配当等を適切に管理することである。

2　債務名義に表示された当事者が他人のために当事者となった場合のその他人（民執23Ⅰ②）──届出消費者による強制執行の可否

　債権届出団体の執行債権者としての適格を届出消費者のための任意的執行担当とする立場では、ここでいう他人、すなわち被担当者たる届出消費者は、債務名義上の自らの届出債権について、承継執行文の付与を受けて（民執27Ⅱ）、強制執行の申立てをすることができると解されている[15]。しかし、本書は、以

---

12)　債務名義上の執行債権の減少額と実際上の分配額が異なりうることの説明である。ただし、そのような説明をしていたとしても、届出消費者から授権の取消し（特例法34（旧31）Ⅲ・57（旧53）Ⅷ）をされることは避けられない。第2次強制執行のみに参加した50名の届出消費者については、債務名義との関係では、8.8万円しか使われていないから、当該届出消費者が授権の取消しをした上で、残額について自ら第3次強制執行に参加することができるとすれば、第1次強制執行から参加している届出消費者との間で不公平が生ずるおそれがある。ホッチ・ポット・ルールが団体の分配に関する規律にとどまり、執行裁判所の配当を制約するものでないとすれば、同ルールでこのような問題の発生を遮断するのは困難であろう。もっとも、本書のように、届出消費者が承継執行文をえて、自ら強制執行を実施する可能性を排除する立場では、このような問題の発生は避けられる。

13)　債務者による任意弁済は含まない。条解特例規則105頁。もっとも、任意弁済がどのように対象債権に分配されたかについては、何らかの形で債務者に知らせるべき必要があろう。

14)　仮差押債権者としての特定適格消費者団体のために配当留保供託がなされたときは（民執91Ⅰ②等）、供託事由が消滅し、実際に配当等が実施されたときに通知を行う。追加配当（民執92Ⅱ等）の場合も通知がなされる。条解特例規則106頁。

15)　一問一答135頁、条解特例規則104頁、山本355頁、上原43頁。三木626頁では、実質的な

下のような理由から、この点について否定説をとる。

　第1に、対象消費者の利益のために被害回復関係業務を適切に実施する責務を負い（特例法81（旧75）Ⅰ）、民事執行の実施について公平誠実義務および善管注意義務を負い（特例法37（旧34）ⅠⅡ・57（旧53）ⅥⅦ）、また、内閣総理大臣の監督（特例法91（旧85）・92（旧86））を受けることからも、債権届出団体が適切な時機の強制執行を怠ることは想定しがたい。それにもかかわらず、届出消費者が承継執行文をえて個別に強制執行を申し立てることを認める理由に乏しい。債権届出団体と相手方事業者との間で任意弁済の交渉が行われている状況などを考えると、届出消費者による個別的な強制執行は、届出消費者全体の利益を害するおそれすら存在する。

　第2に、公平義務について述べたように（本書179頁）、合理的裁量の範囲内ではあるが、債権届出団体は、異なる時期の強制執行によってえた配当等を公平に分配するための措置をとることを期待される。しかし、届出消費者による個別的な強制執行を認めるのであれば、このような措置をとることは、困難または不可能になるおそれがある。

　第3に、以上の2つの実質的理由に加え、理論的理由として、義務づけられた任意的執行担当の特質がある。一般の任意的執行担当と比較すると、債権届出団体は、簡易確定手続や異議後の訴訟において対象消費者からの授権を受け入れることを義務づけられており（特例法36（旧33）・57（旧53）ⅣⅤ）、そのことは、授権にもとづいて任意的執行担当者となった以上、債権届出団体は、届出消費者の権利実現について全面的に責任を引き受けなければならないことを

　理由として、個別の執行を認めたとしても、手続の複雑化の程度が深刻でないこと、消費者各自が執行を行えば、特定適格消費者団体による配当の必要がなくなることをあげる。
　また、特例規則41条の規定、すなわち特定適格消費者団体が民事執行の手続によって弁済を受け、または配当等を受領したときは、速やかに、弁済や配当等を受けた額、対象債権等の額、そのうち弁済または配当等によって消滅した部分の額を債務者に書面で通知しなければならないという規律も、届出消費者自身による強制執行を想定したものと説明される（条解特例規則105頁）。これに対して近藤ほか15頁は、消費者が団体への授権を解消しないまま承継執行文の付与を受けることは認められないとするので、基本的な考え方は本書と同様と理解する。
　もっとも、本書のように届出消費者自身による強制執行を否定する立場であっても、債務者に対する通知は、強制執行の結果によって、対象債権者等がどの程度の満足を受けたかを事業者に了知させ、特定適格消費者団体による第2次強制執行の可能性などに備えさせる意味を有する。

意味し、権利帰属主体である届出消費者の側についてみれば、授権がその効力
を維持している限り、強制執行による権利の実現を債権届出団体に委譲してい
るとみるべきである。

　したがって、民事執行法23条１項２号の規律とは別に、特例法にもとづく
届出消費者と債権届出団体との特別の関係を考慮すれば、届出消費者が承継執
行文をえて、自ら強制執行を実施することは、授権がその効力を維持している
限り、否定すべきである[16]。

3　債務名義成立後の承継人（民執23Ⅰ③）

　債務名義成立後の承継人（民執23Ⅰ③）としては、債権届出団体側と相手方
事業者側とについてそれぞれ承継人が考えられる。

　債権届出団体側の承継としては、債権届出団体の合併などの一般承継のほか
に、債権届出団体が、届出消費者の授権を受けて債務名義上の届出債権を第三
者に譲渡する場合が考えられる。届出消費者からあらかじめ授権をえているこ
とが前提となるが、強制執行に要する時間と費用とを考えれば、自ら取立てを
するのではなく、第三者に譲渡して、その対価を分配することが、届出消費者
の利益に資するとの判断がなりたつこともあろう。

　それ以外に、特例法固有の承継として、特定適格消費者団体（債権届出団
体）に関する特定認定の失効（特例法80（旧74）Ⅰ）または取消し（特例法92
（旧86）ⅠⅡ）にともなう、手続を受け継ぐべき特定適格消費者団体の指定が
あげられる。すなわち、対象債権等にかかる債務名義を取得した特定適格消費
者団体またはその承継人（民執23Ⅰ③）である特定適格消費者団体にかかる特
定認定が失効し、または取り消されたときは、内閣総理大臣は、民事執行手続
上の承継人となるべき特定適格消費者団体として他の特定適格消費者団体を指
定する（特例法93（旧87）Ⅲ）。この指定がなされたときには、所定の手続がと
られ（同Ⅵ〜Ⅷ）、債務名義に表示された当事者としての特定適格消費者団体
は、遅滞なく、その指定を受けた特定適格消費者団体に対し、その指定の対象

16）簡易確定手続授権契約や訴訟授権契約の中でも、届出消費者は強制執行を債権届出団体に
　全面的に委ねる旨を明らかにすることが望まれる。もちろん、授権自体が取り消される場合
　は別である。中山ほか45頁。

となった事件について、対象消費者等のために保管する物および被害回復関係業務に関する書類を移管し、その他被害回復関係業務をその指定を受けた特定適格消費者団体に引き継ぐために必要な一切の行為をしなければならない（同Ⅸ）。

　相手方たる事業者の側の承継については、合併などの一般承継また債務引受などの特定承継によって、承継人が新たな執行債務者になる。

第2章　仮差押え

　特例法61（旧56）条１項は、「特定適格消費者団体は、当該特定適格消費者団体が取得する可能性のある債務名義に係る対象債権の実現を保全するため、民事保全法の規定により、仮差押命令の申立てをすることができる」と規定する。被害回復裁判手続においては、共通義務確認訴訟と対象債権の確定手続の２段階を経て届出債権についての債務名義を形成し、債権届出団体が相手方に対して強制執行を実施しうることとされているが、強制執行に着手しても、それまでに相手方の責任財産が散逸するなどしてしまえば、強制執行による満足を期待できない。被害回復裁判手続においても、このような意味において、本案の権利、すなわち簡易確定手続や異議後の訴訟において、その存在と内容を確定すべき対象消費者の金銭の支払請求権の実現を保全することが必要である。

　もっとも、仮差押えの本案の権利が債務名義に表象される各届出債権であることを前提とする限り、それらは、特定適格消費者団体が簡易確定手続開始の申立てをなし（特例法13（旧12）・15（旧14））、簡易確定手続開始決定（特例法20（旧19）Ⅰ）を経て、簡易確定手続申立団体となった特定適格消費者団体が対象消費者からの授権を受けてはじめて（特例法34（旧31）Ⅰ）、特定適格消費者団体の管理権に服するものとなり、特定適格消費者団体の仮差押え申立適格が発生することとなる。しかし、責任財産の乏しい事業者等についてみれば、第１段階である共通義務確認訴訟の係属中はもちろん、その係属前であっても、特定適格消費者団体による仮差押えを認め、責任財産を確保する必要がある[17]。ただし、この段階では、本案の権利も具体化しておらず、本案訴訟の提起も想定できない。特例法が民事保全法の特則として、仮差押えについていくつかの

[17) このような仮差押え制度を創設した理由について立案担当者は、「いわゆる悪質事業者等は、共通義務確認訴訟の訴えを提起しても、訴訟を追行している間に財産を散逸させてしまうことが想定されます。」と説明する。一問一答122頁。これについて、山本ほか・座談会（上）13頁における二之宮発言は、保全命令の担保（民保14・４）などとの関係で制約があるとする。

規定を置くのは、このような理由によるものである。

第1節　仮差押えの基本的性質と特定適格消費者団体の法定保全担当

　仮差押えは、金銭債権についての強制執行に備えて、債務者の財産の現状を、債権者に対する関係で、相対的、暫定的に固定し、維持する制度である。また、保全処分の特質としては、暫定性、随伴性、迅速性、密行性がいわれ、仮差押えには、これらの特質が最も純粋な形で保たれているとも説かれる[18]。暫定性や付随性としていわれる通常の仮差押えの特質は、特定適格消費者団体の行う仮差押えにも妥当するが、通常の仮差押えにおいては、保全されるべき金銭債権、すなわち被保全債権が想定され、その疎明が求められる（民保13）。すなわち、仮差押えの申立てにあたっては、被保全債権の存在を前提とし、保全の必要性とともにそれが疎明されたことを前提として、仮差押命令の発令および執行を認め、被保全債権の存否については、本案訴訟によって確定するというのが、仮差押手続の基本構造である（民保37Ⅰ～Ⅳ参照）。したがって、仮差押えの被保全債権と本案訴訟の訴訟物たる権利は、同一であることが求められる[19]。

1　被保全債権

　これを特定適格消費者団体のする仮差押えについてみると、被保全債権は、「当該特定適格消費者団体が取得する可能性のある債務名義に係る対象債権」と考えられる。すなわち、共通義務確認訴訟、対象消費者からの授権、団体による債権届出、それに続く簡易確定手続などを経て、個々の対象消費者の届出債権について届出消費者表の記載などの債務名義が形成され、特定適格消費者団体は、それにもとづく強制執行をすることができる（特例法45（旧42）Ⅴ後

---

18)　西山俊彦『保全処分概論〔新版〕』13頁（1985年、一粒社）、松本・民事執行保全法463頁、民事保全の実務（上）14頁、瀬木・民事保全法262頁参照。
19)　もっとも、同一性の判断基準については、判例・学説上で多少の議論がある。民事保全の実務（下）104頁、瀬木・民事保全法387頁参照。また、本案の訴えの類型については、給付、確認、形成のいずれもありうるとされる。松本・民事執行保全法531頁。

段・47（旧44）Ⅳ・50（旧47）Ⅱ後段）。

しかし、特定適格消費者団体による仮差押えの段階では、対象消費者からの授権はなされているとは限られず、したがって、特定適格消費者団体の仮差押申立ての資格を授権にもとづく任意的保全担当とすることはできない。

他方、共通義務確認訴訟の場合と異なって、被保全債権として審判の対象となり、また保全執行債権となるのは、対象消費者の対象債権にほかならないから、対象消費者の権利について特定適格消費者団体が仮差押適格を認められる根拠を明らかにする必要がある。そして、そのことは、単に理論的な整理にとどまらず、後に述べるように、強制執行にあたって、特定適格消費者団体がどのような形で仮差押えの効力を援用すべきかという問題につながる。

2　申立適格

特定適格消費者団体の仮差押適格の基礎となるのは、「保全すべき権利に係る金銭の支払義務について共通義務確認の訴えを提起することができる」（特例法61（旧56）Ⅱ）ことである。いいかえれば、対象消費者の多数性など共通義務確認訴訟についての団体の当事者適格が認められることが、対象消費者の対象債権について特定適格消費者団体の仮差押適格が認められる基礎となっている。第2部において述べたように、共通義務確認訴訟における特定適格消費者団体の当事者適格は、団体が不特定かつ多数の消費者の利益のために活動する法人であることから、共通義務という、事業者と一定範囲の消費者との間の概括的法律関係について、法が特別に認めたものである[20]。そして、共通義務確認訴訟について特定適格消費者団体に当事者適格を認めることをもって、被保全債権である対象消費者の対象債権について法が仮差押適格を認めているのであるから、これは、講学上の法定保全担当にほかならない[21]。

20）本書33頁。
21）山本339頁、三木620頁。サービサーなどによる任意的保全担当については、民事保全の実務（上）86頁参照。

　　したがって、仮差押えの効力を援用できるのは、法定保全担当者である特定適格消費者団体に限られ、たとえば、特定適格消費者団体Aが行った仮差押えの効力を特定適格消費者団体Bが援用すること、自ら債務名義を取得した届出消費者が援用すること、あるいは特定適格消費者団体の取得した債務名義について承継執行文をえた届出消費者が援用することは、いずれも許されない。加納＝須藤・前掲論文（注8）44頁。

　しかし、対象消費者としては、団体に授権することなく、自らその権利について訴訟を追行することを前提として、仮差押えを行うことが妨げられるわけではない[22]。その意味では、改正前民法423条の下で、債権者代位権の行使の効果として債務者の管理処分権が失われると解されていたことと異なって、法定保全担当の基礎となる団体の対象消費者自身の管理権を排除するものではない[23]。ただし、改正民法423条の５前段は、債権者代位権の行使後も債務者の管理処分権が存続する旨を規定したので、このような差異は消滅した。

　もっとも、法定保全担当の目的たる被保全債権、すなわち対象消費者の権利は、未だ授権も届出もなされていない以上、その特定は不可能であり、特例法61（旧56）条３項が、「保全すべき権利について、対象債権及び対象消費者の範囲並びに当該特定適格消費者団体が取得する可能性のある債務名義に係る対象債権の総額を明らかにすれば足りる」としているのは、このような理由からである[24]。ただし、このような形での被保全債権の概括的特定がなされたとしても、対象消費者の届出債権について債務名義が形成された段階での執行債権との間には、一定の調整の必要が生じることは避けえず、次に述べるように、仮差押えの効力を対象債権者の間にどのように均霑するかという問題を生じる。

　また、被保全債権が特定されていないために、本案の訴えについても、被保全債権そのものの本案の訴えが想定できず、「共通義務確認の訴えを本案の訴えとみなす」（特例法62（旧57）Ⅰ）としているのも、同様の理由による。仮差押えの本案訴訟は、給付訴訟に限られず、確認訴訟であっても差し支えないとされているが、共通義務確認訴訟の訴訟物たる共通義務は、被保全債権自体とは区別される。しかし、共通義務確認訴訟は、後続する簡易確定手続と一体となり、給付を実現することを目的とした特別な確認訴訟というべきものであり[25]、その点に仮差押えの本案訴訟とみなすべき合理性がある。

22）一問一答123頁。他方、これ以外の方法、たとえば、対象消費者から個別に授権を受けて特定適格消費者団体が仮差押えの申立てをすることは許されない（特例法61（旧56）Ⅳ）。加納＝須藤・前掲論文（注８）42頁、近藤ほか6頁。

23）詳細については、伊藤眞「改正民法下における債権者代位訴訟と詐害行為取消訴訟の手続法的考察」金法2088号44頁（2018年）、伊藤・民訴法748頁参照。

24）具体的表示方法については、一問一答125頁参照。

25）本書39頁。

3　仮差押えの手続

　仮差押えの手続は、特例法および特例規則に別段の定めがある場合を除いて、民事保全法および民事保全規則の定めにしたがう（特例法61（旧56）Ⅰ参照）。なお、仮差押えの管轄裁判所は、本案の管轄裁判所または仮に差し押さえるべき物の所在地を管轄する地方裁判所である（民保12Ⅰ）[26]。特定適格消費者団体の行う仮差押えについても、後者は、そのまま妥当するが、共通義務確認訴訟の管轄裁判所が本案の管轄裁判所とみなされ（特例法62（旧57）Ⅱ）、共通義務確認訴訟が控訴審に係属するときは、当該控訴裁判所が管轄裁判所となる（同、民保12Ⅲ但書）。

　仮差押えについては、違法な仮差押命令によって債務者たる事業者が被る可能性のある損害を回復するために、債権者たる特定適格消費者団体に対して裁判所が担保の提供を命じることがある（民保14Ⅰ）。担保の提供は、金銭や有価証券を供託所に供託するなどの方法によるが（民保4、民保規2）、届出債権が多額に上ると想定されるときには、仮差押えの目的物の価額を反映して、担保も相当額に達する場合がありうる（大判昭和17年12月10日民集21巻1159頁、名古屋地判昭和42年5月12日判時491号66頁参照）。このようなときに、担保のための資金を調達できないことから、特定適格消費者団体が仮差押えによって相手方事業者の財産を保全する機会を逸し、届出債権者の権利の実現が困難になる事態の発生を防ぐ必要が認められる。

　「独立行政法人国民生活センター法等の一部を改正する法律」（平成29年法律第43号）によって、独立行政法人国民センター法3条（センターの目的）が「重要消費者紛争についての法による解決のための手続を実施し、及びその利用を容易にすること」（下線が追加部分。筆者）と改められ、これを受けて、同

26）国際保全管轄は、本案訴訟とみなされる共通義務確認訴訟の国際裁判管轄が日本の裁判所に認められるとき、または仮差押えの目的物が日本国内にあるときに認められるが（特例法62（旧57）Ⅰ、民保11）、後者による国際保全管轄が認められても、特定適格消費者団体が外国の裁判所に共通義務確認訴訟を提起する可能性が存在しないとすれば、実際には、共通義務確認訴訟の国際裁判管轄が肯定されるときにのみ（本書25頁）、国際保全管轄が認められる。山本343頁参照。その他、仮差押命令申立てに要する手数料、担保、保全執行としての不動産登記嘱託などについては、近藤ほか8頁・9頁・11頁が詳しい。

法10条 8 号「特定適格消費者団体……が行う同法第56条第 1 項の申立てに係る仮差押命令の担保を立てること」が付加され、さらに、センターが担保の提供に必要な資金を調達するための長期借入金の規定（同43条の 2 。短期借入金は、独立行政法人通則法45条による）が設けられたことは、第三者による担保提供が認められることを踏まえて、このような必要に応えるためである。

　そして、申立てをなす特定適格消費者団体の側でも、仮差押命令の発令にあたって担保提供が求められたときには、円滑かつ効果的に対応する必要がある。そこで、上記の法改正の一環として、特例法81（旧75）条（特定適格消費者団体の責務）に 5 号が追加され、「特定適格消費者団体、独立行政法人国民生活センターその他の関係者は、独立行政法人国民生活センターが行う独立行政法人国民センター法（平成14年法律第123号）第10条第 7 号に掲げる業務が円滑かつ効果的に実施されるよう、相互に連携を図りながら協力するように努めなければならない」と規定している。この連携協力努力義務を前提とすれば、特定適格消費者団体は、仮差押えの申立てをなすに先立って、仮差押えの必要性や規模（被保全債権や目的物）、本案訴訟勝訴の見込みなどについて、センターなどと十分な協議をし、求められるであろう担保の額についても意見の交換をすることが望まれよう。令和 4 年改正によって新設された特定適格消費者団体等の関係者の連携協力義務（特例法81（旧75）④）も、同趣旨のものである。

　なお、特定適格消費者団体が本案訴訟で勝訴し、判決が確定するなどの場合には、事業者の損害賠償請求権が存在しないこととなるから、担保の事由が消滅するために、担保の取消しの決定がなされ（民保 4 Ⅱ、民訴79 Ⅰ）、担保として提供した金銭は、センターに返還する。逆に、特定適格消費者団体が本案訴訟で敗訴し、判決が確定したなどの場合には、事業者は、その損害賠償請求権についてセンターが供託した金銭から優先弁済を受けることができる（民保 4 Ⅱ、民訴77）。この場合には、センターとしては、担保の提供を求めた特定適格消費者団体に対し求償権を行使し（民650 Ⅰ）、事業者の損害賠償請求権を代位行使することができる（民499）。

ア　保全の必要性

　まず、仮差押えの基本的要件である被保全債権の存在および保全の必要性（民保20 Ⅰ 参照）のうち、保全の必要性、すなわち「強制執行をすることができ

なくなるおそれがあるとき、又は強制執行をするのに著しい困難を生ずるおそれがあるとき」については、特例法に別段の規定は置かれていない。具体的には、目的物が不動産である場合には、その不動産が処分されたり、担保が設定されて余剰がない状態になってしまうおそれがあること、商品が目的物である場合には、隠匿などのおそれがあることなどが、保全の必要性を満たす事実として指摘されている[27]。相手方の事業が違法ないし反社会的なものと認められるときであるとか、事業停止または倒産状態にあるときには、そのこと自体をもってこれらのおそれの存在を肯定しても差し支えない。

イ　被保全債権

　仮差押えは、金銭の支払いを目的とする債権（金銭債権）の保全を目的とするものであるから、被保全債権としての金銭債権を特定する必要があり、具体的には、保全命令の申立書に申立ての趣旨および理由の記載による特定が求められる（民保規13 I ②）[28]。

　これに対して、特定適格消費者団体の行う仮差押えは、金銭債権である届出債権を保全するための手段である点では、仮差押えの本質に適合するが、未だ届出消費者からの授権がなされていない段階では、厳密な特定は不可能であり、また合理的でもない。対象消費者からの授権をうる前の段階で、法定保全担当として特定適格消費者団体に申立適格を認める以上、特定の要件は緩和せざるをえない。他方、仮差押債務者となる相手方事業者の立場からすれば、いかなる根拠にもとづいて仮差押えを受けたのかを直ちに知ることができず、これを争うのに支障を生じる、仮差押えの被保全債権と強制執行の執行債権との同一性が存在するかなどの問題がある[29]。

　特例法61（旧56）条 3 項が、特定適格消費者団体による仮差押命令の申立てについて、「保全すべき権利について、対象債権及び対象消費者の範囲並びに当該特定適格消費者団体が取得する可能性のある債務名義に係る対象債権の総額を明らかにすれば足りる」と規定するのは、このような考慮にもとづいて、

27）民事保全の実務（上）229頁。これらの事実に関する疎明資料については、近藤ほか 8 頁参照。
28）具体的記載内容については、民事保全の実務（上）174頁参照。
29）民事保全の実務（上）174頁。具体的記載例については、近藤ほか 7 頁・12頁、書式1-1、1-2参照。

被保全債権の概括的特定および総額の明示をもって代えることを認める趣旨である。なお、特例規則39条 4 号が仮差押命令の申立書の記載事項として定める「保全すべき権利」も、このような趣旨と解すべきである。

このうち対象債権および対象消費者の範囲の意義については、共通義務確認訴訟について述べたところによる（本書48頁）。対象債権の総額については、予想される届出債権の額などを考慮して、特定適格消費者団体が判断する以外にない[30]。その結果として、債務名義を取得し、または取得する可能性がある対象債権の総額が、仮差押命令申立ての総額を上回り、または下回る事態が生じうるが、その場合の調整は、第 2 節に述べる通りである。

ウ　被保全債権の全部または一部が重なり合う仮差押えの申立て

仮差押えは、特定適格消費者団体が将来取得する可能性のある債務名義にもとづく強制執行を保全するためのものであるが（特例法61（旧56）Ⅰ）、共通義務確認訴訟の提起前または係属中に申し立てることができるために（同Ⅱ参照）、同一事業者を相手方として被保全債権の全部または一部が重なり合う数個の仮差押えの申立てがなされる可能性がある。一例として、A 団体が、各人の対象債権額を20万円とする100名の対象消費者のうち80名から授権を受ける見込みがあると想定し、1,600万円を被保全債権として仮差押えを申し立てたのに対し、B 団体が、100名のうち70名から授権を受ける見込みがあると想定し、1,400万円を被保全債権とする仮差押えを申立てとする。この場合に、双方の申立てが認められると、3,000万円分の財産について仮差押えがなされる可能性があり、対象債権総額が2,000万円であることと比較すると、過大な仮差押えとなり、相手方事業者が不当な負担を強いられることとなる[31]。このような事態の発生を避け、裁判所が被保全債権ないし保全の必要性に関する判断を適切に行うために、特例規則は、以下のような規律を設けている。

特定適格消費者団体は、仮差押えの申立て（特例法61（旧56）Ⅰ）をするにあたって、対象債権および対象消費者の範囲の全部または一部ならびに共通義

30）他に考慮すべき事情としては、対象消費者による個別的権利行使や他の特定適格消費者団体に対する簡易確定手続追行の授権などがあり、それに相当する額は、総額から控除することとなる。山本343頁。
31）本文の例は、条解特例規則98頁によっている。

務確認の訴えの被告とされる事業者等が同一である他の仮差押えの申立てが既にされているときは[32]、申立書には、当該他の申立てにかかる次に掲げる事項を記載しなければならない（特例規則39柱書）。記載事項は、事件の表示（同①）[33]、裁判所の表示（同②）、手続の当事者である特定適格消費者団体（同③）、保全すべき権利（同④）、仮に差し押さえるべき物（同⑤）である。

　新たに仮差押えの申立てをする特定適格消費者団体がこれらの事項をどのように把握するかが問題となるが、当該特定適格消費者団体自身が仮差押えの申立てをしている場合はもちろん、他の特定適格消費者団体が申立てをしているときであっても、申立てがされた事実は当該他の特定適格消費者団体からの通知により、あるいは内閣総理大臣からの情報の伝達により知ることができるし（特例法84（旧78）Ⅰ①〜④⑥Ⅱ）、さらに必要に応じて、詳細を当該他の特定適格消費者団体に照会することができる[34]。

　なお、ここでいう他の申立ては、新たに仮差押命令の申立てをする特定適格消費者団体自身が行ったものおよび他の特定適格消費者団体が行ったものの双方を含む[35]。

　この規律は、被保全債権が具体的に特定されていない段階で、「特定適格消費者団体が取得する可能性のある債務名義に係る対象債権の総額を明らかに」して仮差押えがなされるため、適正な範囲で仮差押えを行うべきことを考慮するものである。ただし、他の申立てが取り下げられもしくは却下されたとき、または他の申立てにかかる仮差押命令が取り消されたときは[36]、前記の事項を記載する必要はない（特例規則39柱書かっこ書）。上記のような考慮の必要性が消滅するためである。

32）同一事業者に対する対象債権であり、共通義務確認訴訟の請求の基礎となる消費者契約および財産的被害を同じくする場合には、厳密な意味で対象債権および対象消費者の重なり合いがないときであっても、仮差押えの要件を判断するために、以下の事項の記載が望ましい。条解特例規則98頁参照。

33）事件番号を意味する。条解特例規則102頁。

34）条解特例規則98頁。

35）条解特例規則97頁。

36）却下決定または取消決定が確定したことを意味する。条解特例規則101頁。

4　仮差押命令に対する不服申立て

　仮差押命令に対する不服申立てについては、特例法が特段の規定を置いていないので、民事保全法の規定を適用する。

ア　保全異議（民保26）

　保全異議は、債務者が保全命令（仮差押命令）の適法性を争う手段であり、一般には、被保全債権の不存在、保全の必要性の不存在、担保（民保14Ⅰ）が低額に過ぎること、仮差押解放金（民保22Ⅰ）が高額に過ぎることなどが理由になる[37]。このうち、保全の必要性、担保および仮差押解放金については、実際上の運用はともかくとして、特例法特有の判断枠組は存在しない。これに対して、被保全債権については、特例法特有の問題がある。先に述べたように、特例法上の仮差押えにおいては、被保全債権が対象債権および対象消費者ならびに総額によって概括的に特定している。したがって、債務者側としては、口頭弁論または当事者双方が立ち会うことができる審尋の期日において（民保29）、これらの点を争うことになる[38]。対象債権や対象消費者の範囲について争いがない場合であっても、被害者の数や被害額が特定適格消費者団体の主張より少ないこと、あるいは全部または一部の被害者に対して賠償などを行っていることを理由として、被保全債権の総額を争い、仮差押命令の全部または一部の取消しを求めることになる。

　保全異議の申立てについての裁判に対しては、不服申立方法として保全抗告が認められる（民保41Ⅰ）。

イ　保全取消し

　保全取消しには、①本案の訴えの不提起等による保全取消し（民保37）、②事情の変更による保全取消し（民保38）および③特別の事情による保全取消し（民保39）の3種類があり、このうち、特例法が特別の規定を置いているのは、①のみであるが、②および③についても、解釈運用上の問題が考えられる。な

37）民事保全の実務（下）73頁。個別の対象消費者のする仮差押えの被保全権利との重複を理由とする保全異議や保全取消しについては、近藤ほか8頁参照。
38）仮差押命令の発令段階では、密行性の要請から、債務者に対する審尋が行われるのは、例外的な場合に限られる。民事保全の実務（上）133頁。

お、保全異議は、保全命令の発令の当否を問題とし、その再審理を求める不服申立てであるのに対し、保全取消しは、保全命令の存続の当否を問題とする不服申立てである[39]。

①　本案の訴えの不提起等による保全取消し（民保37）

仮差押命令は、本案の権利の実現を保全するための裁判であり（民保1）、被保全債権たる本案の権利の存否および内容は、訴訟手続によって確定することを予定している。そこで、保全命令を発した裁判所は、債務者の申立てにより、債権者に対し、相当と認める一定の期間内に、本案の訴えを提起するとともにその提起を証する書面を提出し、既に本案の訴えを提起しているときはその係属を証する書面を提出すべきことを命じなければならない。これを本案の起訴命令と呼んでいる。

特定適格消費者団体のする仮差押えにおいて被保全債権にあたるべきなのは、対象消費者の対象債権であるが、仮差押えの段階では、被保全債権については概括的特定と総額が示されているに過ぎない。そこで、本来の本案訴訟に代えて、共通義務確認訴訟を本案の訴えとみなして、起訴命令の規律を適用することとしている（特例法63（旧58）Ⅰ）。

共通義務確認訴訟について請求認容判決が確定し、または請求認諾や共通義務の存在を認める旨の和解が成立したことによって共通義務確認訴訟が終了したときは、簡易確定手続や簡易確定決定に対する異議後の訴訟に移行することになるが（特例法13（旧12）・15（旧14）・56（旧52）Ⅰ）、当事者たる特定適格消費者団体が簡易確定手続開始の申立てをすることができる期間および当該特定適格消費者団体を当事者とする簡易確定手続または異議後の訴訟が係属している間は、本案の訴えが係属しているものとみなす（特例法63（旧58）Ⅱ、民保37ⅠⅢ）。

簡易確定手続や異議後の訴訟は、共通義務にもとづいて届出債権の存在および内容を確定するための手続であり、本案の訴えとみなされる共通義務確認訴訟との一体性があるために、それらの係属を本案の訴えの係属と扱うものである。また、特定適格消費者団体が簡易確定手続開始の申立てをすることができ

39）須藤典明ほか『リーガル・プログレッシブ・シリーズ1民事保全〔3訂版〕』221頁（2013年、青林書院）。

る期間は、現実の手続係属があるわけではないが、簡易確定手続への移行可能性が保障されているために（特例法15（旧14）参照）、潜在的な手続係属が認められるものとして、同様の取扱いがなされる。したがって、これらの手続の係属を証する書面を提出すれば、本案の訴えの係属があるものとして扱われるし、保全命令の取消しもなされない。

　なお、保全取消しの申立てについての裁判に対しては、不服申立方法として保全抗告が認められる（民保41Ⅰ）。以下の②の場合も同様である。

　　②　事情の変更による保全取消し（民保38）

　この理由による保全取消しについては、特例法が特段の規定を設けていないので、特定適格消費者団体のする仮差押えについての保全取消しにも、民事保全法38条が適用される。なお、保全取消しについての管轄裁判所は、仮差押命令を発した裁判所または本案の裁判所であるが（民保38Ⅰ）、特定適格消費者団体の申立てにもとづく仮差押命令については、共通義務確認訴訟の第1審裁判所を本案の裁判所とみなす（特例法63（旧58）Ⅲ）。

　保全取消しの事由としては、被保全債権に関する事情変更、本案の訴えの敗訴および保全の必要性に関する事情変更の3つがある。

　第1に、被保全債権に関する事情変更としては、履行や消滅時効などによって被保全債権の全部または一部が消滅したことを債務者が疎明すると、保全命令の全部または一部が取り消される（民保38ⅠⅡ）[40]。特定適格消費者団体がする仮差押えについても、これが妥当するが、むしろ、実際に問題となるのは、仮差押えの申立てにあたって、総額とともに概括的に特定された被保全債権が1億円であるとして仮差押命令が発せられたが、届出債権は5,000万円にとどまった場合であろう。このような問題が発生するのは、特定適格消費者団体の行う仮差押えが法定保全担当者としての資格にもとづくものであり、かつ、被保全債権が総額をもって概括的に特定されていることによる。もっとも、届出債権が皆無であることは考えられないので、通常は、届出債権が被保全債権の総額に満たないことを理由とする一部取消しの決定がなされることになろう。

　第2に、本案の訴えとみなされる共通義務確認訴訟における特定適格消費者

---

[40]　竹下守夫＝藤田耕三編『注解民事保全法（上巻）』448頁（1996年、青林書院）、民事保全の実務（下）107頁。

団体の敗訴または敗訴判決の確定が考えられる。敗訴判決が言い渡されたことは、当然に仮差押命令を取り消すべき事由にはならないが、それが確定すれば、その内容にしたがって、仮差押命令の全部または一部を取り消すことになる[41]。簡易確定決定や異議後の訴訟の判決において届出債権の一部が認められなかった場合などについても、同様に考えることができる。

　第3に、保全の必要性に関する事情変更としては、債務者が十分な財産を有するに至り、かつ、その隠匿や処分のおそれがなくなった場合などがあげられるが[42]、これについては、特定適格消費者団体のする仮差押えに特有の問題はない。

　その他の取消事由としては、保全意思の放棄または喪失がいわれ、本案訴訟の取下げや和解があげられるが[43]、これらも、特定適格消費者団体のする仮差押えに特有の問題はない。

第2節　仮差押えの効力と強制執行

　先の例（本書180頁）に即して、ある特定適格消費者団体が、仮差押えの申立てにあたって、①届出が見込まれる対象消費者が200人存在する、②1人当たりの債権額は少なくとも50万円である、よって、「取得する可能性のある債務名義に係る対象債権の総額」（特例法56（旧52）Ⅲ）は、1億円であるとして、仮差押えの申立てをなし、仮差押命令が発せられ、事業者の所有不動産について仮差押えとその旨の登記がなされたとする。その後、対象消費者300人について1人50万円、総計1億5,000万円の届出がなされ、届出債権が被保全債権の額を超えているときに問題が顕在化する[44]。この状況において、特定適格消

41）民事保全の実務（下）108頁。
42）民事保全の実務（下）109頁。
43）民事保全の実務（下）110頁。起訴命令後の本案訴訟の取下げは、当然に取消事由になる（民保37ⅣⅢ）。
44）届出債権額が被保全債権の額内であれば、当該目的物に関する限り、仮差押えの効力を届出債権者全体のために用いることができるからである。既に債務名義が存在し、強制執行の申立てまたは配当要求ができる届出債権については、配当を受領でき（民執87Ⅰ①②）、それ以外の届出債権については、配当額の供託（民執91Ⅰ②）がされ、残余の仮差押え分は、保全すべき権利の消滅（民保8Ⅰ）に類するものとして、保全取消しの対象となる。な

費者団体がとるべき方策としては、いくつかのことが考えられる。

1　特定適格消費者団体自身が強制執行を行う場面

　第1次強制執行の場面では、団体は、届出債権のうち180名分の9,000万円については、既に債務名義を取得しているのであるから、自ら強制執行の開始を申し立てることができる。執行の対象としては、当該事業者に他にみるべき資産がないために、既に仮差押えを行っている不動産を選択すると想定する。このときに、団体としては、差押債権者として9,000万円の配当を受ける資格（民執87Ⅰ①）と、仮差押債権者として1億円の配当を受ける資格（同③）の地位を併有する。ただし、後者の資格では、直ちに配当を受領できるわけではなく、後に債務名義を取得した段階で供託された配当を受領できるにとどまる（民執91Ⅰ②・92Ⅰ）[45]。

　以上のことを前提として、当該不動産が売却され、売却代金が4,000万円であり、また、団体以外の債権者で配当要求（民執87Ⅰ②）をした債権が3,000万円あったとする。第1に、売却代金4,000万円について、団体以外の債権者の3,000万円、団体の仮差押債権1億円、団体の差押債権9,000万円に按分して配当表を作成し、仮差押債権者としての団体に4,000万円×10,000万円÷22,000万円＝約1,818万円を供託し、差押債権者としての団体に4,000万円×9,000万円÷22,000万円＝約1,636万円を配当し、他の債権者に4,000万円×3,000万円÷22,000万円＝約545万円を配当することが考えられる。差押債権者の地位を仮差押えの外側に置くという意味で、これを外側説と呼ぶ。

　このような分配は、団体が差押債権者の地位と仮差押債権者の地位とを二重

お、仮差押えがあるときの強制執行申立ての書式については、近藤ほか19頁参照。
[45]　供託（民執91Ⅰ②など。条解特例規則109頁）された金銭について追加配当の実施をするための端緒として、特例規則42条は、「当該仮差押えの手続の当事者である特定適格消費者団体を当事者とする簡易確定手続及び異議後の訴訟の手続が全て終了したときは、当該特定適格消費者団体は、速やかにこれらの手続における対象債権の確定の結果を執行裁判所に書面で届け出なければならない」と規定する。
　届出の対象となるのは、当該特定適格消費者団体が届出、簡易確定手続を経て、自らが異議後の訴訟まで追行したものであり、そのすべてが終了した時期に速やかに届出を要する。届出の内容は、確定の結果であるが、債務名義が形成された対象債権については、追加配当を受けるために、これを具体的に記載する必要がある一方、債務名義を取得できなかった債権については、概括的な記載で足りる。条解特例規則111頁参照。

に行使し、他の債権者の利益を害するようにもみえるが、団体の仮差押えおよび差押えの基礎となっているのは、対象消費者の個々の債権であり、かつ、団体の行う仮差押えは、「当該特定適格消費者団体が取得した債務名義及び取得することとなる債務名義に係る届出債権を平等に取り扱わなければならない」（特例法64（旧59））とすれば、仮差押えによる利益を届出消費者全体に均霑することが要請され、未だ債務名義を取得していない届出消費者の利益を確保するため、仮差押債権者のために供託される配当分をできる限りそれらの債権者のために残そうとすれば、仮差押えの供託分の外側で債務名義をえた団体の執行債権に対する配当を求めることが考えられる。債務名義をえた対象消費者としては、仮差押えの処分禁止効などは享受するが、配当にあたっては、団体が仮差押債権者としての地位に加えて、差押債権者として権利行使をすることとなる。

　もっとも、上記の外側説を採れば、仮差押えの登記に後れる抵当権があると、団体は、仮差押え分の届出債権について、その不存在が確定するときには、9,000万円部分の差押債権について仮差押えの処分禁止効を援用できないこととなる（民執87Ⅱ参照）。したがって、このようなおそれがある場合には、団体は、次の内側説を採ることになろう。

　第2に、執行債権9,000万円を仮差押えの被保全債権1億円の内側に含ませることが考えられる。これによれば、債務名義をえた団体の強制執行は、すでに行われている仮差押えの本執行としての性質を持つものであるから、供託の基礎となる1億円の対象債権のうち9,000万円分に相当する、4,000万円×9,000万円÷13,000万円＝2,769万円余りを団体に配当し、仮差押えの被保全債権の残額である1,000万円分に相当する、4,000万円×1,000万円÷13,000万円＝307万円余りを団体のために供託し、他の債権者には、4,000万円×3,000万円÷13,000万円＝923万円余りを配当することになる。そして、団体のために供託した307万円余りは、団体がさらに債務名義を取得した段階で配当することとなる。差押債権者の地位を仮差押えの内側に置くという意味で、これを内側説と呼ぶ。

　外側説と内側説の差異は、強制執行の実施後に団体が取得する債務名義に係る対象債権の額によってより明確なものとなる。たとえば、その額が仮差押え

当時に想定した額を超えて、1億3,700万円に膨張したときには、他に事業者の財産が存在しないと仮定すれば、内側説の下では、新たに債務名義が形成された4,700万円の債権者は、供託された307万円余りから満足を受ける以外にない。しかも、既に団体に対する配当を通じて満足を受けている対象消費者であっても、団体が供託された307万円の支払いを受ければ、その分配にも参加することとなるから、団体が新たに債務名義を取得した対象消費者に対する分配は、さらに少ないものとなろう。先の強制執行に関して述べたホッチ・ポット・ルール説（本書184頁）を適用しても、この問題は解消されない。

　仮差押えは、その被保全債権が本執行の差押債権になることを予定するものであるという原則を前提とすれば、内側説が妥当であるが、団体の行う仮差押えの場合には、既に述べたように、仮差押えの被保全債権が概括的に特定されているにとどまり、したがって、本執行の差押債権との食違いが必然的に生じざるをえない。内側説は、この食違いを最小限のものとし、仮差押えの効力を団体が既に債務名義を取得した対象消費者のために用いようとするのに対して、外側説は、仮差押えの効力を団体が将来債務名義を取得する可能性がある対象消費者のために維持しようとする発想にもとづくものである。法64条の趣旨を尊重すれば、外側説を妥当とすることになる。

　もっとも、団体としては、強制執行によって受けた満足を届出対象債権者に平等に分配するまでの義務は負っておらず、差押債権者として受けた配当を当該債務名義にかかる債権を有する届出消費者に交付することになるから[46]、後に債務名義をえて、仮差押えにもとづく配当供託金から満足を受ける届出消費者との間に不平等を生じることがないとはいえないが、団体に公平分配義務を負わせず、債務名義形成の順にしたがって分配をすることを認める以上（順次分配実施説）、やむをえない結果といえよう。しかし、ホッチ・ポット・ルールを適用すれば、この不平等は、多少軽減することができる。

　第3に、債務名義を取得した届出債権額と未だ取得していない届出債権額に仮差押えの枠を按分する考え方もありうる。仮差押えの被保全債権1億円のうち、1億円×9,000万円÷15,000万円（届出債権総額）＝6,000万円部分は、債務

46）一問一答93頁参照。

名義を取得した届出債権のために、残4,000万円、すなわち1億円×6,000万円÷15,000万円（届出債権総額）＝4,000万円部分は、未だ債務名義を取得していない届出債権のために使用するとの考え方である[47]。これを前提とすると、売却代金4,000万円について、団体以外の債権者の3,000万円、団体の仮差押債権4,000万円（1億円−6,000万円）、団体の差押債権9,000万円に按分して配当表を作成し、仮差押債権者としての団体に4,000万円×4,000万円÷16,000万円[48]＝1,000万円を供託し、差押債権者としての団体に4,000万円×9,000万円÷16,000万円＝2,250万円、他の債権者に4,000万円×3,000万円÷16,000万円＝750万円を配当することが考えられる。これを按分説と呼ぶ。

　以上の3つの考え方を比較したとき、簡易確定手続を経て確定されるべき被保全債権たる届出債権について、共通義務確認訴訟またはそれ以前の段階で仮差押えを認める制度の趣旨と、特定適格消費者団体の責務を重視すれば、第1の外側説となり、相手方事業者の他の債権者の利益を重視すれば、第2の内側説となり、両者の調和点を求めるとすれば、第3の按分説になる。

　愚見としては、仮差押えをした特定適格消費者団体の義務として、「取得した債務名義及び取得することとなる債務名義に係る届出債権を平等に取り扱わなければならない」（特例法59（旧55））とされていること、また、「取得する可能性のある債務名義に係る対象債権の実現を保全するため」（特例法61（旧56）Ⅰ。下線は筆者による）に仮差押えが認められていることを考えれば、第1の外側説を違法とすべき理由はない[49]。もっとも、仮差押えに後れる抵当権など

---

47) 外側説、内側説、按分説の呼称は、山本351頁による。
48) 16,000万円は、団体以外の債権者の3,000万円、団体の仮差押債権4,000万円、団体の差押債権9,000万円の合計である。
　　なお、按分の母数として、本文のように届出債権総額をとるか、最終的に債務名義を主とした届出債権総額をとるかという違いがありうる。後者とすると、すべての届出債権の存否が確定するまで母数が明らかにならないという問題があるために、ここでは前者としている。ただし、前者の場合には、届出債権総額のうちで債務名義を取得できなかった届出債権があると、債務名義を取得した届出債権への按分枠が過小であったことになるという問題もあろう。
49) 山本352頁も、被保全債権をどのようにするかについて処分権が認められるという理由から、選択説、すなわち特定適格消費者団体が外側説を選ぶ余地を肯定している。加納＝須藤・前掲論文（注8）44頁〜45頁が、①既に債務名義を取得した届出債権を仮差押えの被保全債権として扱うこと、②被保全債権に含まれない一般債権として扱うことに加え、③一部を被保全債権として扱い、残部を一般債権として扱うことについて、特定適格消費者団体

が存在し、特定適格消費者団体としては、仮差押えの効力を援用しなければ、抵当権者などの配当受領資格を否定できないときには（民執87Ⅰ④・Ⅱ参照）、第2の内側説または第3の按分説による取扱いを求めざるをえないこともあろう[50]。

　この点は、特例法の解釈の問題であるが、特例規則40条1項は、「特定適格消費者団体が法第61条第1項の申立てに係る仮差押え…………の執行がされている財産について強制執行の申立てをするときは、当該強制執行の申立書には、次に掲げる事項を記載しなければならない」と規定し、記載事項の1つとして、「当該強制執行の申立てが当該仮差押えにより保全される債権に基づくものであるときは、その旨」（同②）と定め、添付書類として、「前項第2号に規定する場合には、同項の強制執行の申立書には、同項第1号の仮差押命令の決定書の写しを添付しなければならない」と定め（同Ⅱ）、配当要求についても、これらの規定を準用している。

　第1の外側説に立つ取扱いを求めるとすれば、強制執行の申立てが仮差押えの枠外でなされることになり、仮差押えにより保全される債権にもとづくものにあたらないので、その旨の記載を要せず、また書類添付の必要はない。これに対し、第2の内側説または第3の按分説に立つ取扱いを求めるとすれば、その旨の記載と仮差押命令の決定書の写しの添付が必要になる。また、第1ないし第3のいずれかを前提として、団体が被保全債権となる具体的な届出債権を選択できるとの考え方に立ったときは、団体による強制執行の申立てに際して、「当該強制執行の申立てが当該仮差押えにより保全される債権に基づくものであるときは、その旨」の記載を求める特例規則40条1項2号の規定は、このような選択可能性を前提にしているものと思われる[51]。

の選択を認めるのも、同様の趣旨と解される。法の支配座談会34頁、日弁連コンメ293頁、町村154頁、近藤ほか20頁も、団体の選択に委ねるのが妥当とする。

50）三木623頁は、届出債権の総額が被保全債権の総額を超えているときには、処分権主義の原則に照らして、仮差押えの総額をいずれの届出債権に割り付けるかは、特定適格消費者団体の判断に委ねられるとする。

51）条解特例規則102頁は、数個の考え方がありうるとした上で、「この点は、法の解釈に委ねられるものであって、本条（特例規則40。筆者注）は特定の考え方を前提とする規定ではない」と説明する。

2　他の債権者が強制執行を行う場面

相手方たる事業者の他の債権者が強制執行を行い、団体がその手続に参加し、配当を受ける場面でも、基本的な考え方には変わりがない。不動産執行を例にとれば、団体としては、上記の第1の外側説の考え方によれば、その時点で債務名義を取得している対象消費者のために配当要求（民執51 I・87 I ②）をするとともに、仮差押えの被保全債権について配当額の供託を求めることになる（民執87 I ③・91 I ②）。これに対して、第2の内側説の考え方によれば、債務名義をえた団体が配当要求をする以上、仮差押えによって保全されている対象消費者の債権は、それに相当する部分が縮減し、その限度でのみ配当額の供託を求めることになる。そして、第3の按分説であれば、届出債権を仮差押えの効力にもとづく配当要求債権の部分と、それ以外の債務名義にもとづく配当要求部分とに按分して、配当受領資格を認めるべきことになろう。

特例規則40条3項が、「前2項の規定は、特定適格消費者団体が第1項の財産（当該特定適格消費者団体の申立てにかかる仮差押えの執行がされている財産。筆者注）について強制執行又は担保権の実行の手続がされている場合において配当要求をするときについて準用する」と規定するのは、上記のいずれかの考え方を選択できることを前提としている[52]。

52）団体による配当要求が仮差押えの被保全債権にもとづく旨は、強制執行の申立書ではなく、配当要求書（民執規26）に記載し、仮差押命令の決定書の写しは、配当要求書にこれを添付する。条解特例規則101頁参照。

●事項索引●

● 判例索引

●著者紹介

伊 藤　　眞（いとう　まこと）

〔略　　歴〕
　1945年2月14日，長野県上田市に生まれる。
　駒場東邦高校を経て，1967年東京大学法学部卒業。
　東京大学法学部助手，名古屋大学法学部助教授，一橋大学法学部
　教授，東京大学大学院法学政治学研究科教授，早稲田大学大学院
　法務研究科客員教授，日本大学大学院法務研究科客員教授，創価
　大学大学院法務研究科客員教授を経て，現在，東京大学名誉教授，
　日本学士院会員，弁護士（長島・大野・常松法律事務所）。

〔主要著書〕
　民事訴訟の当事者（1978年，弘文堂）
　債務者更生手続の研究（1984年，西神田編集室）
　破産――破滅か更生か（1989年，有斐閣）
　法律学への誘い〔第2版〕（2006年，有斐閣）
　千曲川の岸辺（2014年，有斐閣）
　続・千曲川の岸辺（2016年，有斐閣）
　会社更生法・特別清算法（2020年，有斐閣）
　倒産法入門――再生への扉（2021年，岩波書店）
　民事司法の地平に向かって――伊藤眞　古稀後著作集（2021年，
　商事法務）
　破産法・民事再生法〔第5版〕（2022年，有斐閣）
　続々・千曲川の岸辺（2022年，有斐閣）
　民事訴訟法への招待（2022年，有斐閣）
　民事訴訟法〔第8版〕（2023年，有斐閣）

消費者裁判手続特例法〔第3版〕

2016年 5 月30日　　初　版第1刷発行
2020年12月20日　　第2版第1刷発行
2024年 3 月10日　　第3版第1刷発行

著　　者　　伊　藤　　　眞

発 行 者　　石　川　雅　規

発 行 所　　蠶 商 事 法 務

〒103-0027 東京都中央区日本橋3-6-2
TEL 03-6262-6756・FAX 03-6262-6804〔営業〕
TEL 03-6262-6769〔編集〕
https://www.shojihomu.co.jp/